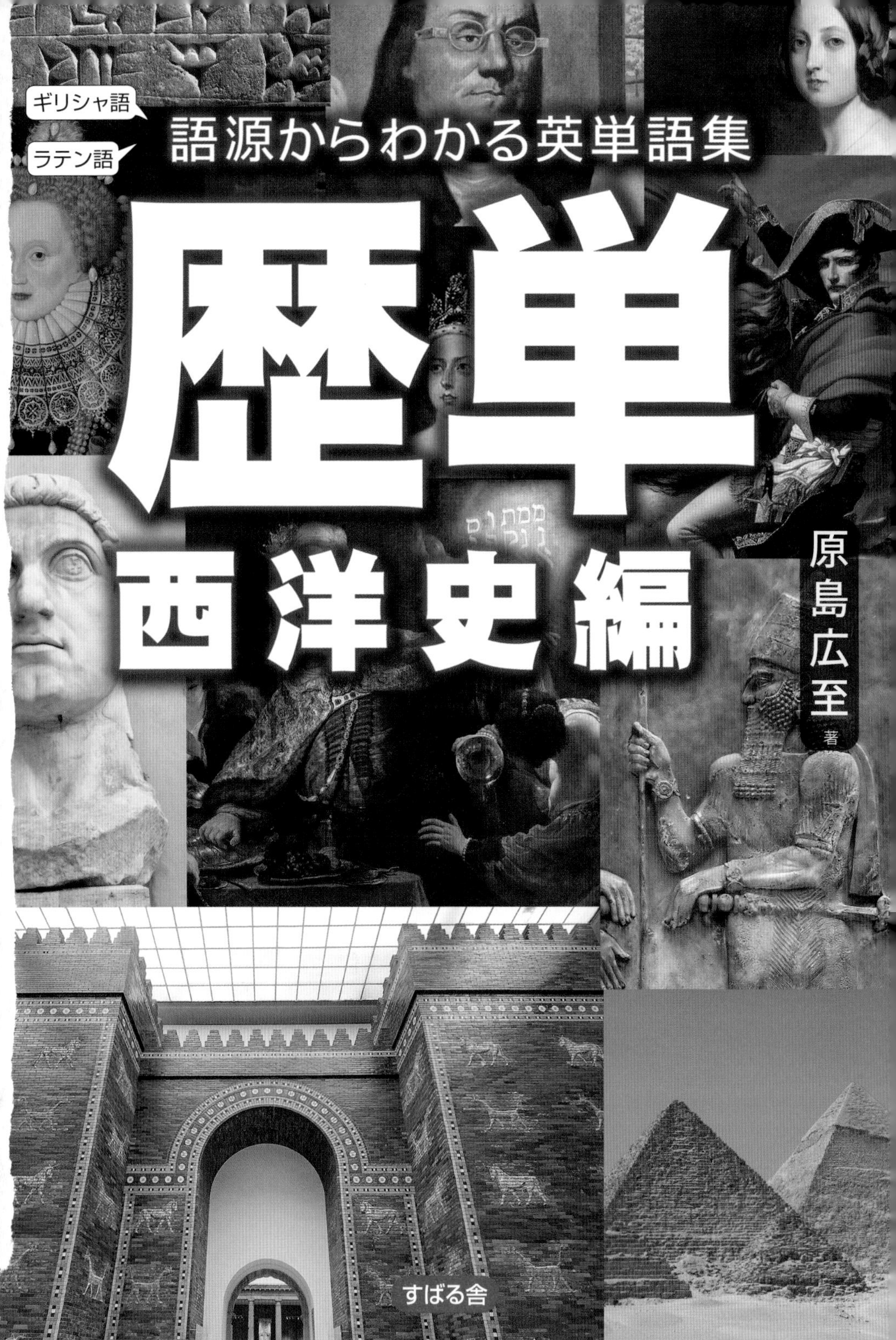
ギリシャ語
ラテン語
語源からわかる英単語集
歴単
西洋史編
原島広至 著
すばる舎

REKITAN

Word Book of Historical Terms
with Etymological Memory Aids

— *Western History* —

First Edition

Author
Hiroshi Harashima

Published by
Subarusya, 2020

はじめに

かれこれ30年以上の昔、独学でヘブライ語を学んでいた時期に、駅前でペンダント売りをしていたイスラエル人の男性と親しくなり、彼を家に招いた（彼は本国で高校教師だったが、結婚資金調達のため短期間、世界を旅して商売していた）。家には、私が10代の頃に趣味で作ったイスラエルの精密なジオラマ立体地図があったため、その地図からイスラエルの地理について英語で説明を試みた。しかし肝心の歴史用語や地理用語の発音がまったく思い浮かばず、言いたいことが言えず非常にもどかしい思いをした。実はこのあせりが、本書の企画の原点である。「日常」英会話だけならば、もしくは英文の歴史の本を「読む」だけなら、世界史用語の発音を覚える必要はないが、欧米人と歴史や地理について「会話」しようと思うと、人名や地名の発音が多少頭に入っていないと聞き取りすらできない。例えば「プレイトウ」とか「ヘイドリアン」と言われた時に、知っていなければ、すぐに「プラトン」や「ハドリアヌス」だとは思い浮かばないだろう。また、「カノッサの屈辱」が "Walk to Canossa" と呼ばれていることを知らなければ、とっさに理解できないだろう。

本書は、高校の世界史レベルの世界史用語、古代から第1次世界大戦に至る西洋史に関係する英単語約1362語を取り上げている（一部、私の趣味で単語を足した）。日本語にはふりがなを、英単語にはアメリカ英語の発音（カタカナ表記と発音記号）を記しているのが特徴だ。これらの語の中には、一般的な英語辞典では発音が掲載されていない単語も多いことに気付くだろう。大抵の固有名詞はローマ字読みで意味は分かるが、ぜひ、**発音のカタカナ表記を「ザー」と目を通し、口に出してみる**ことをお勧めする。そうすれば、頭の片隅にその発音が記憶され、将来のどこかで必要になった時に思い出せるだろう。単語ごとの解説は、学生時代に学んだ内容を忘れた人のための備忘録程度のものなので、世界史の流れは他の系統的に書かれた歴史の本で学んで欲しい。本書は基本的に「言葉・語源」に注目しているので、世界史の「年号」に関しては省略している。日本の学校の英語教育は固有名詞の学習をおろそかにしている。しかし、欧米人から教養ある人物とみなされるためには、本書の世界史用語程度の単語は知っていてしかるべきであり、それを補うために本書が役立って頂ければ幸いである。本書は、拙著『骨単』等の語源から覚える解剖学英単語集シリーズ（丸善雄松堂）のページデザインを踏襲しており、単語学習向けのレイアウトとなっている。

本書の出版を実現して頂いた、すばる舎の菅沼真弘氏、また編集者の細田繁氏には感謝の念に堪えない。イラスト制作・DTP・発音調査に関しては田中李奈氏、堀場正彦氏、谷川宗寿氏にご協力頂いた。この場をお借りして、その他関係者各位にも心から感謝の意を表したい。

2020年1月

原島 広至

目次

本書の用い方

本書は4ページで、一つの単元になっている。

個々の単元に関する概略や、歴史背景などを短く解説

日本語

図解

重要語には赤色表示

単元中の言語学的なトピックスなどを解説

語源解説

英語

歴史用語の興味を深めるコラム

英語の語源をギリシャ語・ラテン語の語源から解説。

※本書で特にことわらない場合、「ギリシャ語・ラテン語」とは古典ギリシャ語・古典ラテン語を指している。

時代区分が分かりやすいインデックス

古代　中世　近世　近代

●日本語から英語

●英語から日本語

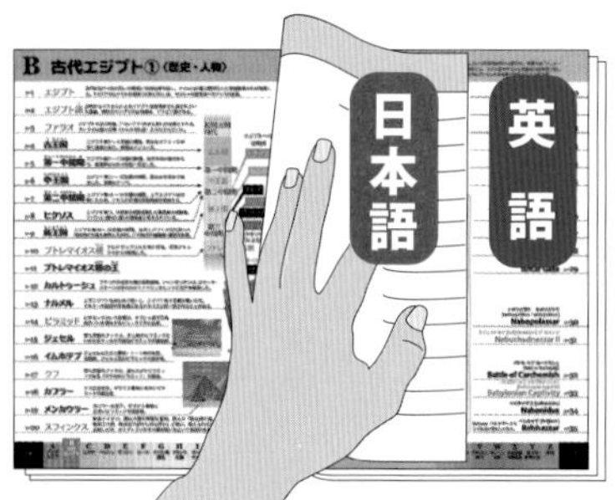

日本語ページを見て英語を思い出し、ページをずらして英語ページの単語を並べて記憶が正しいかを確認してみよう。逆に、英語から日本語もテストしてみよう。

表記について

本書の特色の一つは固有名詞に付したカタカナ表記である。アクセントのない部分の母音は辞書によって表記に揺れがある場合も多いが、違いはあまり気にせず、アクセントのある太字の部分をはっきり発音し、他の母音はあいまいに発音するのがコツである。英語の発音は完全にはカタカナ表記で表すことができないため、できるだけ発音記号も併記している。正確な発音を知りたい場合は発音記号を参考にしてほしい。一般的な英単語に関しては、カタカナ表記や発音記号を省略している場合もある。また、単語の見出語は、固有名詞は大文字で、一般名刺は小文字で記している。固有名詞に由来する形容詞や、一般名詞を固有名詞化しているものは、文中で大文字・小文字どちらを使うか文献の違いでゆれている場合があるが、比較的用例の多い方を採用している。以下に発音等における注意点を記す。

～1世 ～ the first、～大王・大帝 ～ the great

- Ptolemy I「プトレマイオス1世」は英語で Ptolemy the first **タ**レミ ザ **ファー**スト、Sargon II「サルゴン2世」は Sargon the second **サー**ゴン ザ **セ**カンドのように読む。本書では、「2世」にあたるザ セカンド等の発音記号はスペースの関係で省略している。ちなみに、古代の王名の～1世、～2世は、後代の歴史家が整理のために付けたものなので、当時の人々はそう呼んでいなかった。
- ネブカドネザル大王は、Nebuchadnezzar the great「ザ グレイト」、つまり「偉大な者」という意味である。この称号も生まれた時でなく後から付けられたもの。このように the＋形容詞は、王のあだ名や称号によく用いられる (Edward the Black Prince「エドワード黒太子」、John the Perfect「ジョアン完全王」、Louis XIV the Sun king「太陽王ルイ14世」など)。

～川 the ～ river

- ユーフラテス川は英語で the Euphrates「ザ ユーフレイティーズ」。日本語では「ユーフラテス川」のように必ず「川」が付くが、the Euphrates river という表記より、river を付けないケースが圧倒的に多い。このように river が省かれることの多い言葉の場合、本書の単語の見出しでは the も river も省略している。

～山 the mount ～, Mt. ～ / ～山脈 ～mountains

● シナイ山は英語で the mount Sinai「ザ マウント サイナイ」、もしくは the を省いて Mount Sinai「マウント サイナイ」という。Mount は Mt. とも略される。本書の単語の見出しでは、mount ～のように書かれるケースの多い山は mount を付け、the は省いている。一方、アルプス山脈は the Alps「ズィ アルプス」。日本語でも単に「アルプス」という場合が多いが、英語でも the mount Alps という表記はあまり見られない。このケースの場合、本書の単語の見出しでは the Alps と記載している。

ヴァ？ バ？ ウァ？ ワ？ ラテン語の V

● ラテン語には元々 V の文字はなかった。U は、UI ウィや、UA ワ（ウァ）のように半母音として使われる場合と、CU ク、SU スのように母音として使われる場合があった。U と V は同じ文字の異体字であり、どちらを使っても構わなかった（古典ラテン語ならば Octavianvs と Octauianus は同じ）。やがて、半母音のワ [w] の音が、ヴァ [v] の音に変化し、さらに子音の場合は V、母音の場合は U といった使い分けがなされるようになった。例えば、Octavianus を日本語で表記する場合、古典ラテン語を正確に音訳しようとすると「オクタウィアヌス」だが、後代のラテン語に準じれば「オクタヴィアヌス」になる。昔ながらの日本語表記では V をバ行にするが、その場合「オクタビアヌス」になる。もし英語の発音に従うなら「オクタヴィアン」や「オクタビアン」という書き方もあり得る。

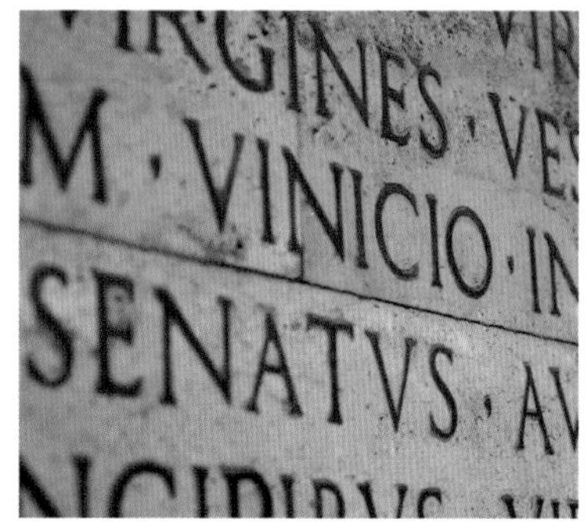

この古代ラテン語の碑文では、SENATVS や VINICIO のように U と V はどちらも V の形になっている。

● ラテン語の VA のスペルの場合、「ウァ」とすべきか「ワ」にするか、意見が分かれる。例えば皇帝の Nerva は、古典ラテン語に準ずれば、「ネルウァ」か「ネルワ」になる。後代のラテン語に準じれば「ネルヴァ」か「ネルバ」になる。どの表記が使われることが多いかを調べるため、Google で語句検索してみた。地名の Nerva も入っているので人名だけの結果とは限らないが、「ネルヴァ」約 63,400 件、「ネルバ」約 41,600 件、「ネルウァ」約 37,600 件、「ネルワ」約 1,660 件（スリランカの Neluwa を除いた結果）という結果となり、「ヴァ」のパターンが一番多かった（本書はおおむね「ウァ」だが、「ヴァ」がよく知られている場合はその表記を用いている）。この傾向は他の単語でもやや似ていて、「ヴァ、ヴィ、ヴェ、ヴォ」の表記が多く見られる。

パ？ ファ？ ギリシャ語の Ph

● 古代ギリシャ語の Φφは、「ファイ」（もしくは「フィー」や「ペー」、「ピー」）と呼ばれる文字で、古くは「無声両唇破裂音の帯気音」という、日本語の「パ行」の音に近いが少し違う音を表していた。しかし、時代が下ると [f] の発音に変化した。そのため、古代ギリシャ語を日本語で書く場合、2通りの表記があり得る。本書では、Φをパ行にしてしまうと、日本語のパ行に相当する Ππ（「パイ、ピー」。円周率を表すためにも使われている）と区別がつかなくなるため、便宜上「ファ」を採用している。余談だが、直径を表すのに、ギリシャ文字のφ（ファイ）を使うことがあるが、実は元々は○に斜めの線を入れた記号「∅」で、ギリシャ文字に似ているためにファイと呼ばれている。

ギリシャ語 -OS vs ラテン語 -US

● 古代ギリシャ人の名前に関しては、多くの場合2通りの表記が見られる。ギリシャ語の男性名詞において第一変化の語尾は -os で終わるため、人名も -os で終わることが多い。しかし、ギリシャ人の人名がラテン語で書かれると、ラテン語の男性名詞の第一変化の語尾が -us で終わるため、-os から -us に変えられている。英語のギリシャ人名のスペルは、ギリシャ語から直接取り入れられた場合は -os ～オスになるが、ラテン語を経由して英語に入った場合は -us ～ウスになる（もっとも英語の場合、アクセントがなければ母音の発音は曖昧になるので、会話ではどちらでも大差がないが……）。他にも、ギリシャ語から直接とられた単語の「カ行」の音は K を使うことが多いが、ラテン語を経由したギリシャ語由来のスペルでは C になる。例えば、セレウコスはギリシャ語から直接英語に入った場合は Seleukos に、ラテン語を経由したスペルは Seleucus となる。

英語？ vs 現地の言語？

● 日本では、イギリス人の場合は英語で、フランス人の場合はフランス語で、ドイツ人の場合はドイツ語で表記するのが一般的である。例えば、ステュアート朝の王ならば **「チャールズ」** 1世と英語で、神聖ローマ帝国の王ならばドイツ語で **「カール」** 5世、フランスのブルボン朝最後の王ならばフランス語で **「シャルル」** 10世のように。とはいえ、英語で表記すると、すべて **Charles チャールズ**になる。一方、シャルルマーニュのようにフランス・ドイツ・イタリアの領土にまたがった王の場合、日本語ではシャルルマーニュでもカール大帝でもどちらでも良いことになる。フランス語やドイツ語ならばまだ良いのだが、日本人になじみのない言語の場合は、日本では本来の言語での発音が広まっていないことがあるため、専門家でも表記に迷うことになる。本書では、一般的に使用されることの多い発音を使っているが、時々、元の言語の発音も併記している。

音引き ― 付ける？ 付けない？

● 古代のギリシャ語には長母音と短母音の区別があり、意味も違ってくる場合がある。実のところ、日本語で音引きを付けるか付けないかに関して明確な基準はない。例えば、ギリシャの女神 Ἀθηνᾶ アテーナーは、「アテーナー」、「アテナ」のどちらもしばしば見受けられる。ギリシャの都市 Ἀθᾶναι アテーナイも、「アテネ」や「アテナイ」、「アテーナイ」、時には「アテーネー」と書かれるため、統一がとれていない。日本語と比べてギリシャ語では長母音の頻度が高いため、音引きを必ず付けるとすると、ソークラテース、ピュータゴラース、エウリーピデース、アルキメーデースのように間延びした感じになる。ラテン語にも母音に長・短の区別があり、ギリシャ語同様の問題が生じている。本書では、日本で一般に広まっている表記を見出しに用いている。

アメリカ英語とイギリス英語

● 本書の発音記号やカタカナ表記は、**アメリカ英語の発音**。イギリス英語とアメリカ英語では、一般の単語と同様に歴史用語の発音も異なっている。以下に数例を示す。

・単音の o　米 [ɑ] / 英 [ɔ]　例：**Ptolemy** 米 [tάləmi] **タ**レミ / 英 [tɔ́ləmi] **ト**レミ

・強勢のない -er　米 [ɚ] / 英 [ə(r)]　例：**Persian** 米 [pə́ːʒən] **パー**ジャン / 英 [pə́ːʃən]

[ə] はあいまい母音。[ɚ] は R音性母音といい、アメリカ英語の発音に見られ、[ə] を発音すると同時に、舌をそらせて R の音のような響きを持たせたもの。イギリス英語では R 音性化はしない（R音性母音が苦手な日本人には、この点でいえばイギリス英語の方が発音しやすいかもしれない）。イギリス英語で -ar、-or、-er などの場合、大抵は r を発音しない（例：car「車」米 [kɑɚ] **カー** / 英 [kɑː] **カー**）。

発音記号の表記に関して● 本書では基本的にアメリカ英語の発音のみを掲載しているが、単語によってはイギリス英語やフランス語、ドイツ語などの発音も掲載している。● 本書では代表的な発音を掲載したが、他にも発音の仕方が複数存在する場合がある。● 発音記号は、基本的にジョーンズ式で記している。第2アクセント記号は省略した。● 発音記号やカタカナの読みに関しては、比較的簡単な単語ではスペースの関係で省略している。

Part I

Ancient Times
古代

A メソポタミア

A-1 **メソポタミア** チグリス川とユーフラテス川の間の平野、およびその流域で発生した文明を指す。

A-2 **文明のゆりかご** もしくは、「文明の揺籃の地」。古代文明の発祥地のこと。

A-3 **肥沃な三日月地帯** メソポタミア、パレスチナ、エジプトを結ぶ三日月型の地域。

A-4 **ユーフラテス川** メソポタミアの南西を流れる川。そのほとりに都市バビロンがあった。

A-5 **チグリス川** もしくはティグリス川、ヒデケル川。メソポタミアの北東を流れる川。

A-6 **シュメール** メソポタミア南部に興った世界最古の都市文明。シュメール人の出自は謎に包まれている。

A-7 **シュメール人、シュメール語**

A-8 **ギルガメシュ** もしくはギルガメッシュ。ウルク第1王朝の王。『ギルガメシュ叙事詩』の主人公。永遠の生命を求めて旅をした。

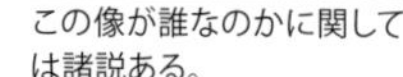
この像が誰なのかに関しては諸説ある。

A-9 **ギルガメシュ叙事詩**
1872年、アッシリア学者のジョージ・スミスが、アッシュールバニパル王の図書館から発見した。

A-10 **アッカド語** または「アッシリア・バビロニア語」。セム語に属し、アッシリアやバビロニアで使われた国際共通語。

A-11 **アッシリア** メソポタミア北部の都市アッシュールを中心に栄えた国。後期はニネベやニムルドを首都とした。

A-12 **ティグラト・ピレセル3世** 軍事改革を行い、軍隊を強化。ダマスカスやバビロンを征服。

A-13 **サルゴン2世** 新アッシリア帝国の領土を拡張した王。シリアや北のイスラエル王国を滅ぼした。

A-14 **センナケリブ** もしくはセナケリブ。バビロンと南のユダ王国に軍事遠征を行う。息子達に暗殺された。

A-15 **エサルハドン** 父を殺した兄達を破って王位に就く。新アッシリア帝国最盛期の王。

A-16 **アッシュールバニパル** エジプトを征服し、オリエントを統一。初の世界帝国を樹立。

A-17 **ウルク** シュメールに残された遺跡の中では最大の都市。聖書ではエレクと書かれている。

A-18 **ウル** ウルの王家の墓から豪華な副葬品が多数見つかった。中でも「ウルのスタンダード」は有名。聖書のアブラハムの生誕地。

A-19 **ニネベ** 聖書で「流血の都市」と呼ばれた新アッシリア帝国の首都。アッシュールバニパル王の図書館が発掘された。

コルサバードのサルゴン2世の宮殿のレリーフ。

日本では「世界四大文明」といった言い方をするが、英語では四つと限定した表現はなく、「Cradle of Civilization 文明のゆりかご」といった表現が用いられる。四大文明の中で最も古いのがメソポタミア文明である。

法典の上部には、ハンムラビ王（左）と太陽神シャマシュ（右）が描かれている。

バビロニア A-20
シュメール人を征服したセム人によって支配されたメソポタミアの古代帝国。

バビロニア人 A-21
高度な数学や天文学を発達させた人々。彼等が用いた 60 進法は、現在の時間や角度の単位の起源となっている。

カルデア人 A-22
カルデアはメソポタミア地域の別名。占星術と天文学に詳しいカルデア人は、やがて占星術師の代名詞となった。

ハンムラビ王 A-23
もしくは「ハムラビ王」。バビロン第 1 王朝 第 6 代の王。全バビロニアを統一。

ハンムラビ法典 A-24
高さ 2.25 mの石棒に刻まれた法典。聖書の「目には目を、歯には歯を」という言葉と同じ条文があることで有名。

楔形文字 A-25
もしくは「せっけいもじ」
粘土板に刻まれたくさびの形の文字。シュメール人が発明（左の画像）。アッカド語では次第に単純化された字形となった（右の画像）。

バベル／バビロン A-26
新バビロニア（カルデア朝）の首都。バベルはヘブライ語、バビロンはギリシャ語の読み方。

バベルの塔 A-27
旧約聖書の『創世記』に記されている「頂が天に届くほど」高い塔。ここで言語が乱され、人々が全地に散ったとされる。

ジッグラト A-28
階段状の巨大な聖塔。ピラミッドの原型とされる（ピラミッドも、初期のものは過渡的な階段状のものが存在していた）。ピラミッドが墓なのとは異なり、神殿。

ブリューゲル作『バベルの塔』（写真左）。新バビロニアに建てられた「エテメナンキ（エ・テメン・アン・キ）」というジッグラトは、7 階層で高さは 90m を超すといわれる。

イシュタル門 A-29
愛と戦の女神イシュタルに捧げられた高さ約 15 mの、都市バビロンの門。美しい青色の彩釉のレンガで覆われ、ライオンや竜の装飾で飾られている。ドイツのペルガモン博物館に移築・展示されている。

ナボポラッサル A-30
新バビロニア帝国の建国者。アッシリア支配下のカルデアの総督だったが、アッシリアから独立した。

ネブカドネザル2世 A-31
またはネブカドネザル大王。ナボポラッサルの息子。バビロン市と神殿を復興した。
バビロンを世界の中心として繁栄させた王。しかし聖書のダニエル書によれば、ネブカドネザルは 7 年間、人の心を失い「牛のように草をはみ、髪が鷲のように、爪が鳥の鉤爪のように伸びて」獣と共に過ごしたとある。左の絵はウィリアム・ブレイク作『ネブカドネザル』。

カルケミシュの戦い A-32
ネブカドネザルは、カルケミシュでエジプト軍を破り、シリアを制圧した。

バビロン捕囚 A-33
南のユダ王国を滅ぼし、エルサレムを滅亡させ、住民をバビロンに強制移住させた。

ナボニドゥス A-34
またはナボニドス。アラビアの都市テマに隠居し、バビロン市の統治を息子ベルシャザルに託した。キュロス大王率いるペルシャ軍に破れ、新バビロニア帝国は滅亡。

レンブラント作『ベルシャザルの饗宴』

ベルシャザル A-35
ナボニドゥスの息子。王の饗宴の席で、メディアとペルシャによるバビロンの滅亡を告げる壁の文字を、ユダヤの預言者ダニエルが解き明かしたと聖書にある。

A Mesopotamia

メソポテイミア [mesəpətéimiə]
A-1 **Mesopotamia**

クレイドル オヴ スィビライゼイション [kréidl əv sivəlaizéiʃən]
A-2 **cradle of civilization**

ファータイル クレセント [fɚ́ːtail /-tl krésnt]
A-3 **Fertile Crescent**

ユーフレイティーズ [juːfréitiːz]
A-4 **Euphrates**

タイグリス [táigris]
A-5 **Tigris**

スーマ [súːmɚ]
A-6 **Sumer**

スーメアリアン [suːmé(ə)riən]
A-7 **Sumerian**

ギルガメシュ [gílgəmeʃ]
A-8 **Gilgamesh**

エピック オヴ ～ [épik əv ～]
A-9 **Epic of Gilgamesh**

アケイディアン [əkéidiən]
A-10 **Akkadian**

アスィリア [əsíriə]
A-11 **Assyria**

ティグラス パイリーザ ザ サード [tíglæθ pailíːzɚ]
A-12 **Tiglath Pileser III**

サーゴーン [sáːgɔːn] ザ セカンド
A-13 **Sargon II**

セナケリブ [sənǽkərib]
A-14 **Sennacherib**

イーサーハードン [iːsaːháːdən]
A-15 **Esarhaddon**

アシュールバニパル [æʃuːrbǽnipəl]
A-16 **Ashurbanipal**

ウールク [úːruk]
A-17 **Uruk**

ウーア [uːɚ]
A-18 **Ur**

ニネヴェ [nínəvə]
A-19 **Nineveh**

◆**Mesopotamia メソポタミア**　「～の間、中間」を意味するギリシャ語で μέσος **メ**ソスに ποταμός ポタ**モ**ス「川」を足したもの。このメソスから、英語の Mesozoic メソ**ゾウ**イック「中生代」やイタリア語 mezzosoprano「メゾソプラノ」（ソプラノとアルトの中間）などの語が造られた。また、ポタモスにギリシャ語 ἵππος **ヒッ**ポス「馬」を足すと、英語 hippopotamus ヒポ**パ**タマス「カバ」になる。これを略した hippo は、ギリシャ語の本来の意味では単に馬になってしまう。

◆**Fertile Crescent 肥沃な三日月地帯**　砂漠や山岳地帯に挟まれ、湿潤で温暖な気候ゆえに肥沃な土地だったため、メソポタミア文明やエジプト文明が育った。地球規模の気候変動のため、現在では昔より乾燥化している。英語の crescent ク**レ**セント「三日月」は、ラテン語の cresco ク**レー**スコー「だんだん大きくなる」に由来し、イタリア語の音楽用語 crescendo「クレッシェンド、だんだん強く」や、フランス語の croissant「クロワッサン」（三日月型のパン）と同じ語源である。

◆**Tigris チグリス川**　ローマ時代に活躍したギリシャ人歴史家のストラボンは、チグリス川の名が、上流が急流のため古代ペルシャ語の「矢」に由来すると説明した。ちなみに、トラのことを学名で *Panthera tigris* という。これはトラのことをギリシャ語で *τίγρις* ティグリスというためで、これも古代ペルシャ語で「矢のように速く攻撃する動物」という意味からきたといわれてきた（実際には、これらの言葉の由来はもっと入り組んでいる）。

日本語では、「シュメール人」と「シュメール語」という名詞と、「シュメールの」という形容詞は別々の語だが、英語では「シュメールの」を意味する形容詞 Sumerian が「シュメール人」と「シュメール語」も意味する。ラテン語やギリシャ語由来の英単語ではしばしば、接尾辞が長くなると Sumer スーマ → Sumerian スーメアリアンのようにアクセントの位置が移動するので要注意。

◆ **Gilgamesh ギルガメシュ** シュメール語の bilga「先祖」に mes「英雄」を足した言葉で「先祖は英雄」という意味。ギルガメシュと親友エンキドゥは、森に棲む怪物フンババを倒すが、エンキドゥは神罰に打たれて死ぬ。ギルガメシュは、人はなぜ死ぬのかという問いの答えを求めてさまよい、永遠の生命を得たと伝えられる大洪水の生き残りのウトナピシュティムを訪ねる旅に出た。ウトナピシュティムは洪水のいきさつを語ったが、その記述が詳細な点に関して、聖書のノアの洪水の話に似ているとして、ギルガメシュ叙事詩の発見時に注目の的となった。

バビロウニャ [bæbilóunjə]
Babylonia A-20

バビロウニャン [bæbilóunjən]
Babylonian A-21

カルディーアン [kəldí:ən]
Chaldean A-22

ハムラービ [hæmurá:bi]
Hammurabi A-23

コウド オヴ ハムラービ [kóud əv ～]
Code of Hammurabi A-24

キューニーイフォーム [kju:ní:əfɔəm]
Cuneiform A-25

ナブッコとネブカドネザル

19 世紀を代表するイタリアの作曲家**ジュゼッペ・ヴェルディ** Giuseppe Verdi (1813-1901) の出世作となったオペラに『**ナブッコ (Nabucco)**』がある。このナブッコとは、ずいぶん簡略化されてはいるが、イタリア語で**ネブカドネザル**のことを指す。話の内容は、聖書のネブカドネザルの精神錯乱やバビロン捕囚をベースにした創作である。初演の 1842 年当時、イタリアはオーストリア帝国の支配下にあり、イタリア各地で独立運動が起きていた。第 3 幕のヘブライ人捕虜達が故郷を思って歌う合唱『行け、我が想いよ、黄金の翼に乗って (**Va, pensiero, sull' ali dorate**)』はイタリア人の心を捉えた。

ウクライナ国立歌劇場の公演

ベイベル [béibəl] / バビロン [bǽbilən]
Babel / Babylon A-26

タワ オヴ ベイベル [táuə əv béibəl]
Tower of Babel A-27

ズィグラット [zígəræt]
ziggurat A-28

イシュター ゲイト [íʃtaə géit]
Ishtar Gate A-29

ナボウポラサ　ネイボポラサ
[næboupəlǽsə / néibəpəlæsə]
Nabopolassar A-30

ネビュカドネザ [nɛbjukədnézə] ザ セカンド
Nebuchadnezzar II A-31

バトル オヴ カーケミシュ
[bǽtl əv ká:kəmiʃ]
Battle of Carchemish A-32

バビロウニャン キャプティヴィティ
[bæbilóunjən kæptíviti]
Babylonian Captivity A-33

ナボナイダス [nəbənáidəs]
Nabonidus A-34

ベルシャザ [bɛlʃǽzə]
Belshazzar A-35

Balthazar バルタザールもこの名前が変化したもの。

B 古代エジプト①〈歴史・人物〉

B-1 **エジプト** 古代にはナイル川沿いの細長い流域地帯を指し、ナイル川が運ぶ肥沃な土と潅漑農業技術のために発展した。「エジプトはナイルの賜物（たまもの）」は、ギリシャの歴史家ヘロドトスの言葉。

B-2 **エジプト語** 古代からイスラムによるエジプト征服の頃まで話されていた言語。現在のエジプトの公用語は、アラビア語である。

B-3 **ファラオ** エジプトの王の呼称。「ペル・アア（大きな家）」が由来とされる。ファラオは生ける神（ホルスの化身）とみなされていた。

B-4 **古王国** エジプト第3～6王朝の期間。巨大なピラミッドが多く建設された。首都はメンフィス。

B-5 **第1中間期** エジプト第7～11王朝の期間。地方の州が権力をもち、数百年にわたり分裂・対立した。

B-6 **中王国** エジプト第11～12王朝の期間。領土は中東まで拡大した。首都はテーベ。

B-7 **第2中間期** エジプト第13～17王朝の期間。上下エジプトが分裂したため、これらの王朝は支配時期が重複する。

B-8 **ヒクソス** エジプト第15、16王朝の期間を支配した異民族。アジア人（西セム系）の侵略者と考えられている。

B-9 **新王国** エジプト第18～20王朝の期間。古代エジプトが文化的にも対外的にも最も繁栄した時代。この時代の建築物・遺跡は多数。

B-10 **プトレマイオス朝** アレクサンドロス大王の死後、将軍プトレマイオスが創始した。

B-11 **プトレマイオス朝の王**

先王朝時代
古王国
第一中間期
中王国
第二中間期
新王国
第三中間期
プトレマイオス朝

エジプトへの侵略国
ヒクソス
海の民
ヌビア
リビア
アッシリア
ギリシャ
アレクサンドロス大王による侵略
クレオパトラ7世
ローマ

B-12 **カルトゥーシュ** ファラオの名前を囲む装飾曲線。シャンポリオンは、ロゼッタ・ストーンの中のカルトゥーシュをヒントに文字を解読した。

B-13 **ナルメル** 上下エジプトをはじめて統一し、エジプト第1王朝を開いた王。マネトーの記述や王名表にあるメネス王と同一視されることがある。

ナルメルのパレット

B-14 **ピラミッド** ピラミッドという言葉は、ギリシャ語で三角形のパンを意味するピューラミスに由来。

B-15 **ジェセル** 第3王朝のファラオ。史上初のピラミッドといわれるサッカラの階段ピラミッドの建設者。

B-16 **イムホテプ** ジェセルに仕えた宰相・トート神の神官。名医師。ジェセル王のピラミッドの設計者。

B-17 **クフ** 第4王朝のファラオ。最も大きいピラミッドである「ギザの大ピラミッド」を建設。

B-18 **カフラー** クフ王の息子。ギザで2番目に大きいピラミッドの建造者。

B-19 **メンカウラー** カフラーの息子。ギザで3番目に大きいピラミッドの建造者。

B-20 **スフィンクス** 体はライオン、顔は人間の神聖な怪物。旅人に「朝は四つ足、昼は二つ足、夜は三つ足のものは何か」と問い、答えられないと殺したが、オイディプスがその謎を解いたという伝説がある。

エジプトの王朝を30王朝に区分したのは、紀元前3世紀（プトレマイオス1世の頃）のエジプト人神官マネトーによる。近年、ヒエログリフが解読されるまでは、マネトーの書いた著作が引用されたギリシャの文献が、エジプトの歴史を知る数少ない資料であった（マネトーの原書は失われている）。現代の考古学と照らし合わせると必ずしも正確とはいえないが、便利なため今も用いられている。

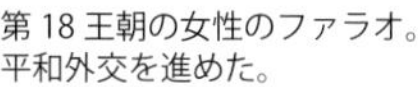

女性のファラオだったにもかかわらず付けひげを付けていた。

ハトシェプスト女王 B-21
もしくは「じょおう」
第18王朝の女性のファラオ。平和外交を進めた。

ハトシェプスト女王葬祭殿 B-22

トトメス3世 B-23
「メギドの戦い」で、カナン連合軍に勝利を収める。領土は最大に。別名「エジプトのナポレオン」。

アメンホテプ3世 B-24
もしくは「アメンヘテプ3世」。第18王朝の絶頂期の王。ルクソール神殿を建設。

メムノンの巨像 B-25
ルクソールのナイル川西岸にある、高さ約18mの2体のアメンホテプ3世の像。

アクエンアテン B-26
イクナトン、イクナートンとも表記される。アテン神を唯一神とする宗教改革を断行し、首都をアケトアテン（現アマルナ）に移す。

アマルナ文書 B-27
アマルナ（かつてのアケトアテン）から発掘された数百の粘土板文書。アッカド語の楔形文字で描かれた世界最古の外交文書とされる。

ネフェルティティ B-28
アクエンアテンの正妃。アマルナで発掘された彩色彫刻像は、エジプト美術の最高傑作の一つとされている。

ツタンカーメン B-29
もしくは「トゥトアンクアメン」。アクエンアテンの子。若死にした歴史的には目立たない王だが、未盗掘の墓が発見されて有名となる。

ラムセス2世 B-30
「ラムセス大王」ともいう。「ラメセス」とも表記する。軍事的業績だけでなく、大規模な建築を多数残したことでも知られている。

カデシュの戦い B-31
ラムセス2世とヒッタイトのムワタリ王との戦い。膠着状態となり、史上初の成文化された平和条約が取り交わされた。

アブシンベル神殿 B-32
アスワン・ハイ・ダムが建設された際、水面下となるため約60m高い位置に移築された。世界遺産の創設の契機となった。

4体の像（高さ約22m）はどれもラムセス2世の像。左から若い順の像が置かれているといわれている。

メルエンプタハ B-33
もしくは「メルネプタハ」。歴史上はじめてイスラエルという名が出てくる碑文は、この王の時代のものだった。

海の民 B-34
東地中海の諸国を侵略し、ミケーネ文明を滅亡させた詳細不明の諸民族の集団。メルエンプタハとラムセス3世の時代にエジプトを侵略した。

シェションク1世 B-35
第22王朝の創設者。リビア人。ユダ王国に侵攻しソロモンの神殿を略奪した。聖書では「シシャク」と呼ばれている。

タハルカ B-36
第25王朝（クシュ王朝またはエチオピア王朝）の王。アッシリア軍に侵略され、下エジプトを失った。聖書では「ティルハカ」と呼ばれている。

ネコ2世 B-37
もしくは「ネカウ」、「ネクタネボ」。第26王朝（サイス王朝）の王。ユダヤ王国のヨシヤ王を戦死させた。カルケミシュの戦いでネブカドネザルに敗れた。

プトレマイオス1世 B-38
称号に「ソテル」（救出者）がある。アレクサンドロス大王の将軍の一人で、プトレマイオス朝の初代ファラオ。

クレオパトラを描いた現代のエジプトの硬貨。

クレオパトラ7世 B-39
プトレマイオス朝の最後のファラオ。「絶世の美女」として知られ、カエサルの愛人、後にマルクス・アントニウスの愛人となる。

カエサリオン B-40
クレオパトラ7世とカエサルの間の子といわれる。カエサルの死後、後継者争いのために暗殺された。

B Egypt ①

B-1 Egypt　イージプト [í:dʒipt]

B-2 Egyptian　イジプシャン [idʒípʃən]

B-3 Pharaoh　フェアロウ [fé(ə)rou]

B-4 Old Kingdom (of Egypt)　オウルド キングダム [óuld kíŋdəm]

B-5 First Intermediate Period　ファースト インターミーディイット ピアリオド [fə́:st intəmí:diət pí(ə)riəd]

B-6 Middle Kingdom　ミドル キングダム [mídl kíŋdəm]

B-7 Second Intermediate Period　セカンド インターミーディイット ピアリオド [sékənd intəmí:diət pí(ə)riəd]

B-8 Hyksos　ヒクソス [híksəs] / ヒクソウス [híksous] / ヒクソウズ [híksouz]

B-9 New Kingdom　ニュー キングダム [n(j)ú: kíŋdəm]

B-10 Ptolemaic Dynasty　タラメイイック ダイナスティ [tɑləméiik dáinəsti]

B-11 Lagid　ラジッド [lǽdʒid]　※プトレマイオス朝の王の誰かを指す語。プトレマイオス1世の父親ラゴスに由来。

B-12 cartouche　カートゥーシュ [kɑ:tú:ʃ]

B-13 Narmer　ナーマ [ná:mə]

B-14 pyramid　ピラミッド [pírəmid]

B-15 Djoser　ジョウサ [dʒóusə] / ゾウサ [zóusə]

B-16 Imhotep　イムハテプ [imhátəp]

B-17 Khufu / Cheops　クーフー クフ [kú:fu: / kúfu] / キーアプス [kí:ɑps]

B-18 Khafra / Chephren　キャフレイ [kǽfrei] / ケフレン [kéfrən]

B-19 Menkaure / Mykerinos　メンコーラ [mekɔ́:rə] / ミケリナス ミケライナス [mikérinəs / mikəráinəs]

B-20 sphinx　スフィンクス [sfíŋks]

ラムセス２世が描かれた壁画のカルトゥーシュ。

◆**Egypt エジプト**　この語はギリシャ語の Αἴγυπτος アイギュプトスから派生した。さかのぼると、古代エジプトの主要都市メンフィスを表す Hikuptah「プタハ神の魂の神殿」にたどり着く。とはいえ現代のエジプト人は、アラビア語でエジプトのことを「ミスル」と呼ぶ。ちなみに、英語の Gypsy ジプシ「ジプシー」は Egypt の語頭の e が消えた言葉。インドから来た放浪民族なのに、エジプトから来たと誤解されたのが由来。

◆**Ptolemy プトレマイオス**　Ptolemy の p は、英語では「黙字」なので発音しない。ギリシャ語にはこのように pt- や kn- など子音が語頭に続く単語がよくあるが、英語になった時に発音されないケースが多い。例えば、恐竜の pteranodon も英語では語頭の p は発音しないのでテラノドンになる。日本語でテラノドンとプテラノドンの表記に分かれているのは、英語の表記にならうものがあるためである。

◆**Ramses II ラムセス２世**　ファラオにはいくつもの名前があったが、誕生名と即位名はカルトゥーシュ(B-12参照)で囲まれているため壁画や彫刻では目立つ。ラムセス２世の誕生名(誕生時に命名)は「ラーメセスゥ・メリィアメン(ラーが作りし者・アメンに愛されし者)」。即位名(即位時に命名)は「ウセルマアトラー・セテプエンラー(ラーの真理は力強い・ラーに選ばれし者)」。ラムセス２世の別名に、Ozymandias [ɑzimǽndiəs] オジマンディアスという名前があるが、これは即位名のウセルマアトラーがギリシャ語を経由してかなり訛(なま)ったもの。「冬来たりなば春遠からじ」の詩で知られるイギリスの詩人パーシー・シェリーが詠んだ『**オジマンディアス**』という詩では、砂漠に取り残された崩れたラムセス２世の巨像を描写している。

古代エジプトの人名、特にさほど有名でない人の場合、Mernenptah、Akhetaten など母音が e の頻度が多いことに気づく。実は古代エジプトでは、基本的に文字は子音のみを表記し、母音は記さなかった（これは、ヘブライ語やアラビア語でも同様）。有名な人名は母音を表記するギリシャ語等に翻字されたものから類推できるが、不明な場合、とりあえず e にしているのである。

◆ **cartouche カルトゥーシュ** フランス語で薬莢（やっきょう）を意味する言葉 cartouche に由来。王の名を囲むカルトゥーシュが薬莢に似ていることに基づく。英語の cartridge **カー**トリッジ「薬莢」という言葉に相当する。

アンモナイトとアンモニアとアモン・ラー

太陽神ラーは、エジプト神話の主神。人間はラーの涙から創られたとされる。一方、アモンとも呼ばれる太陽を司るテーベの地方神は、テーベが首都になったことにより重要視されるようになった。やがて同じ太陽神のラーと一体化し、「アメン・ラー（アモン・ラー）」と呼ばれ、エジプトの主神とされた（B-74 参照）。都市の地位が向上すると、そこで敬われていた神も共に出世したという一例である。このアメンという名は、王の名の一部にも含まれている（例:アメンホテプ「アメン神は満足し給う」、ツタンカーメン「アメン神の生ける姿」など）。一方、テーベが首都になる以前の古王国時代の王の中に、アメン神の名が入っている者は一人もいない。ところで、このアモン神は、羊の姿で描かれることがある。中生代に栄えたオウムガイの近縁種の化石の形が、そのアモン神の角に似ていることから、ammonite「アンモナイト」と命名された。また、アモン神殿近くから取れた塩のことを、ラテン語で sol ammoniacum **ソ**ル アンモニ**アー**クム「アモンの塩」と呼んだことから、匂いの強い化学物質の ammonia「アンモニア」が命名された。

クイーン ハトシェプスート ハトシェプスート [hætʃɛpsuːt / hætʃέpsuːt]
Queen Hatshepsut B-21

葬儀の、霊安室

モーチュアリ テンプル オヴ ハトシェプスート [mɔ́ɚtʃuəri tέmpəl 〜]
Mortuary Temple of Hatshepsut B-22

ストモウサ [θutmóus(ə)]/ 〜スィス [-sis] ザ サード
Thutmose III / Thuthmosis III B-23

アメンホウテプ [æmənhóutəp] ザ サード
Amenhotep III B-24

colossus「巨像」、「巨人」の複数形

カラサイ オヴ メムナン [kəlásai əv mέmnɑn]
Colossi of Memnon B-25

アーケナーテン / イク〜 [ɑːkənáːtən / ik-]
Akhenaten / Ikhnaton B-26

アマーナ レタズ [əmáɚnə létɚz]
Amarna letters B-27

ネファーティティ [nəfɚːtíti]
Nefertiti B-28

トゥータンカーメン [tuːtæŋkáːmən]
Tutankhamen (u) B-29

ラムスィーズ [rǽmsiːz] ザ セカンド
Ramses II B-30

バトル オヴ ケイデシュ [bǽtl əv kéidəʃ]
Battle of Kadesh B-31

アブ スィンベル テンプルズ [ábu símbəl témpəlz]
Abu Simbel temples B-32

メーネプター [mɚːnéptɑː]
Merneptah / Merenptah B-33

スィー ピプルズ [síː pípəlz]
Sea peoples B-34

シシャク / シェションク ザ ファースト [ʃíʃæk] / [ʃéʃɔŋk]
Shishak I / Sheshonk I B-35

ショーシャンク [ʃɔ́ːʃəŋk] **Shoshenq I** (aw)(k) もある。

タハーカ [təháːkə]
Taharka B-36

ニーコウ [níːkou] ザ セカンド
Necho II B-37

タレミ [táləmi] ザ ファースト
Ptolemy I B-38

クリーオパトラ [kliːəpǽtrə] ザ セブンス
Cleopatra VII B-39

スィゼリオン [sizériən]
Caesarion B-40

B 古代エジプト② 〈地理・文化〉

B-41 **ブバスティス** ネコの頭を持つ女神バステトの崇拝地。

B-42 **ロゼッタ** 港湾都市。ロゼッタ・ストーンが発見された。

B-43 **アレクサンドリア**

B-44 **アヴァリス** ヒクソスの王サリティスが建設。

B-45 **ヘリオポリス** ギリシャ語で「太陽の都市」の意。聖書ではオンと呼ばれる。

B-46 **ギザ** もしくは「ギーザ」「ギゼー」「ジーザ」。ギザの三大ピラミッドとギザの大スフィンクスがある。

B-47 **メンフィス** 上下エジプト統一時の首都。古王国時代の首都。

B-48 **ファイユーム** 古代エジプト時代からのオアシス。

B-49 **シナイ半島**（はんとう）

B-50 **紅海**（こうかい） 中国と朝鮮半島の間の海である「黄海」も発音は「こうかい」なので紛らわしい。

B-51 **アケトアテン**
後にアマルナと呼ばれた。
アクエンアテン王が首都とした。

B-52 **ナイル川**（がわ） 長さ6,650kmのアフリカ最長の川（長さに関しては諸説あり）。

B-53 **アビドス** エジプト神話のオシリス神が復活したとされる聖地。

B-54 **テーベ** 新王国時代の首都。太陽神アモン・ラーが崇拝されていた。近郊にカルナクやルクソール、王家の谷がある。

B-55 **カルナク** カルナックともいう。カルナクにはアメン・ラーを崇拝するカルナク神殿がある。王達により増築が重ねられ、巨大な神殿複合体となった。

B-56 **ルクソール** カルナク神殿の付属神殿として、アメンホテプ3世が神殿を建設した地。カルナク神殿やルクソール神殿など、生を象徴する建物は、日が昇る方向（ナイル川東岸）にある。

B-57 **王家の谷**（おうけのたに） 王家の谷には、新王国時代の諸王の墓がある。「死」を象徴する、日が沈む方向（ナイル川西岸）にある。

B-58 **下エジプト**（しも） 現在のカイロ南部から地中海にかけて広がるナイル川北部のデルタ地帯を指す。下とは下流のことである。

B-59 **上エジプト**（かみ） 現在のカイロ南部からアスワン付近にかけてのナイル川南部一帯を指す。上とは上流のことである。

エジプトで崇拝されていた神々の多くは、ありとあらゆる動物と関連付けられており、その像は頭が動物・体が人間で表されていた（全身が動物の像もあった）。エジプトの神殿からは、捧げ物とされたネコやライオン、イヌやジャッカル、ウマ、ウシといったほ乳類だけでなく、ワニやヘビ等のは虫類、トキやハヤブサ等の鳥類、さらには昆虫のスカラベのミイラも発見されている。

神聖文字（しんせいもじ） B-60
エジプト文字の一種で、象形文字。ヒエログリフとも呼ばれる。

パピルス B-61
カヤツリグサ科の植物の茎から髄（ずい）の繊維をとり、編んで造った紙。

死者の書（ししゃのしょ） B-62
ミイラと共に納められた、絵と神聖文字の組み合わせで描かれた冥界への案内書。

シヌへの物語（ものがたり） B-63
宮廷の高官シヌへがシリアへ逃げ、晩年にエジプトへ帰還する波乱の生涯を描いた物語。古代エジプト文学の傑作。

ミイラ B-64
エジプト人が霊魂の不滅と死後の世界を信じて、薬品・香料による処理をほどこした死体。

ウシャブティ B-65
死後の世界で召使いとして働くように埋葬された副葬品の人形。

カノプス壺（つぼ） B-66
ミイラを作る際、取り出した重要な臓器（肝臓・肺・胃・腸）を保存するための容器。

棺 / 石棺（ひつぎ / せっかん） B-67
精巧な彫刻や彩色を施した、幾重にも重なった古代の大理石製の石棺。

プトレマイオス5世による勅令が3種類の文字で刻まれている。

ロゼッタ・ストーン B-68
エジプトのロゼッタで、ナポレオンの学術遠征隊（V-38 参照）が1799年に発見した石板。

シャンポリオン B-69
フランスの古代エジプト学者。「古代エジプト学の父」。ロゼッタ・ストーンを解読し、ヒエログリフを解明した。

オシリス B-70
豊穣神であり生命の象徴。また冥界の王。羽毛の王冠を被り、ミイラの姿で描かれる神。

イシス B-71
豊穣の女神であり永遠の処女。オシリスの妹であり、妻。

ホルス B-72
オシリスとイシスの子。天空と太陽の神。はやぶさの姿で描かれる。

セト B-73
砂漠・異境の神。戦いや力、破壊の神。王位簒奪（さんだつ）のため兄のオシリスを殺したが、オシリスの子ホルスに復讐された。

アモン・ラー B-74
エジプトの主神。アモンはアメンともいう。またラーはレーともいう。

ラーの目（め） B-75
「ホルスの目」ともいう。太陽はラーの右目、月は左目（ウジャトの目）とされた。この図案は護符や胸飾り、棺、船首などに多用された。

アンク B-76
アンクは生命の象徴。エジプト十字ともいう。ヒエログリフで「生命」や「生きる」を意味する。

二重冠 / プスケント（にじゅうかん） B-77
二重冠は上下エジプトの統一を象徴する王冠だった。

蛇形記章 / ウラエウス（じゃけいきしょう） B-78
蛇型の記章。冠などのデザインに使われる。

スカラベ B-79
コガネムシ科のフンコロガシの一種ヒジリタマオシコガネ（*Scarabaeus sacer*）を、エジプトでは神聖な虫と考え、再生や復活の象徴とみなした。

赤冠（デシュレト）
白冠（ヘジェト）
下エジプト王　上エジプト王　上下エジプト王

B Egypt ②

ビューバスティス [bju:bǽstis]
B-41 **Bubastis**

ロウゼタ [rouzétə]
B-42 **Rosetta**

アリグザンドリア [æligzǽndriə]
B-43 **Alexandria**

アヴァリス [ǽvəris]
B-44 **Avaris**

ヒリアポリス [hiliápəlis]
B-45 **Heliopolis**

ギーザ [gí:zə]
B-46 **Giza**

メンフィス [mémfis]
B-47 **Memphis**

ファイユーム [faijú:m]
B-48 **Faiyum**

サイナイ ペニンスラ [sáinai pənínsələ]
B-49 **Sinai peninsula**

レッド スィー [réd sí:]
B-50 **Red sea**

アケターテン [ækətátən] アマーナ [əmá:rnə]
B-51 **Akhetaten / Amarna**

ナイル [náil]
B-52 **Nile**

アバイダス [əbáidəs]
B-53 **Abydos**

スィブズ [θibz]
B-54 **Thebes**

カーナク [ká:næk]
B-55 **Karnak**

ラクソー [lʌ́ksɔr]
B-56 **Luxor**

ロイヤル ヴァリ [rɔ́iəl vǽli]
B-57 **Royal Valley**

ロウア イージプト [lóuə í:dʒipt]
B-58 **Lower Egypt**

アパ イージプト [ʌ́pə í:dʒipt]
B-59 **Upper Egypt**

◆**Alexandria アレクサンドリア**　アレキサンドリアとも表記する。アレクサンドロス大王は、征服した諸国に都市を建設しアレクサンドリアと名付けた（少なくとも70カ所以上）。中でも、プトレマイオス朝エジプトの首都だったエジプトのアレクサンドリアが最も有名。アレクサンドリアのファロス島に建てられた**アレクサンドリアの大灯台**（Lighthouse of Alexandria）は、一説には高さ134mといわれ、世界の七不思議の一つに数えられた。それに対し、ロシアには、ロシア皇帝アレクサンドル3世にちなむアレキサンドリアという都市がある。

◆**Thebes テーベ**　エジプト新王国の宗教の中心地。テーベという名はギリシャ語での呼称 Θῆβαι **テー**バイに由来する。実は、ギリシャの都市国家にも同じつづりの都市 Θῆβαι **テー**バイ「テーベ」があった。ギリシャのテーベは7つの城門で防御されていたため**「七門のテーベ」**と呼ばれたが、エジプトのテーベは多数の列柱が並ぶカルナク神殿にちなみ**「百門のテーベ」**と呼ばれた。詩人・木下杢（もく）太郎は、森鷗外を評して**「テエベス百門の大都」**であり「東門を入つても西門を究め難く、百家おのおの一兩（りょう）門を視て他の九十八九門を遺（のこ）し去るのである」と述べて、森鷗外の文学をいくら研究してもし尽くせないことを百門のテーベに例えていた。

◆**papyrus パピルス**　papyrusという語から、英語のpaper「紙」という言葉が生じた。

◆**sarcophagus 石棺**　普通の棺（ひつぎ）は英語でcoffin **カ**フィンというが、古代エジプトの豪華な装飾が施され、何重にも入れ子になっている大理石の棺は、sarcophagusという。この語はギリシャ語で σάρξ **サ**ルクス「肉、身体」＋ φάγω **ファ**ゴー「食べる」で、「肉を食べるもの」という意味がある。当時それらの石棺には、大理石の成分のために肉体を早く分解する能力があると考えられていたことに由来する。ちなみに、チェルノブイリ原子力発電所の事故後に、原子力発電所跡を覆うように造られた巨大なコンクリート構造物もsarcophagus サー**カ**ファガス「サルコファガス」と呼ばれている。

神聖文字・階級制度・エルサレム

HIERO- ヒエロ～「神聖な」

古代エジプトの象形文字 hieroglyph **ハイ**アログリフ**「神聖文字、ヒエログリフ」**は、ギリシャ語 ἱερός ヒエ**ロ**ス**「神聖な」**＋ γλύφη グ**リュ**フェー「刻んだもの」＝「神聖な刻文」に由来する。グリュフェーと同じ印欧祖語に由来する言葉には、英語の cleave ク**リー**ヴ「裂く、割る」がある。古代エジプトの hieratic ハイア**ラ**ティック「ヒエラティック、神官文字」もヒエロスに由来。古代エジプトの神官や書記は、パピルスに象形文字を書くのが不便なために、ヒエログリフの形を筆記体にして速く書けるようにした。これをさらに文字数を少なくして簡略化したものが demotic ディ**マ**ティック「デモティック、民衆文字」である。ロゼッタ・ストーンには布告が一般に読めるように民衆文字も併記された。ちなみに、英語の hierarchy ハイア**ラー**キ「ヒエラルキー、階層制度」は、ヒエロス ＋ ἄρχω **ア**ルコー「支配する」の合成語。ヒエラルキーは本来、キリスト教世界における「聖職者」の階級制度を指す語だった。余談だが、ユダヤ教の聖都エルサレムのギリシャ語名は、Ἱεροσόλυμα ヒエロ**ソ**リュマといった（ラテン語も Hierosolyma）。元のヘブライ語は יְרוּשָׁלַיִם イェルーシャライムで、「平和」を意味するヘブライ語 שָׁלוֹם シャーロームと関係する(p.27 のコラム参照)。しかしヘブライ語の単語の最初に h の子音はない。ギリシャ語化した際、ヒエロスという語に引きずられて、h を語頭に付けてしまった。

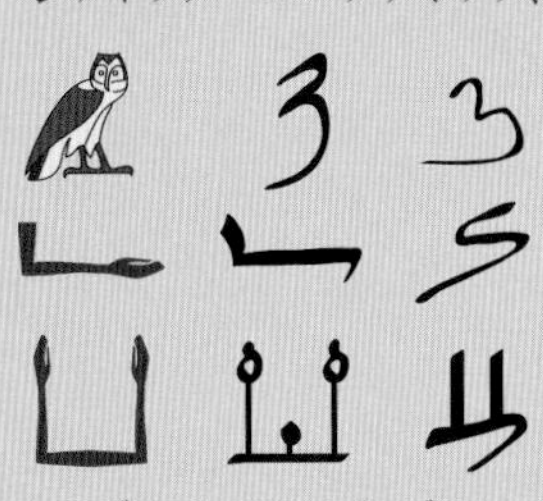

ヒエログリフ　ヒエラティック　デモティック

ハイアログリフ [háiərəglif]
hieroglyph B-60

パ**パイ**ラス [pəpáirəs]
papyrus B-61

ブック オヴ ザ **デ**ッド [búk əv ðə déd]
Book of the Dead B-62

ス**トー**リ オヴ スィ**ヌー**ヘー [sinú:he:]
Story of Sinuhe B-63

もしくは Tale テイル

マミ [mʌ́mi]
mummy B-64

ユー**シャ**ブティ [ju:ʃǽbti] / ウ**シャ**ブティ [uʃǽbti]
ushabti B-65

カ**ノウ**ピック **ジャー** [kənóupik dʒáə]
canopic jar B-66

サー**カ**ファガス [saəkáfəgəs]
sarcophagus B-67

ロウ**ゼ**タ ス**トウ**ン [rouzétə stóun]
Rosetta stone B-68

フランス語の発音。ɑ̃ や ɔ̃ は鼻に抜ける音（鼻母音）を表わす。

シャーポリ**ヨー** [ʃɑ̃pɔljɔ̃]
Champollion B-69

オウ**サイ**リス [ousáiris]
Osiris B-70

アイシス [áisis]
Isis B-71

ホ(ー)ラス [hɔ́(:)rəs] / **ホウ**ラス [hóurəs]
Horus B-72

セト [sεt]
Set B-73

アマン　**アー**メン　**ラー** / **レイ**
[ámən / ǽmən / á:men]　[rɑ: / rei]
Amon / Amun / Amen　Ra / Re B-74

アイ オヴ **ラー** [ái əv rɑ:]
eye of Ra B-75

アーンク [á:ŋk]
ankh B-76

ス**ケ**ント / プス**ケ**ント
[skέnt / pskέnt]
pschent B-77

ユー**リー**アス [ju:rí:əs]
uraeus B-78

ス**キャ**ラブ [skǽrəb]
scarab B-79

スカラベが糞を転がして大きな球を作る姿から、古代エジプト人はスカラベを太陽神ケプリの似姿とみなした。

C ユダヤ①〈歴史・人物〉

ここでは、ユダヤ人の歴史を扱うと共に、西洋の教養を知る上で不可欠な聖書に関する出来事や主要な登場人物について扱う。

c-1 **ヘブライ人 / ヘブライ語** ヘブル人、ヘブル語ともいう。

c-2 **イスラエル**

c-3 **イスラエル人**

イスラエルは、イスラエル人の先祖にあたる族長ヤコブの別名。ヤコブはアブラハムの孫、イサクの子で、息子達 12 人がイスラエルの 12 部族それぞれの始祖となった。現在では、イスラエル人の語は主にイスラエル国の住民を指して用いられる。

イスラエルという言葉は、「神と闘う者」という意味。これはヤコブがある晩に天使と格闘（取っ組み合い、レスリング）をして、粘り勝ちしたという聖書の記述に由来する。

c-4 **ユダヤ**

c-5 **ユダヤ人**

c-6 **ユダヤ教**

ユダヤ人は本来、ヤコブの 12 人の息子のうちの四男であるユダの子孫を意味する言葉。やがて、ソロモン王の死後、北のイスラエル王国と南のユダ王国に分裂し、ユダ王国のあったパレスチナ南部が「ユダヤ」と呼ばれた。しかし、北のイスラエル王国はアッシリアによって占領される。バビロン捕囚から帰還した後には、12 部族の領土だったパレスチナ全体がユダヤと呼ばれるようになった。ユダヤ教はヤハウェを唯一絶対神とするユダヤ人の宗教。

c-7 **アダム** 聖書によれば、神に創造された最初の男性。ヘブライ語でアダムは「塵、赤土」と関係し、「人間一般」も指す。

c-8 **イブ / エバ** アダムの妻。蛇に唆（そそのか）されて禁断の実である「善悪の知識の木の実」を食べ、エデンを追放された。

c-9 **ノア** 方舟（箱船）を造り、家族と一対ずつの動物を乗せ、大洪水を生き残った。聖書によれば全人類の先祖。

c-10 **アララト山** 大洪水後に、ノアの方舟が漂着したとされる山。左が小アララト山（3,896m）、右が大アララト山（5,137m）。

c-11 **族長** モーセ以前のイスラエル部族の統率者。アブラハム、イサク、ヤコブを指すことが多い。

アブラハムに対する息子イサクを犠牲にせよとの試練は有名。その試練の場が後にエルサレムの神殿が建つ場所であり、現在、岩のドームのモスクのある場所である。

c-12 **アブラハム** バビロニアのウルに生まれたが、約束の地に移住した。妻サラによって息子イサクを儲けた。

c-13 **イサク** 族長。アブラハムとサラの子。

c-14 **ヤコブ** 族長。前述の C-2「イスラエル」の元の名前。彼の双子の兄はエサウといい、エドム人の先祖となる。

c-15 **ヨセフ** ヤコブの息子の一人。エジプトに奴隷として売られたが、後にファラオに認められ宰相になった。この時のファラオはヒクソス（B-8）だったと考えられている。

c-16 **モーセ** エジプトの圧制下、ヘブライ人を脱出に導いた指導者。モーセの律法を神から授かる。

↑ヤコブ　↑イサク

c-17 **出エジプト** モーセの指導の下、奴隷となっていたヘブライ人がエジプトを脱出。その際、10 の災いがエジプトに降りかかった。

c-18 **シナイ山** ヘブライ人に対して十戒が与えられたとされる山。山麓には「シナイ写本」（古代の聖書写本）が発見された聖カタリナ修道院がある。

c-19 **十戒** もしくは、「モーセの十戒」。シナイ山で神から 10 の言葉が記された 2 枚の石板が与えられた。ユダヤ教の中心的な教え。

c-20 **過越** ペサハともいう。酵母の入っていないパン（マッツァー）に苦菜（マーロール）等を添えて食べる。イエス・キリストは死の直前の過越の食事が、「最後の晩餐」となった。

出エジプトの後にヘブライ人達は、カナンの地に入った。カナン人は Baal（英語の読みはベイアル、ないしはバアル）「バアル神」を崇拝していた。後に、カナン人のことをギリシャ人達は「フェニキア人」と呼んだ。フェニキア人の将軍ハンニバルの名は「バアルの恵み」という意味であり、フェニキア人の名前にはしばしばバアルという言葉が含まれていた。

イスラエルの南端にあるティムナ・パークの実物大の幕屋模型。

仮庵の祭り c-21
ユダヤ人の祖先がエジプトを脱出した際に、荒野で天幕に住んでいたことを偲ぶ。

幕屋 c-22
聖書に登場する、移動式の神殿。会見の天幕とも呼ばれる。

契約の箱 c-23
証の箱、聖櫃（せいひつ）ともいう。幕屋、そして後の神殿の最も奥の部屋に置かれた。ケルビム(智天使）の飾りの載った蓋は金製。

ヨシュア c-24
モーセの後継者としてヘブライ人を約束の地に導いた。

カナン c-25
アブラハムの子孫に与えると告げられた約束の地。旧約聖書では「乳と蜜が流れる地」と呼ばれる。地中海とヨルダン川、死海に挟まれた地域。

士師 c-26
ヨシュア以降、預言者サムエルまでの間、古代イスラエルを他民族の侵略から救出した者達。

ゴリアテは身長が約 3 mもあり、ダビデとの戦いは絵や彫刻の題材になってきた。

ミケランジェロ作『ダビデとゴリアテ』（部分）

サウル c-27
イスラエルの最初の王。サムエルによって頭に油を注がれた、つまり任命された。

ダビデ c-28
サウルの次の王。優れた武人であると共に、音楽にも秀でた。聖書の『詩編（詩篇）』の一部を書いた。

ゴリアテ c-29
ペリシテ人がサウル王の国を攻撃した際、イスラエルの代表ダビデとの一騎打ちに敗れた。

ヨナタン c-30
サウル王の子。サウル王はダビデを憎んだが、ヨナタンはダビデを愛し親友となった。

ソロモン c-31
ダビデの子。知恵に富んだ王で、聖書の『箴言（しんげん）』の書を記した。エルサレムに神殿を建てた。

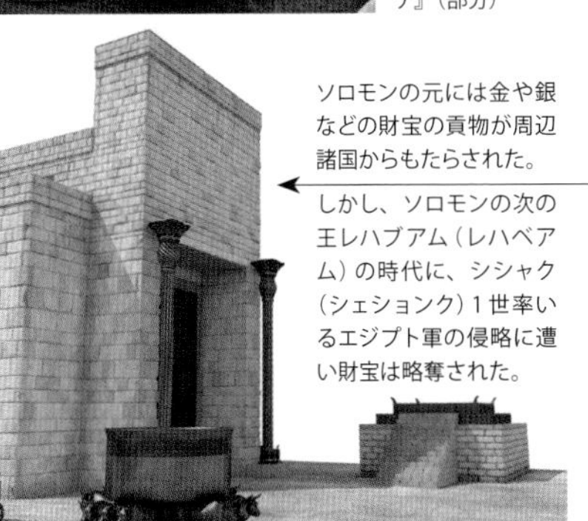

ソロモンの元には金や銀などの財宝の貢物が周辺諸国からもたらされた。

しかし、ソロモンの次の王レハブアム（レハベアム）の時代に、シシャク（シェションク）1 世率いるエジプト軍の侵略に遭い財宝は略奪された。

ソロモンの神殿 c-32
「第 1 神殿」とも呼ばれる。現在は神殿はなく、その跡にはイスラム教のモスクである「岩のドーム」が建つ。

シバの女王 c-33
シェバの女王ともいう。ソロモンの知恵について聞き及び、ソロモンを訪ねた。

イスラエル王国 c-34
ソロモンの死後、南北に分裂してできた王国の一つ。北王国と呼ばれる。

ユダ王国 c-35
ソロモンの死後、南北に分裂してできた王国の一つ。南王国と呼ばれる。

ヒゼキヤ c-36
歴代のユダ王国の王の中で、敬虔な王とされる数少ない者の一人。宗教改革を断行した。

イスラエルのシロアム・トンネル。1838年にエドワード・ロビンソンによって発見された。アッシリアに包囲された場合の水源確保のため、ヒゼキヤが町の外の泉から岩盤をくり貫いて全長 500m を超えるトンネルを通し、水を市内に引き込んだ。

預言者 c-37
神から啓示された預言（託宣）を預かり、人々に伝える者。未来を告げる「予言者」とは異なる言葉。

エリヤ c-38
旧約聖書に登場する預言者の一人。バアル崇拝者とカルメル山で対決した。

イザヤ c-39
旧約聖書の『イザヤ書』を記した預言者。預言者の中でも最大の人物とされる。

バビロン捕囚 c-40
新バビロニアの王ネブカドネザル 2 世により、ユダ王国は陥落。ユダヤ人は捕虜として連行され、強制移住させられた。

ヒーブルー [híːbruː]
c-1 **Hebrew**

イズリエル [ízriəl] / イズライエル [ízraiəl]
c-2 **Israel**

イズリエライト [ízr(i)əlait] / イズレイリー [izréiliː]
c-3 **Israelite / Israeli**

ジュディア [dʒudíə]
c-4 **Judea**

ジュー [dʒuː] / ジューイッシュ [dʒúːiʃ]
c-5 **Jew / （形容詞） Jewish**

ジューダイズム / ジューデイズム
[dʒúːdəizm] / [dʒúːdeizm]
c-6 **Judaism**

アダム [ǽdəm]
c-7 **Adam**

イヴ [iv]
c-8 **Eve**

ノウア [nóuə]
c-9 **Noah**

マウント アララト [maunt ǽrərӕt]
c-10 **Mount Ararat**

ペイトリアーク [péitriɑrk]
c-11 **patriarch**

エイブラハム [éibrəhæm]
c-12 **Abraham**

アイザック [áizək]
c-13 **Isaac**

ジェイコブ [dʒéikəb]
c-14 **Jacob**

ジョウゼフ [dʒóuzəf] / ジョウセフ [-səf]
c-15 **Joseph**

モウズィズ [móuziz] / モウズィス [móuzis]
c-16 **Moses**

エクソダス [éksədəs]
c-17 **Exodus**

マウント サイナイ [～ sáinɑi]
c-18 **Mount Sinai**

テン コマンドメンツ [tɛn kəmǽndmənts]
c-19 **Ten Commandments**

ペサハ [pésɑx] / パソウヴァ [pǽsouvɚ]
c-20 **Pesach / Passover**

◆**Hebrew ヘブライ人、ヘブライ語**　この語の由来に関しては諸説あり、「（川を）渡る者（ヘブライ語で「渡る、横切る」は עָבַר アー**ヴァ**ル）」が語源であるとする説をとれば、ユーフラテス川を渡ってパレスチナに移住したアブラハムの子孫という意味になる。別説では、この語がエベル（עֵבֶר **エー**ヴェル。アブラハムの6代前の先祖）に由来し、エベルの子孫を指すという。ただし、このエベルという人物に関しては系図以外に詳しいことは知られていない。英語ではヘブライ人もヘブライ語もどちらもHebrewで男女の差がないが、ヘブライ語では男性のヘブライ人は עִבְרִי イヴ**リー**で、女性のヘブライ人（イブリーの女性形）は עִבְרִית イヴ**リー**トで異なっている。「ヘブライ語」という語も女性形の עִבְרִית イヴ**リー**トと同じ言葉である。イブリーもエーベルも語頭の音はhではなく※、日本人や西洋人、またアシュケナジム（ドイツや東欧のユダヤ人）等には発音が難しい ע アイン（有声咽頭摩擦音）である。※ヘブライ語は右から左に綴（つづ）る。

◆**Israel イスラエル、Israelite / Israeli イスラエル人**　英語ではIsraeliteもIsraeliもイスラエル人という意味だが、一般に、Israeliteは古代イスラエル人を、Israeliは現代のイスラエル国の人を指す。Israeliteは、ギリシャ語でイスラエル人を表す Ἰσραηλίτης イスラエー**リー**テースに由来するのに対し（語尾が -ite となっている「～人」という英単語はその多くがギリシャ語由来である）、Israeliは、直接ヘブライ語の יִשְׂרְאֵלִי イスラエー**リー**「イスラエル人」が英語に入った言葉である（ヘブライ語では「～人」という言葉は、男性形では語尾が -i イーで終わる）。

◆**Jew ユダヤ人、Jewish ユダヤ人の**　英語の場合、JewやJewishは「ユダヤ人」と「ユダヤ教の」のどちらの意味もあるが、JewやJewishを日本語で訳す場合、人種的な「ユダヤ人」なのか宗教的な意味の「ユダヤ教の」なのか、文脈から照らして訳し分けなければならない。ユダヤ教に改宗した外国人でさえ「ユダヤ人」と呼ばれることがあるので、「ユダヤ人」という言葉は一般的な人種を指す表現の枠組みを超えた言葉である。

ヘブライ人の人名は、西洋人の人名として広く用いられている。ここに挙げた人名にあやかった人物としては、イギリスの経済学者のアダム・スミス、アメリカの辞書編集者ノア・ウェブスター、アメリカの大統領エイブラハム・リンカーン、イギリスの科学者アイザック・ニュートンや小説家アイザック・アシモフ、ナポレオンの妻ジョゼフィーヌ（ヨセフの女性形）など枚挙にいとまがない。

◆**Taberacle 幕屋**　ラテン語 taberna タベルナ「小屋」の指小辞に由来する。ギリシャ語 ταβέρνα タベルナやスペイン語の taberna タベルナ、英語の tavern タヴァーンも taberna に由来し、「大衆食堂、小レストラン、居酒屋」を意味する（食堂なのに「食べるな」というのがよくジョークのネタにされている）。

◆**Ark of the Covenant 契約の箱**　英語の Ark は、ラテン語 arca アルカ「箱」に由来する。ノアの方舟も英語ではArkが使われているが、原語のヘブライ語では、方舟と箱とは別の単語である。バビロニアによってエルサレムが陥落した際、神殿にあった契約の箱は持ち去られ、行方知れずとなったため the Lost Ark「失われたアーク」と呼ばれている。

契約の箱の実物大模型。担ぐための2本の棒が取り付けられている。

◆**Judge 士師**　英語の Judge は、「裁判官、判事、審判、ジャッジ」という意味だが、聖書の『士師記』に登場する士師は、単に裁判官というわけではなく、他民族の圧迫や侵略から民を救い出す軍事的な指導者を指す。

ソロモンとサロメとシャーローム
š-l-m「平和」

ヘブライ語で「こんにちは」の挨拶は שָׁלוֹם「シャーローム！」だが、これは**「平和、平安、健康」**を意味し、あなたに「平安がありますように」という意味である。イスラエルの王 Solomon「ソロモン」（ヘブライ語では שְׁלֹמֹה シェロー**モー**）や、ヘロデ王の前で舞を披露（ひろう）した報奨に洗礼者ヨハネの首を望んだ Salome サ**ロウ**ミ「サロメ」（ヘブライ語では שְׁלוֹמִית シュロー**ミー**ト）も、שלם *š-l-m* の子音が共通している（š は [ʃ] の音）。ヘブライ語の単語は3つの子音からなる**語根**から様々な品詞の語が派生するが、*š-l-m* は「平和」という基本的な意味をもっている。

スカス [súkəs] / **ス**カット [súkət/sukóut]
Sukkot(h) c-21

タ**バ**ナクル [tǽbənækl]
Tabernacle c-22

アーク オヴ **カ**バナント [áək əv kʌ́vənənt]
Ark of the Covenant c-23

ジャシュア [dʒáʃuə]
Joshua c-24

ケイナン [kéinən]
Canaan c-25

ジャッジ [dʒʌdʒ]
Judge c-26

ソール [sɔ:l]
Saul c-27

デイヴィッド [déivid]
David c-28

ゴ**ライ**アス [gəláiəθ]
Goliath c-29

ジャナサン [dʒánəθən]
Jonathan c-30

サロモン [sáləmən]
Solomon c-31

サロモンズ **テ**ンプル [sáləmənz témpəl]
Solomon's Temple c-32

クイーン オヴ **シー**バ [kwi:n əv ʃí:bə]
Queen of Sheba c-33

ノーザン **キ**ングダム オヴ **イ**ズリエル [nɔ́rðərn kíŋdəm əv ízriəl]
northern kingdom of Israel c-34

サザン **キ**ングダム オヴ **ジュ**ダ [sʌ́ðərn kíŋdəm əv dʒúdə]
southern kingdom of Judah c-35

ヘゼ**カイ**ア [hɛzəkáiə]
Hezekiah c-36

プ**ラ**フィット [práfit]
prophet c-37

イ**ライ**ジャ [iláidʒə]
Elijah c-38

アイ**ゼイ**ア [aizéiə] / アイ**ザイ**ア [aizáiə]
Isaiah c-39

バビ**ロウ**ニャン キャプ**ティ**ヴィティ [bæbəlóunjən kæptívəti]
Babylonian Captivity c-40

C ユダヤ②〈地理・文化〉

ここでは、イスラエルの地理やユダヤのバビロン捕囚後の歴史、また現代に関わるユダヤ教の主要語句を紹介する。

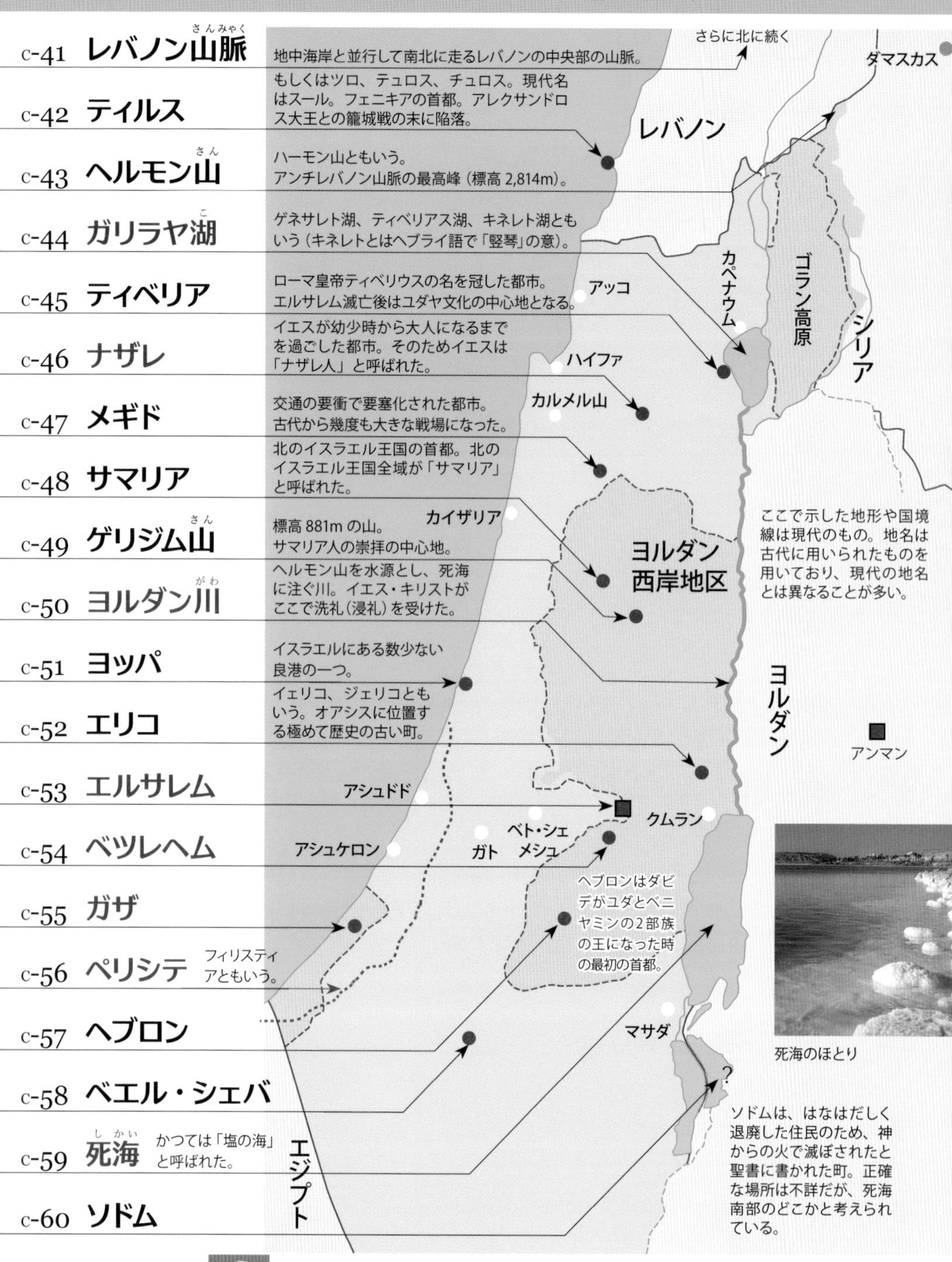

アエリア・カピトリナとは、バル・コクバの乱後、ローマ様式に再建された植民市エルサレムの新名称。当初はユダヤ人の立入りが禁止されていた。アエリアとは、都の再建時のローマ皇帝ハドリアヌスの名前プブリウス・アエリウス・トラヤヌス・ハドリアヌス（Publius Aelius Trajanus Hadrianus）の氏族名（第二名）であるアエリウスからとられている。

旧約聖書 c-61
ユダヤ教・キリスト教・イスラム教の教典。ヘブライ語（一部アラム語）で書かれる。ユダヤ教とキリスト教では、各書の配列が異なる。

死海写本 c-62
クムラン洞窟で1947年に羊飼いの少年が見つけた。それまで入手可能だった写本より1000年近く古い写本の発見に世界が沸いた。

יהוה

上が古い書体、下が新しい書体のテトラグラマトン。

ヤハウエ c-63
神の名前。ヤーウェ、ヤーベ、エホバとも書く。ヘブライ語の4つの子音文字で構成され、テトラグラマトンと呼ばれる。

メシア c-64
救世主。ヘブライ語で「油を注がれた者」の意。キリストはメシアのギリシャ語訳。

ユダ・マカバイオス c-65
マカバイ戦争の指導者。

マカバイ戦争 c-66
セレウコス朝シリアのアンティオコス4世は、エルサレムの神殿に異教のゼウスの祭壇を築かせた。それに反発したユダヤ人がユダ・マカバイオスの下で戦い、神殿を取り戻した。シリア王に汚されてからちょうど3年目の12月に、神殿を清めて神に献納した。これが今日、ユダヤ人が12月に祝っているハヌカ（Hanukkah）の祭りの起源である。

ヘロデが建設した神殿は、第2神殿と呼ばれる。

ハスモン朝 c-67
ユダの兄弟シモンの時代から独立が認められ、ハスモン朝と呼ばれるようになる。

ヨハネ・ヒルカノス1世 c-68
シモンの子。王かつ祭司となった人物。

ヘロデ大王 c-69
ヘロデ朝の創始者。イエス誕生時のユダヤ支配者。エルサレムに神殿を再建し、王宮・要塞を築いた建築王。

ヘロデ・アンティパス c-70
ヘロデ大王の子。義理の娘サロメの舞の話が有名。

ヘロデ・アグリッパ c-71
ヘロデ大王の孫。十二使徒の一人である大ヤコブを処刑した。

フラウィウス・ヨセフス c-72
ローマ皇帝ティトゥスに仕えたユダヤ人著述家。

ユダヤ戦争 c-73
ローマとユダヤ人との間で西暦66年から行われた戦争。西暦70年にエルサレムは陥落。73年にマサダ陥落。第1次ユダヤ戦争ともいう。

マサダ c-74
ヘロデ大王が要塞兼冬の宮殿を築いた。高さ約400mの岩山にある難攻不落の砦。ユダヤ戦争でエルサレム陥落後、約3年にわたり籠城戦を繰り広げた。

ディアスポラ c-75
ギリシャ語で「散らされている者」を意味し、ユダヤ人でパレスチナ以外の地に移り住んでいた人々、またその共同体を指す。

下はテオドール・ヘルツルの像。シオニズムの「シオン」とは、かつてダビデ王朝の宮殿のあったエルサレムの丘の名前。

嘆きの壁 c-76
または「西の壁」。ヘロデ王が築いた神殿域の西側の壁の基礎部分のこと。

バル・コクバの乱 c-77
第2次ユダヤ戦争ともいう。反乱の指導者はバル・コクバ。

アエリア・カピトリナ c-78
またはアエリア・カピトリーナ。

シオニズム運動 c-79
パレスチナにユダヤ人国家を樹立することを目指した運動。

テオドール・ヘルツル c-80
オーストリアのユダヤ人ジャーナリスト。シオニズム運動の創始者。

レバノン マウンテンズ [lébənən máuntnz]
c-41 **Lebanon Mountains**

タイア [táiə]
c-42 **Tyre**

マウント ハーマン [maunt hə́:rmən]
c-43 **Mount Hermon**

スィー オヴ ギャリリ [sí: əv gǽləli]
c-44 **Sea of Galilee**

タイビアリアス [taibíəriəs]
c-45 **Tiberias**

ナザレス [nǽzərəθ]
c-46 **Nazareth**

メギドウ [məgídou]
c-47 **Megiddo**

サメアリア [səméəriə]
c-48 **Samaria**

マウント ゲリズィム [～ gérizim]
c-49 **Mount Gerizim**

ジョーダン リヴァ [dʒɔ́rdn rívər]
c-50 **Jordan River** または語順を変えた River Jordan。

ジャパ [dʒápə]
c-51 **Joppa**

ジェリコウ [dʒérikou]
c-52 **Jericho**

ジェルーサレム [dʒərúsələm]
c-53 **Jerusalem**

ベスレヘム [béθləhεm]
c-54 **Bethlehem**

ガーザ [gá:zə]
c-55 **Gaza** パレスタイン [pǽləstain] **Palestine**「パレスチナ」という言葉の語源となった。

フィリスティア [filístiə]
c-56 **Philistia**

ヒーブロン [hí:brən]
c-57 **Hebron**

ビアシーバ [bíəʃí:bə]
c-58 **Beersheba**

デッド スィー [dεd si:]
c-59 **Dead Sea**

サダム [sádəm]
c-60 **Sodom**

◆**Lebanon Mountainsレバノン山脈**　レバノンという語（ヘブライ語 לְבָנוֹן レヴァー**ノー**ン）は、ヘブライ語の語根 ***l-b-n***「白い」に由来。これは、標高3,088mのレバノン山脈の山頂が、ほぼ一年を通じて雪で覆われている「白い山」だからである。ヘブライ語の語根は3つの子音からなるが、母音を入れ替えたり、接頭辞や接尾辞を付けたりすることにより、様々な名詞や形容詞、動詞を作る。例えば、語根 ***l-b-n***「白い」の母音を入れ替えると、לְבוֹנָה レヴォー**ナー**「乳香」（色が乳のように白いため）や、לִבְנֶה リヴ**ネ**「ポプラの木」（樹皮が白い木）、לְבָנָה レヴァー**ナー**「月」（白く輝く星）といった名詞になる。

乳香

◆**Megiddo　メギド**　メギドと呼ばれる要塞化された丘は、「海の道」と呼ばれる交易ルートを含め、幾つもの道路が交差する交通の要衝。古代から近代に至るまで、幾つもの「メギドの戦い」がここで繰り広げられた。破壊された町の上に新しい町が建設されて小高くなった丘のことをtell「テル」（層状の遺跡、遺丘）というが、メギドもテルの一種であるため「テル・メギド」とも呼ばれている。ちなみに、聖書の黙示録に出てくる世界の終末の決戦場「ハルマゲドン」には、「メギドの山（丘）」という意味がある。

◆**Yahweh　ヤハウェ**　聖書に出てくる神の名前は、ヘブライ語の写本ではヨード、ヘー、ワウ、ヘーの4つの子音字 יהוה（英語ではYHWH、ないしはJHVH、IHVH等）で表記される。この4つの子音字は英語でTetragrammaton「テトラグラマトン」といい、ギリシャ語で「4文字」を意味する。古代ヘブライ語では母音を表記しなかったために、モーセの時代にさかのぼるような古代の正確な発音は不明である。古代のセム語は母音がA I Uの3つのみであったので、旧約聖書時代のヘブライ語ではeを含むYahwehやJehovahの発音はありえなかった。やがてヘブライ語の母音にはEOやシェワ（あいまい母音)などの母音が増えた。西暦9世紀頃には、母音符号 (ニクダという)が発明されて、写字生が写本の子音字に当時の発音に従って母音符号を付けた。ユダヤ人は神の名前を直接発音せず、代わりに אֲדֹנָי アドーナーイ (「主」の意)と読んだため、テトラグラマトン יהוה 上に アドーナーイの母音の *e*OAを付けて יְהֹוָה と書いた（*e*はあいまい母音）。やがて中世カトリックの学者が YHWH と *e*OA を合成して Iehoua (Jehova)という暫定的なスペルを作った。紀元1世紀前後のギリシャ語で神の名が Ιαβε iabe のように表記されたものがあることから、1世紀当時の発音を推測し、近代になってYahweh のスペルが作られた。実はヘブライ語の多くの人名には神の名前が部分的に含まれており (Jehonathan/Jonathan「ヤハウェは与え給う」、Elijah「我が神はヤハウェ」、Hezekiah「ヤハウェは強め給う」など) 、それらの母音から元の発音の推定がなされているが、決定的結論は出ていない。

現代に復活した言語
Hebrew「ヘブライ語」

ユダヤ人が用いていたヘブライ語は、ユダヤ教や聖書研究で用いられる以外は日常語としては絶えて久しかった。ヘブライ語復活の功労者となったのは、ルジュキー (現ベラルーシの都市) 生まれでパレスチナに移住したユダヤ人**エリエゼル・ベン・イェフダー**。息子のベン・ツィオンが生まれた際、彼は家族に対してヘブライ語のみで話しかけるよう命じた (家族はヘブライ語が話せた)。こうして、約二千年ぶりにヘブライ語のネイティブスピーカーが世に現れた。ベン・イェフダーは古代ヘブライ語にはない現代語の語彙をヘブライ語で数多く作る必要があったという。一度使われなくなった言語が音声言語として復活を遂げた歴史上唯一のケースである。

オウルド テスタメント [ould téstəmənt]
Old Testament c-61

ザ デッド スィー スクロウルズ [ðə dɛd si: skroulz]
the Dead Sea Scrolls c-62

ヤーウェイ / ヤーハウェイ / ジホウヴァ [já:wei / ja:hwéi/] / [dʒihóuvə]
Yahweh, Jehovah c-63

メサイア [məsáiə]
Messiah c-64

ジュダス マカビーズ / マカビーズ [dʒúdəs mækəbí:z / mǽkəbi:z]
Judas Maccab(a)eus c-65

マカビアン リヴォウルト [mækəbíən rivóult]
Maccabean Revolt c-66

ハズモニーアン ダイナスティ [hæzməní:ən dáinəsti]
Hasmonean Dynasty c-67

ジャン ハーケイナス ザ ファースト [dʒán hə:kéinəs]
John Hyrcanus I c-68

ヘロド ザ グレイト [hérəd ðə greit]
Herod the Great c-69

ヘロド アンティパス [hérəd ǽntipəs]
Herod Antipas c-70

ヘロド アグリパ [hérəd əgrípə]
Herod Agrippa c-71

フレイヴィアス ジョウスィーファス [féiviəs dʒousí:fəs]
Flavius Josephus c-72

ジューイッシュ ウォー [dʒú:iʃ wɔ́ə]
Jewish War c-73

マサーダ [məsá:də]
Masada c-74

ダイアスポラ [daiǽspərə]
Diaspora c-75

ウェイリング ウォール [wéiliŋ wɔ́:l]
Wailing Wall c-76

バー コクバ リヴォウルト [báə kɔkbə rivóult]
Bar Kokhba Revolt c-77

イーリア キャピトライナ [í:liə kæpitəláinə]
Aelia Capitolina c-78

ザイアニズム [záiənizm]
Zionism c-79

スィアドー ヘーツェル [θíədɔə héətsəl]
Theodor Herzl c-80

D ペルシャ

文学や歴史では「ペルシア」の表記が多いが、一般には「ペルシャ」と書かれることが多いため、本書では「ペルシャ」に統一している。ちなみに、ネコの品種名もペルシア猫よりペルシャ猫の表記の方が多い。

D-1 **ペルシャ** この名前はメディア王国の一地方であったパールサ地方 Parsa に由来する。

D-2 **ペルシャ人（じん）** 現在のイラン人はペルシャ人、またペルシャ語のことを、「ファールスィー」と言っている。

D-3 **メディア** ペルシャ帝国興隆前にペルシャ地域で栄えた大国。首都はエクバタナ。

D-4 **イラン** イスラム化以前をペルシャと呼び、以降をイランとする使い方が多い。

元々のパールサ地方　キュロス2世による征服　カンビュセス2世による征服　ダレイオス1世による征服

ペルシャ帝国

D-5 **アーリア人（じん）** 広い意味でのアーリア人は、インド・ヨーロッパ祖語を話す人を指すが、狭い意味では、イラン系民族を指す。イランという語はアーリアが変化したもの。

D-6 **アケメネス朝（ちょう）** 伝説的な始祖アケメネスの子孫の王朝。

D-7 **キュロス2世** もしくは「キュロス大王」。メディア王アステュアゲスの婿（むこ）だが、メディアやバビロニアを倒し、オリエントを統一した。

D-8 **カンビュセス2世** キュロス2世の子。エジプトを征服。

D-9 **スメルディス** ペルシャ名バルディア。スメルディスはギリシャ名。キュロス2世の子。兄のカンビュセス2世によって密かに暗殺されたといわれる。

D-10 **ガウマタ** またはゴーマタ。ヘロドトスによれば、大神官のガウマタが自らをスメルディスと詐称し、王位を簒奪したという（詐称でなく本人だったとする説もあり）。

D-11 **ダレイオス1世** もしくは「ダリウス」「ダリヨス」「ダレイオス大王」。新首都ペルセポリスを建設。ギリシャとのペルシャ戦争を始めた。

D-12 **ペルシャ戦争** ペルシャ帝国が数度にわたってギリシャに攻め込んだ軍事遠征。

D-13 **クセルクセス1世** ペルシャ語でハシャヤーラシャー。ギリシャ遠征時のサラミスの海戦、およびプラタイアの戦いでギリシャに敗北する。

D-14 **エステル** 聖書の『エステル記』の主人公。アハシュエロス王（クセルクセス）の王妃。ユダヤ人虐殺を阻止した。

D-15 **アルタクセルクセス1世** もしくはアルタシャスタ。敵将テミストクレスの亡命を受け入れた。

D-16 **アルタクセルクセス2世** 記憶力に優れていたため、ムネモンとあだ名された。ギリシャ語で「記憶」のことをム**ネー**モーンという。

D-17 **ダレイオス3世** アケメネス朝ペルシャの最後の王。アレクサンドロス3世にガウガメラの戦いで破れ、逃走中に味方に殺害された。

D-18 **サトラップ** 地方官である州知事。

D-19 **王の目** サトラップの働きを知るために王が派遣した監督官。

D-20 **王の耳** 「王の目」の補佐官。

キュロスの2世墓

↓ベヒストゥン碑文 ダレイオス1世がガウマタを踏みつけている。

クセルクセス王に使者が謁見する場面を再現したろう人形。
(Fars Dignitaries Museum in Shiraz, Iran)

ギュスターヴ・ドレが描いたエステル（右）。アハシュエロス王（中央）の前で、ユダヤ民族の絶滅を企てた高官ハマン（左）の計略を訴える場面。この出来事が、現在のユダヤ人の Purim「プリムの祭り」の起源である。

現在のイランはイスラム教国だが、イラクなど他の中東イスラム教国がアラビア系の民族でアラビア語を話しているのとは異なり、イラン人はインド・ヨーロッパ語族のペルシャ語を話し、人種的にもヨーロッパ人に近い。

エラム王国の首都として建設された。アケメネス朝ペルシャでも行政上の首都だった。 **スーサ** D-21

ダレイオス1世が建設した、祭儀の首都。ギリシャ語で「ペルシャの都市」の意。 **ペルセポリス** D-22

メディア王国の首都であり、アケメネス朝ペルシャやパルティアの夏の王都だった。 **エクバタナ** D-23

クテシフォンはパルティアの首都。ホスロー1世によるイーワーン（アーチ建築）が有名。

クテシフォン D-24

セレウコス朝（ちょう） D-25

セレウコス1世は、セレウコス朝の創始者で、シリアの初代の王。アレクサンドロス大王は、ギリシャ軍の将軍達（および大王自身）と、征服した王や豪族の娘達とを結婚させ、大々的な合同結婚式をスーサで執り行って東西の融和を図った。ほとんどの将軍達は大王の死後、それらの妻を離縁してしまったが、セレウコス1世は、ソグディアナの豪族スピタメネスの娘アパメーと生涯添い遂げた。

セレウコス1世（せい） ニカトール D-26

アンテオコスとも書く。

アンティオコス1世（せい） ソテル D-27

アンティオコス3世（せい）（大王） D-28

セレウコス朝の王はギリシャ人なので、コインや彫刻からも分かるとおりギリシャ人の顔立ちである。

アンティオコス4世（せい） エピファネス D-29

中央アジアの遊牧民の族長アルサケス（アルシャク）1世の流れをくむ王朝。 **アルサケス朝（ちょう）** D-30

中国ではパルティア王国のことを「安息」と呼んでいた。 **パルティア/ 安息（あんそく）** D-31

ギリシャ人支配の国。アレクサンドロス大王の東方遠征によって造られたギリシャ人入植地の総督ディオドトスにより独立。 **バクトリア** D-32

ローマ皇帝が戦で敵に生け捕りにされるのは前代未聞の出来事だった。彼の悲惨な末路に関しては様々な伝承があるが、無名の奴隷にされたという説や、シャープール王の人間椅子にされたという説、死体を剥製にしたなどの説がある。画像は、ナクシュ・イ・ロスタムの磨崖像。

アルダフシール（アルダシール）1世が開いた王朝。アケメネス朝の復興を目指した。 **ササン朝（ちょう）** D-33

初代アルダシール1世の子。シャープールという名前自体が実は「王子」という意味。 **シャープール1世（せい）** D-34

シャープール1世は、エデッサの戦いでローマ皇帝ウァレリアヌスを捕虜とした。 **エデッサの戦（たたか）い** D-35

ササン朝ペルシャ絶頂期の皇帝。侵略してきた遊牧民のエフタルを滅ぼし、学問や芸術を保護した。 **ホスロー1世（せい）** D-36

ササン朝最後の皇帝ヤズデギルド3世はイスラム軍に敗れ、ササン朝は滅亡。 **ニ（ネ）ハーヴァ（バ、ワ）ンドの戦（たたか）い** D-37

ゾロアスター教の守護霊「フラワシ」

ペルシャで信仰された宗教。拝火教ともいう。聖典は『アヴェスター』。 **ゾロアスター教（きょう）** D-38

ゾロアスター教の開祖。いつ生まれたのかに関しては見解によって1000年近い差がある。 **ゾロアスター** D-39

ゾロアスター教で唯一崇拝される光の神、善の神。闇と悪の神アンラ・マンユ（またはアングラ・マイニュ）と対立。 **アフラ・マズダ** D-40

D-1	パージャ [pə́ːʒə] **Persia**
D-2	パージャン [pə́ːʒən] / パーシャン [pə́ːʃən] **Persian**
D-3	ミーディア [míːdiə] **Media**
D-4	イラーン [iráːn] **Iran**
D-5	エアリアン [é(ə)riən] **Aryan**
D-6	アケメニド ダイナスティ [əkémənid dáinəsti] **Achaemenid Dynasty**
D-7	サイラス [sáirəs] ザ セカンド **Cyrus II**
D-8	キャンバイスィーズ [kəmbáisiːz] ザ セカンド **Cambyses II**
D-9	スマーディス [smə́ːdis] **Smerdis**
D-10	ゴーマータ [gɔːmáːtə] **Gaumata**
D-11	ダライアス / デイリアス ザ ファースト [dəráiəs / déiriəs] **Darius I**
D-12	(グレコウ) パージャン / パーシャン ウォーズ [grékou pə́ːʒən / pə́ːʃən 〜] **(Greco-)Persian wars**
D-13	ザークスィーズ [zə́ːksiːz] ザ ファースト **Xerxes I**
D-14	エスタ [éstə] **Esther**
D-15	アータザークスィーズ [ɑːtəzə́ːksiːz] ザ ファースト **Artaxerxes I**
D-16	アータザークスィーズ [ɑːtəzə́ːksiːz] ザ セカンド **Artaxerxes II**
D-17	ダライアス / デイリアス ザ サード [dəráiəs / déiriəs] **Darius III**
D-18	セイトラップ [séitræp] / サトラップ [sǽtrəp] **satrap**
D-19	アイ オヴ ザ キング [ái əv ðə kiŋ] **eye of the king**
D-20	イア オヴ ザ キング [íə əv ðə kiŋ] **ear of the king**

キャンバイスィス [kəmbáisis] ともいう。

◆**Persia ペルシャ**　モモのことを英語で peach ピーチというが、これはギリシャ語の μᾶλον περσικόν マーロン ペルスィコン「ペルシャのリンゴ」に由来する。モモの原産は中国なのだが、ヨーロッパに伝わる途中ペルシャを経由したため、長い間ヨーロッパ人はペルシャ原産だと思い違いをしていた。そのため、18 世紀にスウェーデンの博物学者カール・フォン・リンネがモモに学名を付けた時にも ***Prunus persica*** プルーヌス ペルスィカと命名した（persica はラテン語で「ペルシャの」という意味)。ところで柿のことを英語で persimmon パースィモンといい、Persia に関係がありそうに見えるが、アメリカ・インディアンのアルゴンキン語で「乾いた果物」という言葉に由来するため、Persia と全く関係がない。

◆**Xerxes クセルクセス**　古代ペルシャ語の読み方は Xšayārašā クシャヤーラシャー（もしくはハシャヤーラシャー）だが、ギリシャ人にはその発音ができなかったため（ギリシャ語に「シャ」行の子音はない)、Ξέρξης クセルクセースという発音になった。ヨーロッパでは後にさらに変化して、イタリア語では Serse セルセに、スペイン語では Jerjes ヘルヘスに、そして英語では Xerxes ザークスィーズになった。古代ユダヤ人も独自に訛って、アハシュウェーローシュ（それを日本語に翻字したのがアハシュエロス）になった。ちなみに、日本でも有名な『Ombra mai fù オンブラ・マイ・フ』という曲は、ヘンデル作曲の**オペラ『セルセ』**の中の歌。セルセ（イタリア語でクセルクセス王）がプラタナスの木陰でこのアリアを歌っている（オペラの内容は、全くの創作の恋愛劇である)。

タイトルの Ombra とは、イタリア語で「影」の意。mai は「決して」、fù は「ある」三人称単数の過去形。「今までになかった陰」、意訳して「懐かしき木陰」。

アケメネス朝ペルシャで用いられていた古代ペルシャ語は、日本語と同様にＬの発音がなく、ＬとＲの区別ができなかった（Ｌがあるとすれば外来語のみ）。それで、古代ペルシャ人の名前を見てみれば、Ｌの発音の入ったものが一つもないことに気づくだろう。ただし、現代のペルシャ語は、多くの語彙がアラビア語から取り入れられており、Ｌを含む言葉も多い。

◆**Zoroaster ゾロアスター**　この名前は、アヴェスタ語（インド・ヨーロッパ語族のインド・イラン語派の一つ）である Zaraθuštra ザラスシュトラがギリシャ語に入って Ζωροάστρης ゾーロ**ア**ストレースになり、それが英語の Zoroaster になったもの。ドイツの哲学者フリードリヒ・ニーチェ作『ツァラトゥストラかく語りき』の**ツァラトゥストラ**はザラスシュトラがペルシャ語 Zartošt ザラトシュトを経てドイツ語に取り入れられ、Z の発音が [ts] になったもの。ニーチェのこの作品は、主人公の名前としてツァラトゥストラ（ゾロアスター）の名を借りたフィクションなので、内容的にはゾロアスター教の教理とは関係がない。

セレウコス・ニカトールとナイキ

Nike ニケ「勝利」

セレウコス朝の王はほとんどがセレウコスかアンティオコス（例外はデメトリオスなど数名）、プトレマイオス朝の王はプトレマイオスか、女性ならクレオパトラと名付けられた。彼らの多くにはセレウコス１世ニカトール「勝利者」、アンティオコス１世ソテル「救世主」、アンティオコス２世テオス「神王」、セレウコス４世フィロパトル「愛父者」、アンティオコス４世エピファネス「顕神王」といった称号が与えられた。ニカトールはギリシャ語 νίκη **ニ**ケー「勝利」や Νίκη **ニ**ケー「勝利の女神」が語源。最初の公会議の開催地 Nicaea「ニケア（勝利の町）」や、Nicholas「ニコラオス（民衆の勝利）」（聖ニコラオス→ Santa Claus「サンタクロース」の由来）や、nicotine「ニコチン」（勝利という意味の名をもつフランスの外交官ニコに由来）、スポーツ用品メーカー Nike「ナイキ」などの語源となっている。

サモトラケのニケ
（勝利の女神像）

スーサ [súːsə]
Susa D-21

パ**セ**ポリス [pəséplas]
Persepolis D-22

エク**バ**タナ [ɛkbǽtənə]
Ecbatana D-23

テスィフォン [tésifən]
Ctesiphon D-24

セ**ルー**スィッド **ダイ**ナスティ [səl(j)úːsid ～]
Seleucid Dynasty D-25

セ**ルー**カス ザ **ファー**スト **ナイ**ケイタ [səl(j)úːkəs náikeitə]
Seleucus I Nicator D-26

アン**タイ**アカス ザ **ファー**スト **ソ**ウタ [æntáiəkəs sóutə]
Antiochus I Soter D-27

アン**タイ**アカス ザ **サー**ド（ザ **グレイ**ト） [æntáiəkəs ðə greit]
Antiochus III (the Great) D-28

アン**タイ**アカス ザ **フォー**ス エ**ピ**ファニーズ [æntáiəkəs ðə fɔɚθ ɛpífəniːz]
Antiochus Ⅳ Epiphanes D-29

アーサスィッド **ダイ**ナスティ [ɑ́ɚsəsid ～]
Arsacid Dynasty D-30

パースィア [pɑ́ɚθiə]
Parthia D-31

バクトリア [bǽktriə]
Bactria D-32

ササニッド **ダイ**ナスティ [sǽsənid ～]
Sassanid Dynasty D-33

シャー**プア** [ʃɑːpuɚ] ザ **ファー**スト
Shapur I D-34

バトル オヴ イ**デ**サ [～ idɛ́sə]
Battle of Edessa D-35

ホース**ラウ** [xɔːsráu] ザ **ファー**スト
Khosrow I D-36

バトル オヴ ナーハー**ヴァ**ンド [～ nɑːhɑːvǽnd]
Battle of Nahavand※ D-37

ゾーロウ**ア**ストリアニズム [zɔːrouǽstriənizm]
Zoroastrianism D-38

Zoro- の部分は「ザーロウ～」[zɔːrou] という発音もある。

ゾーロウ**ア**スタ / ～ストラ [zɔːrouǽstɚ / -strə]
Zoroaster / Zoroastra D-39

Zarathustra ザラ**スー**シュトラ [zærəθúːʃtrə] という原語に近いスペルもある。

ア**フー**ラ **マ**ズダ [əhúːrə mǽzdə]
Ahura Mazda D-40

※ Nehavand や Nihavand とも書く。

E ギリシャ①〈民族・地理〉

E-1 **ギリシャ** ギリシャという名称は、ギリシャに対するローマ人の名称 Graecia グラエキアに由来。

E-2 **ギリシャ人**（じん） インド=ヨーロッパ語族に属する民族。北方から次々と移住してポリスを建設し、やがて地中海に広く植民地を築いた。

E-3 **ポリス** 都市国家のこと。ポリスと他の単語とを組み合わせて、多くの地名が作られた（ヘリオポリス、ニコポリス、アクロポリス他）。

E-4 **ヘラス** ギリシャの土地・国に対するギリシャ人の呼び方。ギリシャ人はヘレネスといった。

E-5 **ヘレニズム** ギリシャの文化・思想を指す。古代ユダヤのヘブライズムと共に西洋文明の源となる。

E-6 **バルバロイ** ギリシャ人以外の他民族を指す蔑称。バルバロイは複数形。バルバロスが単数形。

E-7 **エーゲ文明**（ぶんめい） 古代ギリシャの文明（ミノア文明・ミケーネ文明その他）の総称。

E-8 **ミノア文明（ぶんめい）/クレタ文明（ぶんめい）** エーゲ文明の初期に栄えた文明。

E-9 **クノッソス宮殿**（きゅうでん） クレタ島に残されているミノア文明最大の遺跡。

E-10 **トロヤ / トロイ** トロイアともいう。イオニア方言ではイリオスやイリオンという。

E-11 **トロヤの木馬（もくば） / トロイの木馬（もくば）**

トロヤ遺跡の入口には巨大なトロイの木馬のレプリカが置かれている。伝説の木馬の中に隠れたギリシャ人のように、木馬の中に入ることもできる。

E-12 **シュリーマン** 伝説の都市トロヤを発掘したドイツの考古学者。

E-13 **ミケーネ文明**（ぶんめい） ミュケナイ文明、ミュケーナイ文明ともいう。ミケーネを中心とする後期のエーゲ文明。

E-14 **ミケーネ** ペロポネソス半島の都市。

E-15 **獅子門**（ししもん） ミケーネの主門。ミケーネ文明の代表的遺物。

門の上部に2匹のライオンのレリーフがある。

E-16 **アガメムノンのマスク** ミケーネ文明を代表する金のマスク。

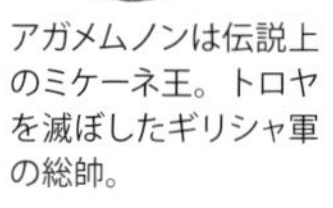

アガメムノンは伝説上のミケーネ王。トロヤを滅ぼしたギリシャ軍の総帥。

E-17 **線文字B**（せんもじ） ミケーネ文字ともミノア文字とも呼ばれている。マイケル・ヴェントリスにより解読された。

E-18 **アカイア人**（じん） ミケーネ文明を築いたギリシャ人の一集団。ギリシャ中部のテッサリアから南下しペロポネソス半島に移住（ギリシャ人の南下の第一波）。

E-19 **イオニア人**（じん） アカイア人の一部で、小アジア西岸のイオニア地方に居住した集団。彼らの用いた言語はギリシャ語のイオニア方言。

E-20 **ドーリア人**（じん） ギリシャ北部から南下（ギリシャ人の南下の第二波）した集団。スパルタは、ドーリア人によって建設されたポリス。

文学や歴史の世界では「ギリシア」と表記されることが多いが、現代地図や現代の国名としては「ギリシャ」と表記されることが多い。本書では日本語の発音に準じた「ギリシャ」を用いている。

E Greece ①

「ギリシャ」という発音は、ラテン語 Graecia の後代の発音グレシアに近いが、語頭の子音のみの g を「ギ」と発音するのは日本独自のものなので、「ギリシャ」の発音ではギリシャ人にも欧米人にも通じにくい。

E-1 グリース [gri:s] **Greece**

E-2 グリーク [gri:k] **Greek**

E-3 パリス / ポウリス　パレイズ / ポウレイス [pális/póulis]　/ [páleiz /póuleis] **polis**（単数）**/ poleis**（複数）

E-4 ヘラス [hélæs]　/　ヘラス [héləs] **Hellas**（単数）**/ Helles**（複数）

E-5 ヘレニズム [hélənizm] **Hellenism**

E-6 バーバロイ [bá:bəroi] **barbaroi**（複数）**/ -os**（単数）

E-7 イジ(ー)アン スィヴィリゼイション / スィヴァイライ～ [idʒí(:)ən sivilizéiʃən / sivailizéiʃən] **Aegean Civilization**

E-8 ミノウアン [minóuən] スィヴィリゼイション **Minoan Civilization**

E-9 パレス アト ナサス [pǽləs ət násəs] **Palace at Knossos**

E-10 トロウヤ [tróujə] トロイ [trɔ́i] **Troia / Troy**

E-11 トロウジャン ホース [tróudʒən hɔ́ɚs] **Trojan Horse**

E-12 シュリーマン [ʃlí:man] **Schliemann**

E-13 マイサニアン [maisəníən] スィヴィリゼイション **Mycenaean Civilization**

E-14 マイスィーニー [maisí:ni:] **Mycenae**

E-15 ザ ライオン ゲイト [ðə láiən geit] **the Lion Gate**

E-16 マスク オヴ アガメムノン [～ ægəmémnən] **Mask of Agamemnon**

E-17 リニア ビー（スクリプト）[líniɚ bí: skrípt] **Linear B (script)**

E-18 アキアン [əkíən] **Achaean**

E-19 アイオウニアン [aióuniən] / アイアニアンズ [aiá-] **Ionian**

E-20 ドーリアン [dɔ́:riən] **Dorian**

◆**Greece ギリシャ**　日本語の「ギリシャ」という表現は、ラテン語 Graecia グラエキア（グレスィア）に由来する。ギリシャ人は自らをグラエキアでもギリシャでもなく、Ἑλλάς ヘッラスと呼んだ。この言葉から、「ギリシャ文化」を意味する Hellenism「ヘレニズム」なる語が造られた。

◆**polis ポリス**　ギリシャ語の πόλις ポリスは本来、「丘」や「城砦」を指した。やがて「都市・都市国家」を表すようになる。この語からは英語の politics ポリティクス「政治」や politician ポリティシャン「政治家」、また police ポリス「警察」（都市や国家を保護する者）などの語が生まれた。

◆**barbaroi バルバロイ**　ギリシャ人は、ギリシャ語を話さない他国人をバルバロイと呼んで蔑視した。これは、「バルバル」とわけの分からない言葉を話している者達という意味である。英語の barbarian バーベアリアン「野蛮人」という語も、このバルバロイが由来となっている。

◆**Minoan civilization ミノア文明**　クレタ島を中心に栄えたギリシャ文明の一つ。クレタ島の Minos マイナス「ミノス王」の名から Minoan という語が生まれた。ミノス王の妻パシパエが雄牛と交わって生まれた、頭が牛で体が人間の怪物が Minotaur マイノトー（またはミノトー）「ミノタウロス」。ミノタウロスは脱出不能といわれた labyrinth ラビリンス「迷宮」に棲んでいたが、ミノタウロスを倒した Theseus「テセウス」は、糸で道順がわかるようにして出口を見いだした。

◆**Troia トロヤ、Trojan トロヤの**　現代英語では、Troia「トロヤ」の形容詞形が Trojan トロウジャンのようにiがjになっているが、元々jはiの異体字（違う形の同じ文字）だった。古英語時代はスペルが統一されておらず、Troyan や Troian のつづり（発音は同じ）も存在した。

アテネの英語表記 Athensは複数で Athenが単数だろうか? 実は Athensで単数である。本来のギリシャ語 Ἀθῆναι アテーナイには語尾に [s] の発音はなかった。この語がラテン語に入ったとき Athenae アテーナエになり、その対格が Athenas アテーナスだった。それがフランス語を経て英語になり Athens となった。ちなみに形容詞「アテネの」は Athenian アスィーニアンで s がない。

◆**Sparta スパルタ** スパルタの兵士は幼い頃から極めて厳しい訓練を受けていた。Sparta の形容詞形は Spartan「スパルタの、スパルタ人」で、Spartan education「**スパルタ式教育**」という言葉に使われている。

オリンピックとオリンパス

Olympos「オリンポス山」

オリンポス山は、ギリシャ中部にそびえる標高 2,917m のギリシャ最高峰。山頂にはギリシャ神話の神々が住むといわれ、**Twelve Olympians オリンポス十二神**と呼ばれた。

オリンポス山の山頂

ところで、火星最大の山も「オリンポス山」と名付けられている。地表からの高さが約2万7,000m、つまり地球のオリンポス山の約 9 倍、エベレストの約 3 倍に匹敵し、太陽系最大の山と呼ばれている。

火星のオリンポス山

余談だが、カメラメーカーの**オリンパス**(創業時は「高千穂製作所」)は、高千穂峰とオリンポス山が神々が集う山という点で似ているため、顕微鏡などのブランドネームとして「オリンパス」を使用したのが始まり。一方、古代**オリンピック**開催地の都市**オリンピア**は、オリンポス山とは離れたペロポネソス半島にある。

ボールカン (ペニンスラ) [bɔ́ːlkən pənínsələ]
Balkan (Peninsula) E-21

バスファラス (ストレイト) [bάsfərəs streit]
Bosphorus (Strait) E-22

(ズィ) イジ(ー)アン スィー [idʒí(ː)ən síː]
(the) Aegean Sea E-23

ペラパニーサス ペニンスラ [peləpəníːsəs〜]
Peloponnesus (Peninsula) E-24

(ズィ) アイオウニアン スィー [aióuniən síː]
(the) Ionian sea E-25

ペラ [pélə]
Pella E-26

デルファイ / デルフィ [délfai / délfi]
Delphi /Delphoi E-27

スィブズ [θibz]
Thebes E-28

レズバス / レズボウス (アイランド) [lézbəs / -bous 〜]
Lesbos (Island) E-29

アスィンズ [ǽθinz]
Athens E-30

マイリータス / マイリータス [máiliːtəs / mailíːtəs]
Miletus E-31

コーリンス [kɔ́ːrinθ]
Corinth E-32

スパータ [spάəːtə]
Sparta E-33

ロウズ (アイランド) [róudz 〜]
Rhodes (Island) E-34

オリンピア [əlímpiə]
Olympia E-35

クリート (アイランド) [kríːt 〜]
Crete (Island) E-36

アクラポリス [əkrάpəlis]
Acropolis E-37

パーサナン (テンプル) [pάəːθənαn 〜]
Parthenon (Temple) E-38

アリアパゴス [æriάpəgərə]
Areopagus E-39

アゴラ [ǽgərə]
agora E-40

E ギリシャ②〈歴史・人物〉

E-41 **民主政治**
人民が主権をもつ政治。アテネの民主主義は直接民主制だったが、女性、奴隷、外国人に投票権はなかった。

E-42 **ソロン**
アテネの政治家、立法家にして詩人。ギリシャ七賢人の一人。

E-43 **ペイシストラトス**
アテネの政治家。ソロンの改革後の混乱期に僭主となった。

E-44 **僭主**
または「タイラント」。古代ギリシャのポリスで非合法に政権を握った独裁者。貴族制から民主制への過渡期に出現。

E-45 **クレイステネス**
アテネの政治家。血縁的部族制を廃して地域的部族制を制定するなどの改革を行い、民主政治の基礎を確立。

E-46 **陶片追放**
アテネで、僭主の出現を防ぐために投票により独裁者を国外追放にする制度。

実際に陶片追放に使われた陶片の一つ。

E-47 **ペリクレス**
アテネの政治家。民主政治を完成しアテネの最盛期を築き上げた重鎮。

E-48 **マラトンの戦い**
ペルシャ軍がギリシャのマラトンに上陸。ギリシャ軍が勝つ。アテネへの伝令が「マラソン」の由来とされている。

E-49 **テルモピュライの戦い**
300人のスパルタ兵が、大軍勢のペルシャ軍との壮絶な戦いの後、全滅した。

ペルシャ帝国による三度にわたるギリシャ遠征を**「ペルシャ戦争」**という。マラトンの戦いやテルモピュライの戦い、サラミスの海戦もペルシャ戦争の一部である。

E-50 **レオニダス**
テルモピュライの戦いでスパルタ兵を率いたスパルタ王。スパルタ随一の英雄。

E-51 **ラケダイモン**
もしくは「ラケダイモーン」。スパルタ人自らの呼称。複数形はラケダイモス。

アテネ市内にあるレオニダス王の像。台座にあるギリシャ文字「ΜΟΛΩΝ ΛΑΒΕ」（モローン ラベ）は「奪いに来い」というペルシャ軍に対する挑発の言葉。

E-52 **ヘイロタイ**
または「ヘイロータイ」。スパルタの市民共有の奴隷。ドーリア人に征服されたアカイア人の子孫。度々反乱を起こした。

E-53 **サラミスの海戦**
サラミス島近海で、ギリシャ艦隊が圧倒的多数のペルシャ艦隊に対して勝利を得た海戦。

E-54 **テミストクレス**
海軍強化に努め、サラミスの海戦でペルシャ艦隊を撃破した将軍。後に陶片追放に遭う。

サラミスに建つ「サラミスの海戦」の記念碑。

E-55 **ペロポネソス戦争**
アテネ率いるデロス同盟とスパルタ率いるペロポネソス同盟の間の一連の戦争。

E-56 **レウクトラの戦い**
レウクトラの平野でテーベ軍とスパルタ軍との間で行われた戦い。

E-57 **エパミノンダス**
テーベの将軍。レウクトラの戦いで神聖隊を率いて斜線陣を用い、スパルタ軍を破った。

E-58 **カイロネイアの戦い**
フィリッポス2世がアテネ・テーベ連合軍に勝った戦い。

E-59 **ファランクス**
重装歩兵による密集隊形。陸戦部隊の中核。マケドニア軍では約6mもの長槍をもつ歩兵が整然と並んだ。

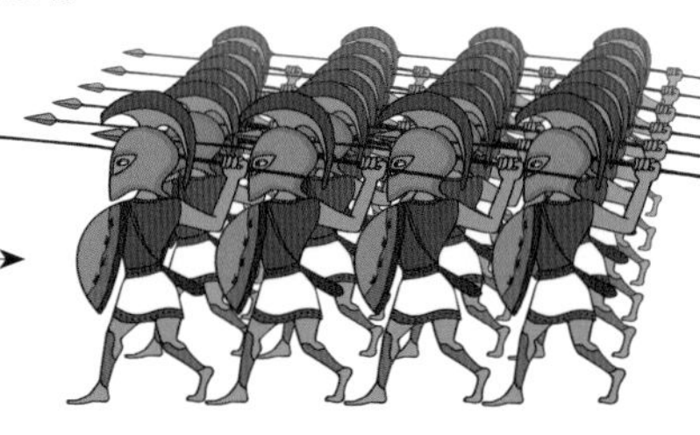

E-60 **重装歩兵**
兜（かぶと）、胸当て、脛（すね）当て、盾（たて）による重装備をした歩兵。古代ギリシャの陸軍の中核を担う。

アレクサンドロス大王の死後、誰が帝国を継ぐかで熾烈（しれつ）な戦いが生じた（ディアドコイ戦争）。最有力候補の将軍達が互いに潰し合い、アレクサンドロスの直系の子孫達が暗殺された結果、アレクサンドロスが生きていた時にはやや格下とみなされていたプトレマイオスやセレウコスといった将軍達が最終的に権力を握ることとなった。

エジプトの硬貨に描かれたアレクサンドロスには角が生えている。アレクサンドロスはエジプトで角を持つアモン神と同一視されたからである。

↓イッソスの戦いを描いた横 5.8m のモザイク画は、火山の噴火で埋まったポンペイ遺跡の中の大邸宅（通称「ファウノの家」）の床にあったもの。

フィリッポス２世 E-61
フィリポス2世ともいう。アレクサンドロス3世の父。

アレクサンドロス３世 E-62
またはアレクサンドロス大王。アレクサンダー、アレキサンダーとも書く。

グラニコス河畔の戦い E-63
もしくはグラニコス川の戦い。アナトリア半島のサトラップを破った。

イッソスの戦い E-64
ダレイオス３世率いるペルシャ軍に対して勝利を得た。

ガウガメラの戦い E-65
別名アルベラの戦い。

パルメニオン E-66
フィリッポス2世の時と大王の時の副将軍。

ソグディアナ攻防戦 E-67
難攻不落の要塞を攻略した。

ヒュダスペス河畔の戦い E-68

ディアドコイ戦争 E-69
大王の後継者同士による一連の戦争。

ペルディッカス E-70
アレクサンドロス大王に信頼された将軍。大王の死後、主導権を握り帝国摂政となるが、諸将の抵抗に遭い暗殺された。

オリュンピアス E-71
またはオリンピアス。アレクサンドロス大王の母。野心的で熱烈な蛇崇拝者。

ロクサネ E-72
またはロクサナ。バクトリアの王女で大王の妻。大王の子アレクサンドロス４世と共にカッサンドロスにより暗殺された。

アンティパトロス E-73
大王の東方遠征時は留守番役で本国の統治を任された。ペルディッカスと対立。

カッサンドロス E-74
摂政アンティパトロスの子。父が指名した老将ポリュペルコンを敗り、初代マケドニア王となる。

リュシマコス E-75
大王死後のバビロン会議でトラキアの太守となる。

アンティゴノス E-76
隻眼の将軍。一時は帝国の総司令官となるも諸将と対立。イプソスの戦いで戦死。

エウメネス E-77
大王死後のバビロン会議でカッパドキアの太守となる。親友だったアンティゴノスと戦い、敗れた。

イプソスの戦い E-78
ディアドコイ戦争最大の会戦。その後、４王国が成立した。

マケドニア戦争 E-79
共和政ローマ軍、アンティゴノス朝マケドニアとの３回にわたる戦い。

ピュドナの戦い E-80
ローマ軍が、アンティゴノス朝マケドニアの王ペルセウスを破り、アンティゴノス朝は滅亡。

ディアドコイ戦争を勝ち抜いた将軍のうち、セレウコスについてはD-26、プトレマイオスについてはB-38を参照。

E Greece ②

ディマクラスィ [dimákrəsi]
E-41 **democracy**

ソウロン [sóulən]
E-42 **Solon**

パイスィストラタス [paisístrətəs]
E-43 **Peisistratos / -tus (Pisis-)**

タイラント [táirənt]
E-44 **tyrant**

クライススィニーズ [kláisθini:z]
E-45 **Cleisthenes / Klei-**

アストラスィズム [ástrəsizm]
E-46 **ostracism**

ペリクリーズ [périkli:z]
E-47 **Pericles**

バトル オヴ マラサン [~ mǽrəθɑn]
E-48 **Battle of Marathon**

バトル オヴ サーモピリー [~ θə́:məpili:]
E-49 **Battle of Thermopylae**

リアニダス [liánidəs]
E-50 **Leonidas**

ラスィディーマン [læsəí:mən]
E-51 **Lacedaemon**

ヘラット [hélət]
E-52 **Helot**

バトル オヴ サラミス [~ sǽləmis]
E-53 **Battle of Salamis**

セミストクリーズ [θəmístəkli:z]
E-54 **Themistocles**

ペラパニーサス ウォー [peləpəní:səs ~]
E-55 **Peloponnesus War**

バトル オヴ ルークトラ [~ lú:ktrə]
E-56 **Battle of Leuctra**

イパミナンダス [ipæmənándəs]
E-57 **Epam(e)inondas**

バトル オヴ ケラニーア [~ kerəní:ə]
E-58 **Battle of Chaeronea**

ファランクス / フェイランクス
[fǽləŋks / féiləŋks]
E-59 **phalanx**

ハプライト [háplait]
E-60 **hoplite** (heavy armed soldier)

◆**Tyrant 僭主**　ギリシャ語の τύραννος **テュ**ランノス「君主、専制君主、独裁者、簒奪(さんだつ)者」から派生した言葉。日本語の「僭主」という訳は、正当な権利によらず権力を奪った「簒奪者」という意味合いが強いが、ギリシャ語のテュランノスは、簒奪者という意味だけでなく、普通の君主という意味でも使われる。このテュランノスに「トカゲ」を意味するギリシャ語 σαῦρος **サ**ウロスを足したものが、英語の tyrannosaur ティ**ラ**ノソー「ティラノサウルス、暴君竜」。ラテン語のスペルのままで英語として使われる場合は tyrannosaurus ティラノ**ソー**ラスになる。日本語では「ティランノサウルス」「チラノサウルス」とも表記されている。

◆**ostracism 陶片追放**　市民の秘密投票によって追放が決定される制度。日本の「村八分」のようなもの。英語の通り「オストラシズム」ともいう。ギリシャ語の ὄστρακον **オ**ストラコン「陶片」にちなんで名付けられた。オストラコンは、ギリシャ語の ὀστέον オス**テ**オン「骨」に由来するとも、ὄστρεον **オ**ストレオン「牡蠣(かき)の殻」に由来するともいわれる（さかのぼれば、骨も牡蠣の殻もどちらも共通の語源）。後者のオストレオンから英語 oyster **オイ**スタ「牡蠣、オイスター」が生まれた。ちなみに、ostracism の訳語に「貝殻追放」があるが、オストラシズムに貝殻は使われなかったので語源的にさかのぼりすぎである。

◆**phalanx ファランクス**
重装歩兵による密集陣形において兵士が並ぶ様子と、手足の指の骨が整然と並ぶ様子が似ているため、解剖用語 phalanx「指骨、趾骨(しこつ)（足指の骨）」が造られた。

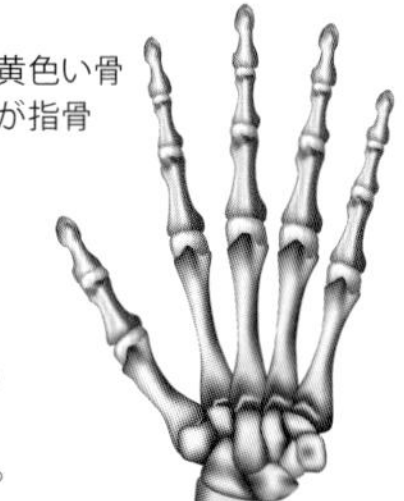

民主主義発祥の地のギリシャだが、新興国で王政のマケドニア王国のフィリッポス２世が、ギリシャ連合軍に対してカイロネイアの戦いで勝利を収め、民主制はついえ去った。フィリッポス2世の死後、その子アレクサンドロス3世（大王）は、弱冠 20 歳で王位を継承し、30 歳の時にはインド北西部にまで領土を広げ古代世界最大の帝国を創り上げたが、32 歳で急死した。

◆**Diadochi ディアドコイ**　ギリシャ語の Διάδοχοι ディアドコイ「後継者」に由来。ディアドコイは複数形で、単数形ならばディアドコスになる。

◆**Antipater アンティパトロス**　ギリシャ語の前置詞アンティ「〜に対して、〜のように」にパテール「父」を足したもの。「父のような」という意味になる。同様に、別のディアドコイの将軍の一人アンティゴノスも、アンティ「〜に対して、〜のように」＋ゴネウス「先祖」で「先祖のような」という意味をもつ。anti- アンティという前置詞は、「反対」や「逆」、「〜に背く」といった否定的な意味でよく用いられているが（anti-Semitic「反ユダヤ主義」、アンチ巨人など）、「〜の前に」、「〜と対（つい）になって」、「対比して〜のように」というように否定的でない使い方もある。

テルモピュライとサーモグラフィ
Thermo- テルモ〜「熱」

スパルタを中心とするギリシャ軍とペルシャ遠征軍の間の激戦地となった Thermopylae「テルモピュライ」（テルモピレーともいう）は、ギリシャ語で θερμο- **テ**ルモ「熱い、熱の」に πύλη **ピュ**レー「門」を足した言葉。「熱い門」と呼ばれたのは、ここで温泉が出たのと、カリモドロス山の険しい崖とマリアコス湾に挟まれていたため約15m の道幅しかない、門のように狭められた道しかなかったためである。スパルタ王レオニダスは、この地形を利用して圧倒的多数の敵を迎撃した。ちなみに、このテルモという言葉から thermography「サーモグラフィ」や、thermostat「サーモスタット」といった熱に関係した単語が造られた。

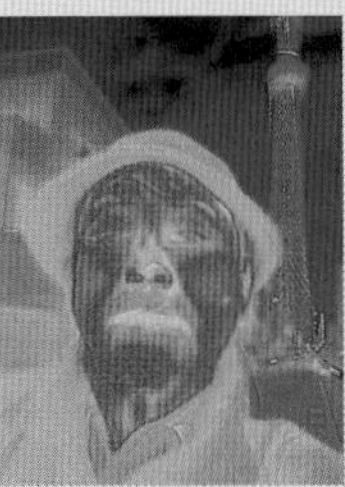

サーモグラフィによる著者近影。

フィリップ [fílip] ザ セカンド
Philip II E-61

アリグザンダ [æligzǽndɚ] ザ サード
Alexander III E-62

バトル オヴ ザ グラナイカス [〜 grənáikəs]
Battle of the Granicus E-63

バトル オヴ イサス [〜 ísəs]
Battle of Issus E-64

バトル オヴ ゴーガミーラ [〜 gɔ:gəmí:lə]
Battle of Gaugamela E-65

パーミーニアン [pɚ:mí:niən]
Parmenion E-66

スィージ オヴ サグディアン ラック [si:dʒ əv ðə sάgdiən rαk]
Siege of the Sogdian Rock E-67

バトル オヴ ハイダスピズ [〜 haidǽspiz]
Battle of the Hydaspes E-68

ウォーズ オヴ ザ ダイアドカイ [〜 daiǽdəkai]
Wars of the Diadochi E-69

パーディカス [pɚ:díkəs]
Perdiccas E-70

オウリンピアズ [oulímpiəz]
Olympias E-71

ラ(ー)クサナ / ラ(ー)クサン [rα(:)ksǽnə] / [rα(:)ksǽn]
Roxan(n)a/Roxan(n)e E-72

アンティパタ [æntípətɚ]
Antipater E-73

カサンダ / カサーンダ [kəsǽndɚ / kəsά:ndɚ]
Cassander E-74

ライスィマカス [laisíməkəs]
Lysimachus E-75

アンティガナス [æntígənəs]
Antigonus E-76

ユーメニーズ [jú:məni:z]
Eumenes E-77

バトル オヴ イプサス [〜 ípsəs]
Battle of Ipsus E-78

マセドウニャン ウォー [mæsədóunjən 〜]
Macedonian War E-79

バトル オヴ ピドナ [〜 pídnə]
Battle of Pydna E-80

E ギリシャ③〈文化〉

E-81 **ホメロス** ギリシャ最古にして最大の叙事詩人と呼ばれる。二大英雄叙事詩『イリアス』ならびに『オデュッセイア』の作者と伝えられる。

E-82 **イリアス** もしくはイーリアスという。古代ギリシャの長編英雄叙事詩。「イリオスの歌」の意で、イリオスはトロヤの別称である。

E-83 **オデュッセイア** 古代ギリシャの長編叙事詩。オデュッセウスが、トロイア戦争からの凱旋（がいせん）の帰途に体験した10余年の漂流と、不在中に王妃ペネロペに言い寄った男達への報復を描く冒険物語。

E-84 **ヘシオドス** ギリシャの叙事詩人。農民の日常を綴った『仕事と日々』、神々の系譜を書いた『神統記』が代表作。

E-85 **アイスキュロス** 古代ギリシャの三大悲劇詩人の一人。作品に『ペルシャ人』『縛られたプロメテウス』、三部作『オレステイア』がある。

E-86 **ソフォクレス** ソポクレスとも。古代ギリシャの三大悲劇詩人。古典悲劇の完成者。『アンティゴネ』『エレクトラ』『オイディプス王』等が現存。

E-87 **エウリピデス** 古代ギリシャの三大悲劇詩人の一人。神話伝説に人間的な写実性を取り入れ、新しい傾向の悲劇を生んだ。

E-88 **サッフォー** もしくはサッポー。古代ギリシャ第一の女性詩人。

E-89 **ピンダロス** オリンピックの祝勝歌を多く謳（うた）った古代ギリシャ詩人。

E-90 **アリストファネス** もしくはアリストパネス。古代ギリシャを代表する喜劇作家。

E-91 **フェイディアス** もしくはペイディアス。ギリシャの大彫刻家。パルテノン再建の総監督。

E-92 **プラクシテレス** アテネ生まれのギリシャの彫刻家。流動的な曲線美を特徴とする。

サッフォーは後代の詩人にも大きな影響を与え、「サッフォー風四行詩」は、ローマの詩人カトゥルスやホラティウスにも用いられた。

E-93 **ドーリア式**（しき） 古代ギリシャ建築の柱の様式の一つ。重厚な太い円柱と、簡素な柱頭をもつのが特徴。

E-94 **イオニア式**（しき） 古代ギリシャ建築の柱の様式の一つ。柱は細身で礎盤があり、渦巻形の柱頭をもつ。

E-95 **コリント式**（しき） 新しく最も装飾的。アカンサスの葉などの装飾をあしらった華麗な柱頭と細めの柱が特徴。ちなみに、コリントにある「アポロン神殿」はドーリア式。コリントの建物すべてがコリント式とは限らない。

E-96 **ミロのビーナス** ギリシャの著名なビーナス像。エーゲ海のミロス島で発見された。ルーブル美術館蔵。

E-97 **ラオコーン** トロヤの祭司とその子達が大蛇に巻かれ、締め付けられつつ噛まれて、苦悩する姿を題材とした群像彫刻。

E-98 **哲学**（てつがく） 古代ギリシャの哲学とは、今日の自然科学や数学を含む広い意味での学問の総称。

E-99 **哲学者**（てつがくしゃ） イオニア学派やイタリア学派など幾つもの学派が存在した。

E-100 **形而上学**（けいじじょうがく） 事物の本質、存在の根本原理を思考や直感によって探究する学問。

ページ中央の絵は、ルネサンス期の画家ラファエロ『アテネの学堂』の一部である。ここには異なる時代の有名な古代ギリシャの哲学者達が一堂に集められて描かれている。個々の絵が誰なのかをラファエロが残さなかったため、意見が分れている人物もある。絵のモデルとなった人物も色々と推定されており、プラトンはダ・ヴィンチ、ヘラクレイトスはミケランジェロだと考えられている。

ギリシャの政治家、哲学者。七賢人の一人。イオニア（ミレトス）学派の創始者。 **タレス** E-101

タレスの弟子で後継者。天文学者としても著名。 **アナクシマンドロス** E-102

万物は原子（アトム）からなり、原子が空虚の中を動き回るとする原子論を唱えた。陽気な性格のため「笑う哲学者」の異名をもつ。 **デモクリトス** E-103

古代ギリシャの哲学者。言行は弟子プラトンの『対話篇』やクセノフォンの『回想』で伝わるのみ。 **ソクラテス** E-104

ソクラテスの弟子の哲学者。アテネ郊外に学園（アカデメイア）を創設。 **プラトン** E-105

ソクラテス

アカデメイア E-106

ピタゴラス E-107

アリストテレス E-108

ストア派の創始者。同名の哲学者が数名いる。 **ゼノン** E-109

古代ギリシャの哲学学派の一つ。 **ストア派** E-110

エピクロス E-111

ディオゲネス E-112

ヘラクレイトス E-113

アリスタルコス E-114

古代ギリシャの医師。「医学の父」。 **ヒポクラテス** E-115

トゥキディデスは、客観的・中立的な視点から歴史を書いた最初の歴史家と評価されている。

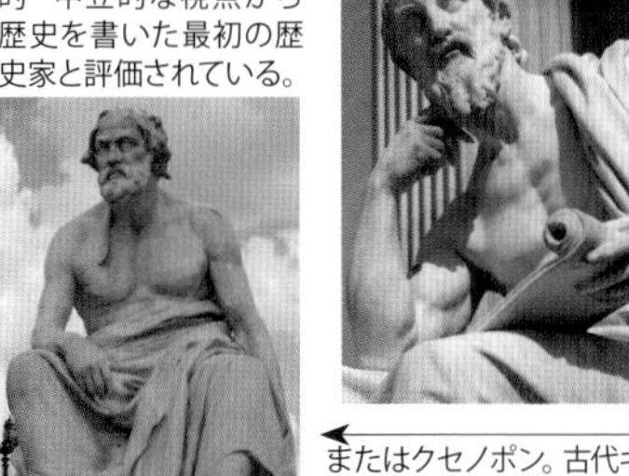

古代ギリシャの数学者・物理学者・技術者。アルキメデスの原理を発見。 **アルキメデス** E-116

ユークリッドともいう。アレクサンドリアの数学者。『幾何学原本』の作者。 **エウクレイデス** E-117

ギリシャの歴史家。ペルシャ戦争を記録した『歴史』を著す。「歴史の父」と呼ばれる。 **ヘロドトス** E-118

もしくはツキジデス。ギリシャの歴史家。『戦史』（ペロポネソス戦争史）の作者。 **トゥキディデス** E-119

またはクセノポン。古代ギリシャの軍人でソクラテスの弟子。『アナバシス』の作者。小キュロス（アルタクセルクセス１世の弟）の反乱軍にギリシャ人傭兵１万が加勢。勝利直前に小キュロスが戦死。敵中から命がけで撤退するさまを描いた。 **クセノフォン** E-120

E Greece ③

E-81 Homer ホウマ [hóumɚ]

E-82 Iliad イリアド [íliæd]

E-83 Odyssey アディスィ [ɑ́dəsi]

E-84 Hesiod ヒスィアド [hísiəd]

E-85 Aeschylus エスキラス / イースキラス [éskələs / íːskələs]

E-86 Sophocles サフォクリーズ [sɑ́fəkliːz]

E-87 Euripides ユアリピディーズ [juərípədiːz]

E-88 Sappho サッフォウ [sǽfou]

E-89 Pindar ピンダ [píndɚ]

E-90 Aristophanes アリスタファニズ [æristɑ́fəniz]

E-91 Phidias フィディアス [fídiəs]

E-92 Praxiteles プラクスィトリーズ [præksítliːz]

E-93 Dorian(Doric) order ドーリアン / ドーリック オーダ [dɔ́ːriən / dɔ́ːrik ɔ́ɚdɚ]

E-94 Ionic order アイアニック オーダ [aiɑ́nik ɔ́ɚdɚ]

E-95 Corinthian order コリンスィアン オーダ [kərínθiən ɔ́ɚdɚ]

E-96 Venus de Milo ヴィーナス ドゥ ミロウ/ マイロウ [víːnəs də míːlou / máilou]

E-97 Laocoön レイアコウアン [leiɑ́kouən/leiɑ́kəwən]

E-98 philosophy フィラソフィ [filɑ́səfi]

E-99 philosopher フィラソファ [filɑ́səfɚ]

E-100 metaphysics メタフィズィクス [mɛtəfíziks]

◆ **Iliad イリアス** 日本語では『イリアス』というが、これはこの作品のギリシャ語名 Ἰλιάς イーリアスに基づく。Ἰλιάς イーリアスは、都市トロヤ（トロイ）のイオニア方言である Ἴλιον **イー**リオンの形容詞形・女性形で「トロイの」という意味である。実は、イリアスは ποίησις Ἰλιάς **ポイ**エースィス イーリ**ア**ス「トロイの詩」の「詩」を省略したものと考えられている。女性形なのはギリシャ語のポイエーシス「詩」が女性形のため。英語ではイリアスは Iliad **イ**リアドという。これは Ἰλιάς イーリ**ア**スの属格 Ἰλιάδος イーリ**ア**ドスに由来すると考えられるが、詩の題名の語尾にしばしば用いられる -ad を付けたものともいわれている（語尾が -ad 題名の詩の例：Columbiad『コロンビアッド』、The Dunciad『愚者列伝』など）。ギリシャ神話の中の、トロヤの王子パリスがスパルタ王妃ヘレネを奪ったことからはじまったトロヤ戦争を描いたイリアスは、ギリシャ最古の長編叙事詩として知られ、多くの画家達が個々の場面を描いている。

◆ **Sappho サッフォーと Lesbos レスボス島** (E-29)
エーゲ海に浮かぶレスボス島出身の女流ギリシャ詩人サッフォーは、女性とその愛を謳（うた）った作品を数多く書いた。そうした理由で「レスボス人」という意味の Lesbian「レズビアン」が、後代になって女性の同性愛者を指すようになった。

◆ **Dorian order ドーリア式** スパルタ人に代表される質実剛健なドーリア人は、シンプルで直線的な力強いドーリア式（アテネのパルテノン神殿など）の建築物を建てた。英語の order オーダは「順序、秩序」を意味するが、ここでは、「建築様式」「柱式」を意味する。

◆ **Laocoön ラオコーン** Laocoön の ö の 2 個の点は、dieresis ダイエレシス「分音符」という。これは、母音が2つ並んだ時に、二重母音ではなく別音節であることを示す（省略されることも多い）。もしこの記号がなければ、英語ならば Laocoon レイアクーンと読まれてしまう可能性がある。

◆ **Plato プラトン** プラトンという名称は実名ではなくあだ名で、ギリシャ語 πλατύς プラ**テュ**ス「広い」に由来する。プラトンは屈強な体をしていたため「肩幅が広い」ことに由来するという。定かではないが、プラトンは古代オリンピックのレスリングに出場したとも、さらには優勝したともいわれている。別説では、彼の「額が広かった」からだという。英語では Plato プレイトウだが、ギリシャ語では日本語同様プラトーンである。ラテン語で Plato と表記されたため、ヨーロッパの言語では n が付かないケースが多い。ただし、英語でも Platonic プラトニック「プラトン的な、純粋に精神的な」という形容詞では n が入っている。プラトン自身がプラトニック・ラブを実践していたわけではない。

広い額

広い肩幅

◆**Stoicism ストア派**　ストア派の「ストア」とは「柱廊」、すなわち、列柱の並ぶ回廊のこと。創始者ゼノンが、アテネのアゴラ（市場）にあった「ストア・ポイキレ（彩色柱廊）」という場所で教えたことに由来する。ストア派の哲学者は、禁欲主義的で自分を厳しく律する生き方を実践していたが、そこから英語の stoic ストイック「禁欲的な、克己（こっき）的な」という言葉が生じた。ちなみに、頭文字を大文字にした Stoic の場合、「ストア派の」という元の意味になる。

アリストテレスと貴族

Aristo- アリスト～「最高の」

このページだけでも、哲学者アリストテレスや喜劇作家アリストファネス、天文学者アリスタルコスと「アリスト」が付く人物が3人もいる。aristo- はギリシャ語で**「最高の、最良の、最善の」**を意味する。アリストテレスは「最高の目的」、アリストファネスは「最高の出現」、アリスタルコスは「最高の主人」という意味になる。ちなみに、哲学者のアリスティッポスの名は「最高の馬」となる。この aristo- は *ar-「ぴったり合う、適した」の最上級（* は推定形を表す記号）。英語の best や most、biggest などの最上級の語尾の -st とも語源的には共通する。この aristo- に「支配、力」を意味するギリシャ語 κράτος クラトスが結びついた英語 aristocrat アリストクラットは、「貴族」「貴族ぶる人」を意味する。

セイリーズ [θéili:z]
Thales E-101

アナクスィマンダ [ənæksimǽndɚ/-drəs]
Anaximander (-dros) E-102

ディマクリタス [dimákritəs]
Democritus E-103

サクラティーズ [sákrəti:z]
Socrates E-104

プレイトウ [pléitou]
Plato E-105

アカディーム [ǽkədi:m]
academe E-106

ピサゴラス [piθǽgərəs]
Pythagoras E-107

アリスタトル [ærəstátl]
Aristotle E-108

ズィナン [zínən]
Zenon E-109

ストウイスィズム [stóuisizm]
Stoicism E-110

エピキュラス [epikjúərəs]
Epicurus E-111

ダイアジェニーズ [daiádʒənì:z]
Diogenes E-112

ヘラクライタス [hɛrəkláitəs]
Heraclitus E-113

アリスターカス [æristáɚkəs]
Aristarchus E-114

ヒパクラティーズ [hipákrəti:z]
Hippocrates E-115

アーキミーディーズ [ɑɚkimí:di:z]
Archimedes E-116

ユークリッド [jú:klid]
Euclid E-117

ヘラダタス [hərádətəs]
Herodotus E-118

スュースィディディーズ [θju:sídidi:z]
Thucydides E-119

ゼノフォウン [zénəfoun]
Xenophone E-120

F　ローマ①〈共和政〉

「共和**政**」と「共和**制**」は同じとする見解や、共和政は古代におけるもの、共和制は近世以降とする見解、共和政は政体を、共和制は制度を指すとする見解もある。

F-1 **ローマ**　都市のローマ、またローマ帝国、そして後にはローマ・カトリックをも指す語。

F-2 **ローマ人**　都市ローマの住民、ローマ帝国においてローマ市民権を持つ人。

F-3 **エトルリア人**　ローマ人が台頭する以前に栄えていた、イタリア中央部に勢力を広げた民族。

F-4 **ラティウム**　現在のローマ付近の地域名。ラティウムの人々をラテン人という。

F-5 **ラテン人、ラテン語**　ラテン語は後のローマ帝国の、さらにはローマ・カトリック教会の公用語となった。

前6世紀のエトルリアの領土
前8世紀中期のエトルリアの領土
ラティウム
フェニキアの植民地
ギリシャの植民地

F-6 **ロムルス**　ロームルスともいう。ローマを建設し初代の王となった伝説的英雄。ローマの名の由来。

F-7 **レムス**　ローマ建国者とされるロムルスの双子の弟。やがて兄弟仲が悪くなり決闘し、兄に敗れた。

F-8 **ローマ軍団**　ロムルスが自軍から3000人の歩兵と300人の騎兵を選び、「軍団」の名称を与えたのが由来とされる。

オオカミがロムルス・レムスを育てたという伝説がある。

F-9 **サビニ人**　オスク語を話す古代イタリアの一種族。サビニの女達の略奪の後、ローマに併合されたとされる。

F-10 **共和政**　エトルリア人の王による王政を倒して成立したローマの共和政は、初期は貴族が支配した「貴族共和政」だったが、やがて平民による身分闘争が起こり、「市民による共和政」へと変わっていった。

F-11 **（ローマの）貴族**　共和政初期は、貴族が元老院議員や執政官などの要職を独占したが、後期には次第に平民が政治に参加した。

F-12 **（ローマの）平民**　共和政時代には、中小の農民や商工業者など、中流や下流の一般市民を指した。

F-13 **奴隷**　ローマの奴隷は、主に戦争によって征服した場所から供給された。

F-14 **解放奴隷**　様々な理由で解放された奴隷を指す。主人の個人名と氏族名を名乗り、解放後も主人との関わりを強くもつケースが多かった。

建国直後のローマには女性が少なかったため、ローマ人は策を企てて、祭りに乗じて数百人のサビニ人の未婚女性を略奪した。

ジャンボローニャ作『サビニの女達の略奪』。

F-15 **執政官**　もしくはコンスル。都市ローマの長であり、共和政ローマの形式上の元首に当たる。2人が民会において選出され任期は1年。

F-16 **元老院**　王政ローマでは王の助言機関を、共和政ローマでは統治機関を、帝政ローマでは皇帝の諮問機関を指す語。

F-17 **元老院議員**　後期は、クアイストル（財務官）就任と共に元老院入りをした。

F-18 **護民官**　平民会で選出され、その議長となった。元老院の議決等に対する拒否権をもち、平民の権利を保護した。

F-19 **平民会**　古代ローマの民会の一つ。後に国家の最高立法機関となった。

チェーザレ・マッカリ画『元老院でカティリナを弾劾するキケロ』。

F-20 **十二表法**　今まで慣習法だったものを、平民の要求によってはじめて成文法にしたもの。以後のローマ法の出発点となった。12枚の銅板に記されたことから十二表法という（完全な原文は伝わっていない）。

共和政のローマでは、貴族（パトリキ）と平民（プレブス）の間で身分闘争が長く続き、次第に平民の権利が確保されていった。その中の一つである、平民出身の独裁官ホルテンシウスにより制定されたホルテンシウス法では、元老院の承認なしに平民会の決議がローマの国法として決定されるようになった。

リキニウス・セクスティウス法 F-21
2人の護民官リキニウスとセクスティウスが成立させた。2人いる執政官（コンスル）のうち1人は必ず平民から選出することを定めた。

実際はさらに細分化され、小さな属州が多数あった。属州の領土は絶えず変動していた。属州内が安定すると、皇帝支配から元老院支配に移管された。

新貴族 F-22
従来の貴族階層パトリキと、新たに台頭し貴族に加わった平民からなる階級。

ホルテンシウス法 F-23

独裁官 F-24
強大な権限を有する政務官であり、国家の非常事態に一時的に1人だけ任命された。

（ローマ）市民権 F-25

植民地 F-26
新たに征服した土地の支配のために、植民都市が建設され、守備隊が置かれた。

属州 F-27
戦争により征服した、古代ローマの本国以外の領土を指す。直轄の植民地。

総督 F-28
もしくは属州総督。属州の支配に関して多大な権力を与えられた。

ポー川
ローマ
アッピア街道
タレントゥム
カルタゴ

イタリア半島 F-29
長靴形の半島。

アルプス山脈 F-30
ヨーロッパ南西部を東西に横切る山脈。

アドリア海 F-31
イタリアとバルカン半島の間に位置する海。

アペニン山脈 F-32
イタリア半島の背骨をなす長さ約1,350kmの山脈。

ティベル川 F-33
テーヴェレ川、テベレ川ともいう。ティベリウスという人名は、この川が由来。

ナポリ湾 F-34
イタリア南西部の湾。ナポリは元はネアポリスに由来。

ティレニア海 F-35
チレニア海ともいう。

サルデーニャ島 F-36
英語のsardineサーディン「イワシ」はこの島名が由来。

メッシナ海峡 F-37
またはメッシーナ海峡。イタリア半島とシチリア島の間の海峡。

シチリア島 F-38
地中海最大の島。イタリア半島に蹴られるサッカーボールのような島。

地中海 F-39
ユーラシア・アフリカの二大陸に囲まれた海。

アッピア街道 F-40
現存するローマ街道の中でも最も古く有名なもの。「街道の女王」と呼ばれる。

F Rome ①

F-1	ロウム [róum] **Rome**
F-2	ロウマン [róumən] **Roman**
F-3	イトラスカン [itrʌ́skən] **Etruscan**
F-4	レイシアム [léiʃiəm] **Latium**
F-5	ラトゥン [lǽtən] / レイトゥン [léitən] **Latin**
F-6	ラミュラス [rámjuləs] **Romulus**
F-7	リーマス [rí:məs] **Remus**
F-8	(ロウマン) リージョン [róumən lí:dʒən] **(Roman) legion** 英語に準じて、日本語で「レギオン」ともいう。
F-9	サビーニー [sabí:ni:] **Sabini**
F-10	リパブリッカン スィステム [ripʌ́blikən sístəm] **republican system**
F-11	パトリシャン [pətríʃən] **patrician**
F-12	プレブズ [plɛbz] / プリビズ [plíbiz] **plebs** (単数) **/ plebes** (複数) 本文にあるように、単数形を pleb とする場合もある。
F-13	スレイヴ [sléiv] **slave**
F-14	フリードマン [frí:dmən] **freedman**
F-15	カンサル [kánsl] **consul**
F-16	セナット [sénət] **senate**
F-17	セナタ [sénətə˞] **senator**
F-18	トリビューン [tríbju:n] **tribune**
F-19	プリビーアン カウンセル プリビーアン アセンブリ [plibí:ən káunsl] / [plibí:ən əsémbli] **plebeian council / ～ assembly**
F-20	トゥウェルヴ テイブルズ [twélv téibəlz] **Twelve Tables** または Law of the Twelve Tables。

◆**Roman ローマ人** roman は、形容詞としては活字の「ローマン体活字」も意味する。これは古代ローマの碑文に見られる字形を参考にして、この書体が作られたからである (p.86 参照)。中世の建築に見られる romanesque「ロマネスク様式」(古代ローマ等の影響を受けた建築様式) も roman から派生している。幾何学模様が美しい野菜の romanesco「ロマネスコ」は、古くからローマ近郊で栽培されていたブロッコリーの仲間である。

◆**Latin ラテン語、ラテン人** 現代では Latin music「ラテン音楽」のように、ラテン語の子孫にあたるロマンス諸語 (スペイン語・ポルトガル語その他) を話す南欧や中南米の人々を指して用いられる。

◆**republican system 共和政** この語はラテン語の res publica レース・プーブリカに由来。res とは「事柄、物事、関心事」、publica は、「公の、公的な」で、「公共の物事、公共の福祉、公益」を指す。つまり、王や貴族などの特定階級の利益ではなく、公共の利益のための政体が、共和政の本来の意味である。ちなみに、「共和国」は英語で republic リパブリックという。

◆**plebs 平民** 古典ラテン語の plebes プレーベース、ないしは plebs プレープスに由来 (古典ラテン語では s の前の b は [p] と発音された)。古典ラテン語の plebes は、単数形も複数形も同形だったが、大抵は単数形の集合名詞として扱われた。一方、英語では語尾に s が付いていたためか複数形として扱われた。ちなみに、英語の plebs の s が複数形の s であると勘違いされたために、そこから s を取り除いて、本来は存在しなかった単数形 pleb プレブが造られた (こうして作られた言葉は back-formation「逆成語」という)。別説では、pleb は平民を意味する plebeian を短くした形に由来するとされている。

◆**tribune 護民官** tribune は、ラテン語 tribus トリブス (英語の tribe トライブ「部族」に相当) の長というのが語源。ちなみに、アメリカの大手新聞『シカゴ・トリビューン』は、「シカゴの護民官」という意味である。

◆**senate 元老院** 英語の senate「現代アメリカの上院」、senator「上院議員」は、ラテン語の元老院という語に由来。また、古代ローマの記念碑や軍団旗等に記された「S. P. Q. R.」という略号は、Senatus Populusque Romanus セナートゥス・ポプルスクェ・ローマーヌス「元老院とローマ市民」、すなわち古代ローマの国家全体・ローマ市民全体を表す。

貴族とパトロンとパトリオット
pater パテール「父」

英語の patrician「ローマ貴族、パトリキ」とは、元々ローマの元老院議員のことであり、ラテン語 patres パトレース「父達」(単数形 pater パテール。英語の father も同根語) に由来する。「父達」とは「建国に功績のある者達（エトルリア人の王を追放して共和政を樹立した者達）」とその子孫のこと。ちなみに、ラテン語paterパテールは、英語の patron パトロン「後援者」や、pattern パターン「模範、型」、patriot「愛国者（父なる国を愛する者）」の語源となっている。防空用地対空ミサイルの Patriot「パトリオット」(英語の発音はペイトリオット) は、"Phased Array Tracking Radar to Intercept On Target"「目標物迎撃用追跡位相配列レーダー」の頭文字をとったものだが、「愛国者」という意味にもなっている。

レクス ライスィニア セクスティア [léks laisíniə sékstiə]
Lex Licinia Sextia F-21

ノウビリス [nóubəlis] / ノウビリーズ [-liːz]
nobilis（単数）/ **nobiles**（複数） F-22

レクス ホーテンズィア [léks hɔəténziə]
Lex Hortensia F-23

ディクテイタ [díkteitə]
dictator F-24

（ロウマン）スィティズンシップ [～ sítizənʃip]
(Roman) citizenship F-25

カラニ [káləni]
colony F-26

属州総督は proconsul という。

プラヴィンス プラヴィンスィア [právins / prəvínsia]
Province / provincia F-27

ガヴァナ [gʌ́vənə]
governor F-28

イタリャン ペニンスラ [itæljən pənínsələ]
Italian peninsula F-29

ズィ アルプス [ði ǽlps]
the Alps F-30

エイドリアティック スィー [eidriǽtik siː]
Adriatic Sea F-31

アペナインズ [ǽpənainz]
Apennines F-32

ザ タイバ（リヴァ） [ðə táibə rívə]
the Tiber (river) F-33

ガルフ オヴ ネイプルズ [～ néiplz]
Gulf of Naples F-34

ティリ(ー)ニアン スィー [təri(ː)niən siː]
Tyrrhenian Sea F-35

サーディニア [sɑədíniə]
Sardinia F-36

ストレイト オヴ ミスィナ / メスィーナ [streit əv misínə/mɛsíːnə]
Strait of Messina F-37

スィスィリ [sísəli]
Sicily F-38

メディタレイニアン スィー [meditəréiniən siː]
Mediterranean Sea F-39

アピアン ウェイ [ǽpiən wei]
Appian Way F-40

F ローマ②〈ポエニ戦争〉

ローマはカルタゴと３回にわたる戦争を行い、最終的にカルタゴを滅ぼした。この戦いの最中、カルタゴ軍に味方していたアルキメデスはローマ軍によって殺された。

F-41 **フェニキア** セム語族に属する民族。本国の首都はティルスだったが、アレクサンドロス大王の遠征の際に徹底的に破壊され、植民地のカルタゴの方が後に発展した。

F-42 **フェニキア文字** フェニキア人が使用した文字。22 個の子音文字からなり、アルファベット文字体系の母体をなしている。

F-43 **カルタゴ** 古代において北アフリカで最も栄えたフェニキア人植民市。

F-44 **シケリア戦争** シチリアと西地中海の覇権を巡って争われた、カルタゴと古代ギリシャの都市国家間の戦争。

F-45 **ポエニ戦争** 共和政ローマとカルタゴとの間で、地中海の制海権をかけて争われた戦い。

F-46 **シラクサ** シチリア島東岸のイオニア海に臨む港湾都市。古代ギリシャの植民都市として繁栄。

F-47 **カルタゴ・ノヴァ** 「新しいカルタゴ」と称したフェニキア人の植民市。後にカルタヘナとも呼ばれる。

F-48 **ハンニバル** カルタゴの名将。生涯ローマと戦い続けた。ローマ史上最強の敵として知られる。

F-49 **アルプス越え** ハンニバル率いるカルタゴ軍が、雪のアルプスを越えて北イタリアに侵入し、ローマ軍を破った。古代の戦闘の中でも高く評価されている。

F-50 **カンナエの戦い** ハンニバル率いるカルタゴ軍が、ローマの大軍を包囲、殲滅（せんめつ）した戦いとして戦史上名高い。

F-51 **ザマの戦い** 第２次ポエニ戦争の勝敗を決した戦い。スキピオ率いるローマ軍が、ハンニバル率いるカルタゴ軍を破った。

F-52 **スキピオ・アフリカヌス** もしくは大スキピオ。古代ローマの政治家・軍人。第２次ポエニ戦争の時の名将。

F-53 **戦象** 軍事用に使われた象。雄の象が用いられた。

F-54 **内乱の１世紀** 共和政ローマ後期のグラックスの死から、オクタウィアヌスが「アウグストゥス」の称号を得て帝政がはじまるまでのおよそ 100 年を指す。

F-55 **グラックス兄弟** 大土地所有制が進むにつれ、中小農民が没落。それを救うべく護民官のグラックス兄弟が改革を図ったが、兄は暗殺された。

F-56 **マリウス** 平民出身のローマの執政官､軍人。カエサルの母方の伯父。市民兵制から職業軍人への変更、武装の自己調達を一律支給へ変更、退職金制度制定など軍政改革を行った。

F-57 **スラ** もしくはスッラ。貴族出身の独裁官･軍人。閥族（ばつぞく）派の指導者。マリウスの死後、マリウス派を粛清した。

F-58 **ユグルタ戦争** 北アフリカのヌミディア王国の反乱。マリウスが鎮圧した。

F-59 **イタリア同盟市戦争** イタリア諸都市がローマ市民権を求めて蜂起。

F-60 **ミトリダテス戦争** 小アジアのポントス王ミトリダテスとの大規模な戦争。

ローマ人名の日本語表記は、英語読みにするか古典ラテン語読みにするかで異なる。カルタゴ・ノヴァのノヴァは「新しい」という意味。古典ラテン語では「ノワ」「ノウァ」だが、英語読みの「ノヴァ」や「ノバ」の方が耳慣れているかもしれない。ウェルキンゲトリクスも、ヴェルキンゲトリクス、ヴェルチンジェトリクス（イタリア語読み）、ヴェルサンジェトリクス（フランス語読み）なども知られている。

スパルタクスの反乱 F-61
ローマ史上最大の奴隷による反乱。トラキア出身の剣闘士スパルタクス率いる反乱軍は一時期約７万人に膨れ上がったが、ポンペイウスとクラッススに鎮圧された。

モスクワのスパルタク・スタジアムにあるスパルタクス像。

剣闘士 F-62
または剣奴、剣闘士奴隷、グラディエーター。市民への見世物として互いに戦ったり、猛獣と戦ったりした。

パンとサーカス F-63
または「パンと見せ物」。貧民層の不満のはけ口として提供された。

第１回三頭政治 F-64
カエサル、ポンペイウス、クラッススによる政治同盟。

ポンペイウス F-65
閥族派の軍人・政治家。スペインでの支配権を得た。

クラッスス F-66
富裕な政治家。パルティアへの東方遠征の際に戦死した。

ユリウス・カエサル F-67
軍人・政治家。終身独裁官となったが暗殺された。

ガリア F-68
ガリアは現在のフランス、ベルギー、オランダ、スイスの範囲に相当する。ケルト人が住み、ガリア人と呼ばれた。

ウェルキンゲトリクス F-69
ガリアの諸部族を統合し反乱を指揮した。

ウェルキンゲトリクス像。フランスでは英雄視されている。カエサルは、『ガリア戦記』を自ら記し、彼について詳しく語った。

凱旋式 F-70
戦勝した将軍にとって最大の栄誉となる式で、その将軍は「凱旋将軍」と呼ばれた。

ルビコン川 F-71
ガリアとローマ本土のイタリアとの境にある川。

ファルサルスの戦い F-72
ポンペイウス軍とカエサルの軍が衝突。ローマにおける最大の内戦。

カエサルの暗殺 F-73
カエサルは、共和派の元老院議員により暗殺された。

ヴィンチェンツォ・カムッチーニ作『カエサルの死』（部分）

ブルートゥス F-74
ブルータス、ブルトゥスとも書く。ブルートゥスはラテン語の発音に近い表記。

カエサルを暗殺した共和政の熱心な支持者。カエサルの実子説もある。

フィリッピの戦い F-75
「フィリピの戦い」ともいう。第2回三頭政治の軍が、ブルートゥスらの軍を破る。

第２回三頭政治 F-76
アントニウス、レピドゥス、オクタウィアヌスによる政治同盟。

レピドゥス F-77
カエサル軍の将軍の一人。

オクタウィアヌス F-78
オクタヴィアヌス、オクタビアヌスとも表記する。カエサルの養子でその後継者。

マルクス・アントニウス F-79
カエサルが最も信頼を寄せた将軍。

アクティウムの海戦 F-80
オクタウィアヌスが、アントニウス・クレオパトラの連合軍を打ち破る。

F Rome ②

フェニシア [fəníʃiə]
F-41 **Phoenicia**

フェニシアン レタズ [fəníʃiən lέtə˞z]
F-42 **Phoenician letters**

カースィッジ [kάə˞θidʒ]
F-43 **Carthage**

スィスィリアン ウォーズ [sisíliən wɔə˞z]
F-44 **Sicilian Wars**

ピューニック ウォーズ [pjú:nik wɔə˞z]
F-45 **Punic Wars**

スィラキューズ [sírəkju:z]
F-46 **Syracuse**

カースィッジ ノウヴァ [kάə˞θidʒ nóuvə]
F-47 **Carthage Nova**

ハニバル [hǽnəbəl]
F-48 **Hannibal**

クロッスィング オヴ ザ アルプス [～ ǽlps]
F-49 **crossing of the Alps**

バトル オヴ キャニ [～ kǽni]
F-50 **Battle of Cannae**

バトル オヴ ゼイマ / ザーマ [～ zéimə / zά:mə]
F-51 **Battle of Zama**

スィピオウ アフリカナス [sípiou / skip- əfrikǽnəs]
F-52 **Scipio Africanus**

ウォー エレファント [wɔ́ə˞ éləf(ə)nt]
F-53 **war elephant**

クライスィス オヴ ザ ロウマン リパブリック
F-54 **Crisis of the Roman Republic**

グラカイ [grǽkai]
F-55 **Gracchi**

The Gracchi brothers、The brothers Gracchi ともいう。Gracchi は複数形。もし兄弟のうちの片方を指すなら単数形 Gracchus [grǽkəs]となる。

メリアス [mέriəs]
F-56 **Marius**

サラ [sʌ́lə]
F-57 **Sulla**

ジュガーサイン ウォー [dʒugə́˞:θain / -θin wɔə˞]
F-58 **Jugurthine War**

ソウシャル ウォー [sóuʃəl wɔə˞]
F-59 **Social War**

ミスリデ(ダ)イティック ウォーズ [miθride(ǽ)́itik wɔə˞z]
F-60 **Mithridatic Wars**

◆**Phoenicia フェニキア** 地中海貿易で莫大な富を得ていたフェニキア人は、まずギリシャと、次いでローマと地中海の制海権を巡って争った。フェニキア人という言い方はギリシャ人による呼び方に由来し、ヘブライ人は「カナン人（カナーン人）」と呼んだ。ローマ軍とフェニキア軍との戦いが「ポエニ戦争」と呼ばれるのは、ローマ人がフェニキア人をPoeni「ポエニ人」と呼んだためである。古代ギリシャ語の発音ではフェニキア人 Φοῖνιξ は、「**フォ**イニクス」よりも「**ポ**イニクス」の方が近いので、ローマ人のポエニと似ている（p.9参照）。ギリシャ人のフェニキアという言葉の由来には幾つか説があるが、一説ではフェニックス「やし」に、別説では「紫の染料」に由来するという。古代における紫の染料は、**プルプラ**（アッ(ク)キガイ科の巻貝の鰓下腺(さいかせん)から得られた分泌液）を日光に当てて得られた希少で高価な染料（貝紫という）。フェニキアの特産品だった。

貝紫が採れるシリアツブリガイ

◆**Sicilian Wars シケリア戦争** Sicilian は、英語で「シチリアの」という意味。ギリシャ語ではシチリアのことを Σικελία スィケ**リ**アと呼んだ。したがって、「シケリア戦争」の「ケ」は、チの誤植ではない。

◆**Punic War ポエニ戦争** Punic ピューニックは、ラテン語の Punicus **プー**ニクス「フェニキアの」に由来。間違ってパニックと発音しないように（混乱状態の「パニック」は英語では panic [pǽnik]）。

◆**War of Spartacus スパルタクスの反乱** もしくは、Third Servile War「第 3 次奴隷戦争」、Gladiator War「剣闘士の戦争」ともいう。スパルタクスという名は、「スパルタ出身の」という意味だが、スパルタクスの出身地はギリシャ北東部のトラキア地方である（諸説あり）。

◆**bread and circuses パンとサーカス** ラテン語では、panem et circenses **パー**ネム・エト・キル**ケー**ンセース（英語読みは**パー**ナム・エト・スィル**セ**ンスィースもしくはキル**ケ**

Rubicon ルビコン川はラテン語の rubeus ルベウス「赤い」に由来。おそらく、両岸の赤い土に由来すると考えられる。英語の ruby「ルビー」も同じ源から派生した語である。“to cross the Rubicon”「ルビコン川を渡る」は、英語で運を天に任せて決行するという意味で用いられている。

インセイス）。西暦1世紀の詩人ユウェナリスの言葉で、民衆が「パンとサーカスを」欲し、それを支配者が無償で提供することよって民衆の不満を抑えていたことを風刺したものである。panemは、panis パーニス「パン」の対格（英語でいう目的格）。et は「そして」。circenses は、いわゆる今日の「サーカス」ではなく、「円形闘技場」で行われる剣闘士試合などの「娯楽」を指す。英語の circle「円形」と circus とは同根語である。

◆**triumvirate 三頭政治** ラテン語で tres viri トレース ウィリー「3人の男達」の属格 trium virum トリウムウィルム「3人の男達の」が由来。英語で triumvir トライアンヴァは三頭政治の一人を指す。

◆**triumph 凱旋式** この語から「勝つ、勝利を得る」という英語の動詞 triumph が生まれ、さらに、カードゲームで勝利が得られる札を指す trump トランプ「切り札」という派生語が生まれた（日本語でいうトランプは英語では card、もしくは playing card である）。

ゴールとウェールズとガリウム Gallia「ガリア」

英語でガリアを意味する Gaul ゴールは、ラテン語 Gallia ガリアが古フランス語を経て変化した形。さかのぼれば、ゲルマン祖語の *walhaz ウァルハズ [wálxαz]「外国人」に由来※、さらにさかのぼればケルト人の Volcae「ウォルカエ族」に由来。Wales ウェールズという地名も同根語である。ちなみに、元素の gallium「ガリウム」は発見者のフランス人化学者ルコック・ド・ボアボードランがフランスのラテン名「ガリア」にちなんで命名した。

ガリウムは融点 29.8℃の金属。

※ゲルマン祖語は学者によって推定された言語。*walhaz の * は推定形を表す記号（正確なスペルは知られていない）。

ウォー オヴ スパータカス [spάətəkəs]
War of Spartacus F-61

グラディエイタ [glǽdieitə]
gladiator F-62

ブレッド アンド サーカスィズ [～ sə(:)kəsiz]
bread and circuses F-63

ファースト トライアンヴィリット [～ traiʌ́mvərət]
first triumvirate F-64

パンピ [pǽmpi]
Pompey F-65

ラテン語のスペルのままの Pompeius [pampéiəs] パンペイアスも使われる。

クラサス [krǽsəs]
Crassus F-66

ジュリアス スィーザ [síːzə]
Julius Caesar F-67

ゴール [gɔ́ːl]
Gaul F-68

ヴァースィンジェトリクス [vəːsindʒétəriks]
Vercingetorix F-69

トライアンフ [tráiəmf]
triumph F-70

ルービカン [rúːbikən]
Rubicon F-71

バトル オヴ ファーセイラス [～ fαːséiləs]
Battle of Pharsalus F-72

アサスィネイション オヴ スィーザ [əsæsənéiʃən ～]
Assassination of Caesar F-73

ブルータス [brúːtəs]
Brutus F-74

バトル オヴ フィリパイ [～ fíləpai]
Battle of Philippi F-75

セカンド トライアンヴィリット [～ traiʌ́mvərət]
second triumvirate F-76

レピダス [lépədəs]
Lepidus F-77

アクテイヴィアン [αktéiviən]
Octavian F-78

マーク アントニ [ǽntəni]
Mark Antony F-79

バトル オヴ アクティアム [～ ǽktiəm]
Battle of Actium F-80

F ローマ③〈ローマ皇帝〉

ひげなし

F-81 **アウグストゥス** ラテン語で「尊厳者」の意。元老院がオクタウィアヌスに贈った称号。

F-82 **プリンケプス** 「元首」ともいう。ラテン語で「第一人者」の意味。元々は元老院に最初に名を連ねた者（princeps senatus）として使われていたが、皇帝を指す公的な称号に変わった。

F-83 **元首政** 皇帝が強大な権力をもつが、形式上、共和政の元老院や平民会が存続する体制。

F-84 **皇帝** 元は軍隊の指揮権などの「命令権（インペリウム）」をもつ「最高司令官」のことだった。

F-85 **ローマの平和** アウグストゥスから五賢帝までのおよそ200年間、平和が続いた時代。

F-86 **ティベリウス** 第2代皇帝。アウグストゥスの跡継ぎが絶えたために担ぎ出された、アウグストゥスの後妻リウィアの連れ子。カプリ島に隠棲した。

F-87 **カリグラ** 第3代皇帝。放蕩（ほうとう）と散財の末、わずか数年で莫大なローマの国庫を空にした。

F-88 **クラウディウス** 第4代皇帝。空に近い国庫を数年で立て直した有能な皇帝。

F-89 **ネロ** 第5代皇帝。統治前半は善政だったが、セネカを退けた後半は、悪政を行った。

F-90 **セネカ** ストア派の哲学者・文筆家。ネロの初期の善政を支えたが、後にネロに疎まれた。

F-91 **ローマの大火** ネロは新しい都市計画を実行すべく、ひそかにローマ市街に火をつけたが、放火犯をキリスト教徒に仕立てて迫害したといわれる。

F-92 **ウェスパシアヌス** ベスパシアヌスとも書く。ネロが子孫なく死んだため、後継者争いが生じ、将軍のウェスパシアヌスが即位。

F-93 **ウェスヴィオ火山** ベスビオ火山とも書く。ナポリから東約12kmのナポリ湾岸にある標高1,281mの活火山。

F-94 **ポンペイ** ヴェスヴィオ火山の大噴火によって被害に遭い、火山灰で埋没した都市。

F-95 **フラウィウス朝** ウェスパシアヌスの氏族名からとられた名称。他にティトゥス、ドミティアヌスがいる。

F-96 **ティトゥス** タイタス、ティツスともいう。ウェスパシアヌスの長男。ユダヤ人による反乱（ユダヤ戦争）鎮圧の総司令官となり、エルサレムを攻囲・落城させた。

ティトゥスは、支配期間はわずか2年。エルサレムからの略奪品で国庫は豊かになり、コロセウム建設の巨費を調達できた。

F-97 **ドミティアヌス** ウェスパシアヌスの次男。

F-98 **五賢帝** ネルウァ帝から、マルクス・アウレリウス・アントニヌス帝までの5人の皇帝。

F-99 **ネルウァ** ドミティアヌスに子がなかったため、元老院は66歳のネルウァを皇帝に指名した。

F-100 **トラヤヌス** 彼の時代にアルメニア、メソポタミアを併合し、ローマ帝国の版図が最大となる。

王の地位を望んだカエサルが共和政擁護者の反発に遭い暗殺されたことを踏まえ、養子のオクタウィアヌス（アウグストゥス）は、共和政を尊重し元老院を立てる形式を維持しつつも実権は掌握した。ディオクレティアヌスが自らを dominus「君主」と称し共和政から専制君主制に変わったといわれてきたが、実質的には元老院の力が残っており、真の意味の専制君主制には至っていない。

ハドリアヌス F-101
世界中を旅した皇帝。北方のケルト人の侵略を防ぐため、ブリタニア（現在のイングランド）北部に長大な防壁「ハドリアヌスの長城」を築いた。

ひげあり

ハドリアヌスは、ギリシャ文化に傾倒。あごひげを伸ばした最初の皇帝だった（ローマ人は元来ひげを剃ったが、ギリシャ人はひげを伸ばした）。

ハドリアヌスの長城（ちょうじょう） F-102

アントニヌス・ピウス F-103
トラヤヌスはローマ帝国の領土を拡大したため、「最良の君主」と呼ばれた。一方、アントニヌス・ピウスは取り立てて大きな業績はなかったものの、幸運にも戦争の少ない治世だったため、やや皮肉を込めて「最良の君主」と呼ばれた。

マルクス・アウレリウス・アントニヌス F-104

自省録（じせいろく） F-105
マルクス・アウレリウス・アントニヌスはストア派哲学者だったため、「哲人皇帝」と呼ばれた。その著作『自省録』は今日も読み継がれている。

ガレノス F-106
マルクス・アウレリウス・アントニヌスの侍医。解剖学の創始者といわれる。現代の医学でも彼が名付けた解剖学用語が多数使用されている。

コンモドゥス F-107
自ら格闘場で剣闘士と戦うなど、常軌を逸した行動の目立つ残忍な皇帝だった。

このコンモドゥス像は、こん棒を持ち、ライオンの毛皮をかぶってギリシャ神話のヘラクレスを模している。

セプティミウス・セウェルス（ヴ） F-108
北アフリカ出身で、カルタゴ人の末裔といわれる。初の非ヨーロッパ人の皇帝。

カラカラ F-109
セプティミウス・セウェルスの長男。アントニヌスの勅令を発し、ローマの大浴場を建設した。カラカラはあだ名で、彼が流行らせた「ケルト人の外套」の意。

アントニヌス勅令（ちょくれい） F-110
ローマ帝国内のすべての自由民にローマ市民権を与える勅令。

万民法（ばんみんほう） F-111
アントニヌス勅令は、ローマ法をすべての人に適用する「万民法」とした。

カラカラ帝は、哲人皇帝マルクス・アウレリウス・アントニヌスと同じ名だったため、彼の勅令が「アントニヌス勅令」と呼ばれている。

軍人皇帝（ぐんじんこうてい） F-112
軍隊の力が強まり、各地の軍団が自軍の将軍を皇帝として推挙したが、その支配は短期間だった。

ウァレリアヌス（ヴ） F-113
バレリアヌスともいう。ササン朝ペルシャとの戦いで捕虜となり、屈辱を受けた（→ p.33 参照）。

アウレリアヌス F-114
パルミラに遠征軍を遣わし、女王ゼノビアを捕虜としてローマに連行した。

パルミラ F-115
パルミュラともいう。シリア砂漠のオアシス都市。パルミラはギリシャ語で「なつやめし」という意味があり、英語の palm パームと同一の語源。

ゼノビア F-116
またはバト・ザッバイ。絶世の美女と呼ばれたパルミラの女王。学識豊かで、ラテン語やギリシャ語・シリア語・エジプト語にも通じていたという。

ディオクレティアヌス F-117
解放奴隷の子が叩き上げで皇帝になった。

専制君主制（せんせいくんしゅせい） F-118
ディオクレティアヌスは元首政から専制君主制に変えたといわれてきた。

四帝分治制（していぶんちせい） F-119
ディオクレティアヌスは、東西に皇帝と副帝を置いて、四帝で統治する方法を定めた。

ヴェネツィアにある四帝分治制を表す「四皇帝像」（かつてはコンスタンティノープルにあった）。

副帝（ふくてい） F-120
四帝分治制において正帝を補佐する皇帝。

F Rome ③

F-81 Augustus
オーガスタス [ɔ:gʌ́stəs]

F-82 princeps
プリンセプス [prínsεps]

F-83 principate
プリンスィペイト [prínsəpeit]

F-84 (Roman) emperor
(ロウマン) エンペラ [róumən ε̃mpərə-]

F-85 Pax Romana
パックス ロウマーナ / ロウメイナ
[pæks roumá:nə / rouméinə]

ロウマン ピース
Roman peace
ともいう。

F-86 Tiberius
タイビアリアス [taibíəriəs]

F-87 Caligula
カリギュラ [kəlígjulə]

F-88 Claudius
クローディアス [klɔ́:diəs]

F-89 Nero
ニアロウ [níərou]

F-90 Seneca
セネカ [sénəkə]

F-91 Great Fire of Rome
グレイト ファイア オヴ ロウム [gréit fáiə- əv róum]

F-92 Vespasian
ヴェスペイジャン [vεspéiʒən]

F-93 Mount Vesuvius
マウント ヴィスーヴィアス [maunt visú:viəs]

F-94 Pompey / Pompeii
パンピ [pámpi] / パンペイ [pampéi]

F-95 Flavian Dynasty
フレイヴィアン ダイナスティ [fléiviən dáinəsti]

F-96 Titus
タイタス [táitəs]

F-97 Domitian
ドミシャン [dəmíʃən]

F-98 five good emperors
ファイヴ グッド エンペラズ [faiv gud émpərə-z]

F-99 Nerva
ナーヴァ [nə́:və]

F-100 Trajan
トレイジャン [tréidʒən]

◆**Augustus アウグストゥス** 元々はオクタウィアヌスに与えられた称号だが、歴代の皇帝達もアウグストゥスを名乗った。ユリウス・カエサルは自分の生まれた月にちなんで7月を「Julius ユリウス」(英語 July ジュ**ライ**) とし、アウグストゥスは8月を「Augustus アウグストゥス」(英語 August **オー**ガスト) に変更した。実はその後の皇帝達も、勝手に月名を自分の名前や妻の名前に変更していった。しかし、7月と8月以外は定着せず、各皇帝の死後、元の月名に戻ってしまった。

◆**Pompey/Pompeii ポンペイ** 皇帝ウェスパシアヌスの時代にヴェスヴィオ火山の噴火で壊滅した都市ポンペイと、三頭政治のポンペイウスは、どちらも印欧祖語の *penkwe-「5」に由来 (おそらく、それぞれは「五つの集落」や「五男」といった意味から派生)。英語でどちらもPompeyと書かれることがあるが、ラテン語に準じた表記の場合は、都市はPompeii、人名はPompeiusとなる。

◆**Hadrian ハドリアヌス** ハドリアヌスは、それまでの領土拡大のため侵略を続けるというローマ帝国の方針を転換し、パルティアとの戦争も中断した。ローマ帝国最北端の国境線となったハドリアヌスの長城の建設も、領土拡張よりも守りを重視した結果である。全長117kmに及ぶ防壁の一部は今日も残っている。芸術を愛したハドリアヌスは、美少年アンティノウスを見初めて寵愛(ちょうあい)した。アンティノウスが若くして溺死(できし)すると、ハドリアヌスは各地に彼の像を造らせた。

◆**barracks emperor 軍人皇帝** バラックというと日本語では「掘(ほ)っ立て小屋」のイメージだが、本来は軍隊

「皇帝」を意味する英語の emperor エンペラーは、ラテン語の imperator インペラートル「命令する者、司令官」に由来。古フランス語を経由しているうちに語頭の i が e に変わった。「帝国」を意味する empire エンパイアは語頭が e だが、「帝国の、皇帝の、皇室の」を意味する形容詞 imperial インピアリアルは i である。文法用語の「命令法」も imperative インペラティヴである。

の「兵舎、兵営」を意味した。それまでの皇帝は貴族による擁立だったが、軍人皇帝は軍団の兵舎の中から選ばれ、クーデターで皇帝の座を奪った。わずか50年間のうちに約25人もの軍人皇帝が出たが、同時に複数の自称皇帝がいたため正確な人数は定められない。

◆**Caesar 副帝** Caesar カエサルは元々、ユリウス・カエサルの家名「カエサル家」だったが、皇帝を指す一般名詞となる。四帝分治制では、アウグストゥスが「正帝」を、カエサルが「副帝」を意味した。やがて時代が下ると、イタリア語の Cesare **チェー**ザレ、ドイツ語 Kaiser **カイ**ザー、ロシア語の царь **ツァー**リ などの発音に変化した。

公衆便所とウェスパシアヌス

皇帝ネロの時に破綻したローマの財政を立て直すべく、次の皇帝ウェスパシアヌスは緊縮財政を行い、様々な税を編み出した。特に評判が悪かったのが vectigal urinae **「小便税」**。公衆便所を使用する人に課したのではなく、無料で集めた公衆便所の尿を利用する染物屋（羊毛から油分を落とすため尿が使われた）や洗濯業者のみならず、汲取業者に尿の税金を課した。外聞が悪いと反対する息子のティトゥスに対して、皇帝は公衆便所で稼いだ金貨をその鼻先に突きつけて「臭うか？」と尋ねたという。今日、イタリア語で公衆便所のことを vespasiano ヴェスパシ**アー**ノ（ヴェスパジアーノ）というのは、この皇帝の名にちなむ。

古代ローマの公衆便所の遺跡

ヘイドリアン [héidriən]
Hadrian F-101

ヘイドリアンズ ウォール [héidriənz wɔːl]
Hadrian's Wall F-102

アンタナイナス パイアス [æntənáinəs páiəs]
Antoninus Pius F-103

マーカス オーリーリアス アンタナイナス [mɑ́ɚkəs ɔːríːliəs æntənáinəs]
Marcus Aurelius Antoninus F-104

メディテイションズ [mɛditéiʃənz]
Meditations F-105

ゲイレン [géilən]
Galen F-106

カマダス [kɑ́mədəs]
Commodus F-107

セプティミアス セヴィアラス [sɛptímiəs səvíərəs]
Septimius Severus F-108

キャラキャラ [kærəkǽlə]
Caracalla F-109

アントナイン カンスティテューション [ǽntənain kɑnstit(j)úːʃən]
Antonine Constitution F-110

ザ ロー オヴ ネイシャンズ [ðə lɔː əv néiʃənz]
the law of nations F-111

バラックス エンペラ [bǽrəks ɛ́mpərɚ]
barracks emperor F-112

soldier emperor ともいう。

ヴァリアリアン [vəlíəriən]
Valerianus F-113

オーリリアン [ɔːríliən]
Aurelian F-114

パルマイラ [pælmáirə]
Palmyra F-115

ゼノウビア [zənóubiə]
Zenobia F-116

ダイアクリーシャン [daiəklíːʃən]
Diocletian F-117

ダミネイト [dɑ́mineit]
dominate F-118

dominate は、動詞としては「支配する」だが、歴史用語としては、名詞として「専制君主制」を意味する。ラテン語名詞の dominatus ドミ**ナー**トゥス「絶対的権力」に由来。

テトラーキ [tɛ́trɑɚki]
tetrarchy F-119

スィーザ [síːzɚ]
Caesar F-120

F ローマ④〈ローマの文化〉

F-121 **ウェルギリウス**（ヴェ） 古代ローマの代表的詩人。代表作は『アエネイス』。

F-122 **アエネイス** トロヤ滅亡後、トロヤの王子アエネイアスによる冒険遍歴を描いた長編叙事詩。ラテン文学の最高傑作と評される。

F-123 **ホラティウス** アウグストゥス帝時代の詩人。「征服されたギリシャが、野蛮な征服者（ローマ）をとりこにした」の言葉が有名。

F-124 **オウィディウス**（ヴィ） アウグストゥス帝時代の詩人。『転身譜』の作者。

F-125 **転身譜**（てんしんふ） 『変身物語』や、原題のラテン語のまま『メタモルポーセース』ともいう。

F-126 **ガリア戦記**（せんき） 文才のあった将軍ユリウス・カエサルが、ガリア征服を克明に描いた戦記。

F-127 **ユリウス暦**（れき） ユリウス・カエサルによって制定された旧太陽暦。4年ごとに閏(うるう)年をおく。

F-128 **大カトー**（だい） ポエニ戦争の時代の将軍・文人・ローマ元老院議員。正義を重んずる人物で、ハンニバルに勝利した英雄スキピオに対して戦利品の不当な独占を告発した。

F-129 **キケロ** 内乱の1世紀時代の政治家・雄弁家・哲学者。『国家論』『義務論』の著者。カエサルのライバル。

F-130 **リウィウス**（ヴィ） 皇帝アウグストゥスの側近であり歴史家。ウェルギリウスと共にラテン文学の黄金期を代表する作家。

F-131 **ローマ建国史**（けんこくし） または『ローマ史』。リウィウス著。流麗な散文で書かれた叙事詩で、ローマ建国からアウグストゥス時代までを記述した。

F-132 **タキトゥス** 古代ローマを代表する歴史家、騎士出身の政治家。『年代記』や『ゲルマニア』を記す。

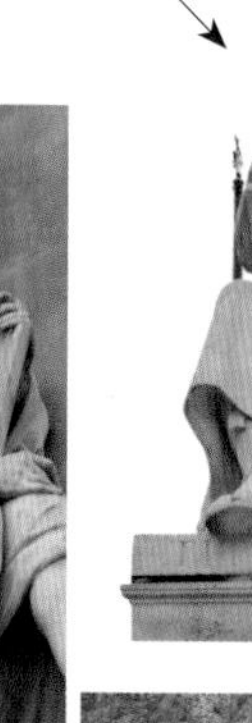

F-133 **ゲルマニア** 当時のゲルマン人社会を知る上で、カエサルの『ガリア戦記』に並んで有用な資料。

F-134 **ポリビオス** ローマ共和政時代のギリシャ人歴史家。小スキピオのギリシャ語の教師。

F-135 **スエトニウス** ローマ帝国五賢帝時代の歴史家。帝政初期の皇帝の伝記『皇帝伝』を著す。

F-136 **プルタルコス** もしくはプルターク。五賢帝時代のギリシャ人。デルフォイの最高神官。

F-137 **対比列伝**（たいひれつでん） または『英雄伝』。テーセウスとロムルス、アレクサンドロス大王とカエサルなど、著名な古代ギリシャと古代ローマ人を対比している。

F-138 **倫理論集**（りんりろんしゅう） 政治・宗教・哲学など幅広い分野に関して語った随想集。今日のエッセーのはしりといわれている。

F-139 **ストラボン** 帝政初期のギリシャ人歴史家・地理学者。『地理誌』と『歴史』を記したが、『歴史』の方は失われている。

F-140 **地理誌**（ちりし） もしくは『地理書』。ストラボンは世界中を旅してその様子を克明に記した。

ローマは戦力としてはギリシャを上回り、ギリシャを征服し属州として支配したが、文化においてはギリシャが常に優勢で、ローマ人はギリシャ文化を常に模範とした。しかも、ローマが軍事的に広い地域を支配したため、ローマを通じてギリシャ文化が広く後々まで伝わることになった。ローマ人は言語の面でも、ギリシャ語の語彙を積極的に取り入れた。

大プリニウスは、ヴェスヴィオ火山の大噴火の調査のために付近に上陸し、火山性ガスの犠牲になった。

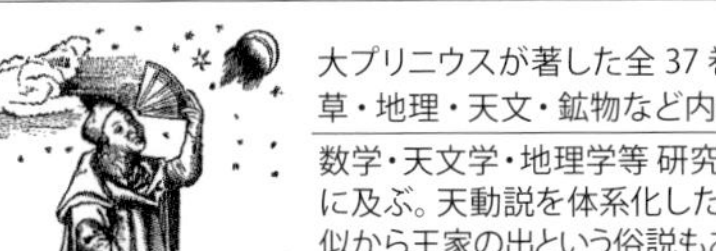

大プリニウス F-141
ローマの博物学者・軍人・政治家。『博物誌』の著者。

博物誌 F-142
大プリニウスが著した全 37 巻に至る大著。動物・薬草・地理・天文・鉱物など内容は広い分野に及ぶ。

プトレマイオス F-143
数学・天文学・地理学等 研究範囲は多岐に及ぶ。天動説を体系化した。名前の類似から王家の出という俗説もある(B-38)。

天動説 F-144
地球を中心に太陽・月・惑星が運行するという理論。コペルニクス登場までの 1400 年間定説となった。

エピクテトス F-145
ローマ帝政時代のストア派の哲学者。その思想は哲人皇帝マルクス・アウレリウス・アントニヌスに大きな影響を与えた。

新プラトン主義 F-146
古代ローマ末期のプロティノスに始まる哲学。アウグスティヌス等の教父が新プラトン主義を取り入れ、教理に反映させた。

カプア島にあるミトラ教の神殿 (Mithraeum) に残されている壁画。太陽神ミトラスが、雄牛を屠(ほふ)り、供犠(くぎ)とする像や彫刻が多く見い出されている。

ミトラ教 F-147
古代ローマで広まった、太陽神ミトラスを主神とする密儀宗教。

ミトラス F-148
ミトラスはイラン神話の神ミトラ(ミスラ)と同じ起源をもつ神。その名は「契約」「盟友」を意味する。

マニ教 F-149
ゾロアスター教にキリスト教のグノーシス派と仏教の要素を取り入れた古代ペルシャの宗教。

マニ F-150
マニ教の教祖。バビロニア出身のペルシャ人。24 歳のとき啓示を受けてマニ教を創始した。

フォルム・ロマヌム F-151
現代イタリア語ではフォロ・ロマーノ。ローマ帝国の政治・経済の中心地。

凱旋門 F-152
凱旋の記念のために作られた門。ローマには、コンスタンティヌスの凱旋門やティトゥスの凱旋門などがある。

パンテオン F-153
アウグストゥスの側近マルクス・アグリッパが建設した、マルス広場にある「すべての神々」を祀(まつ)る神殿。後に焼失し、ハドリアヌスが再建した。

コロッセウム F-154
または「フラウィウス円形闘技場」。ティトゥス帝が建設した巨大な円形競技場。

カラカラ浴場 F-155
または「カラカッラ浴場」。カラカラ帝が建設。現在は遺跡のみで、お湯はからからである。

ローマ水道 F-156
または「ローマ水路」。古代ローマでは、都市に水を供給するために水道や水道橋が建設された。

ガール水道橋(ポン・デュ・ガール)。南フランスのガール県のガール川に架かる水道橋。3層のアーチで構成され、高さ約 50m、全長約 270m。

ソリドゥス金貨 F-157
コンスタンティヌス1世が制定した金貨。ローマ時代の地中海交易による経済的繁栄の象徴。画像はホノリウス帝のソリドゥス金貨。

ヴァージル [vɚ́:dʒəl] / ヴァージリアス [vɚ́:dʒəliəs]
F-121 **Vergil / Vergilius**

イニーアス [iní:əs]
F-122 **Aeneas**

ホーラス [hɔ́(:)rəs] ホレイシャス [hɔréiʃəs]
F-123 **Horace / Horatius**

アヴィッド [ɑ́vid] / アヴィディアス [ɑvídiəs]
F-124 **Ovid / Ovidius**

メタモーフォウズィズ [metəmɔ́ɚfouziz]
F-125 **Metamorphoses**

ギャリック ウォー [gǽlik wɔɚ]
F-126 **Gallic War**

ガリア戦記もガリア戦争も単数複数の違いはあるが英語では同じ。

ジューリアン キャレンダ [dʒú:ljən kǽləndɚ]
F-127 **Julian calendar**

ケイトウ ズィ エルダ / メイジャ
[kéitou ði éldɚ / méidʒɚ]
F-128 **Cato the Elder / Major**

スィセロウ [sísərou]
F-129 **Cicero**

リヴィ [lívi] / リヴィアス [líviəs]
F-130 **Livy / Livius**

ヒストリ オヴ ロウム
F-131 **History of Rome**

ラテン語のままの Ab Urbe Condita ともいう。

タスィタス [tǽsitəs]
F-132 **Tacitus**

ジャーメイニア [dʒɚ:méiniə]
F-133 **Germania**

ポリビアス [pəlíbiəs]
F-134 **Polybius**

スウィトウニアス [switóuniəs]
F-135 **Suetonius**

プルーターク [plú:tɑɚk]
F-136 **Plutarch**

パラレル ライヴズ [pǽrəlel láivz]
F-137 **Parallel Lives**

モレイリア [məréiliə] / モラルズ [mɔ́rəlz]
F-138 **Moralia / Morals**

ストレイボウ(ン) [stréibou(n)]
F-139 **Strabo / Strabon**

ジーオグラフィカ [dʒi:əgrǽfikə]
F-140 **Geographica**

◆**Metamorphoses 転身譜**　ギリシャ語の μετά メタ「変化」を表す前置詞に μορφή モルフェー「形」を足した語 μεταμόρφωσις メタモルフォースィス「変形、変身」に由来する（語尾の -sis は単数形で -ses は複数形）。この語から派生した英語 metamorphosis メタモーフォスィスは、「幼虫から蛹（さなぎ）、蝶（ちょう）へ変わる変態、メタモルフォーゼ」を指す。『転身譜』には、美青年ナルキッソスがスイセンになった話や、機織（はたおり）の名人の女性アラクネがクモになった話、ダフネが月桂樹になった話などが掲載されている。

愛の神エロスは、太陽神アポロンに「恋心を起こさせる金の矢」を放ち、近くの河原にいた精霊ダフネに「恋心をなくす鉛の矢」を射た。アポロンはダフネを追い回し、ダフネは彼から逃げまわり、ついに河の神に月桂樹へと姿を変えてもらった。

◆**Cato the Elder 大カトー**　カエサル時代の孫の哲学者・政治家カトーと区別するため「大カトー」と呼ばれる。英語では、「大」は Elder「年上の」、または Major「大きい」。小カトーは英語で Cato the Younger ヤンガ「年下の」、または Minor マイナ「小さい」となる。カトーと聞くと「加藤」かと思ってしまうが、英語の発音では「ケイトウ」である。

◆**Cicero キケロ**　「ひよこ豆」を意味するラテン語 cicer キケルに由来。キケロの先祖に、鼻の先に「ひよこ豆」のようなイボをもつ人物がいたためにキケロという氏族名が付いたといわれている（別説では、一族がひよこ豆の栽培に長（た）けていたため）。若い頃、キケロの友人が、「ひよこ豆なんて庶民臭い無名の氏族名は改名した方がよい」と彼に勧めたが、キケロ家が無名というならば私が有名にしてみせると答えたという。

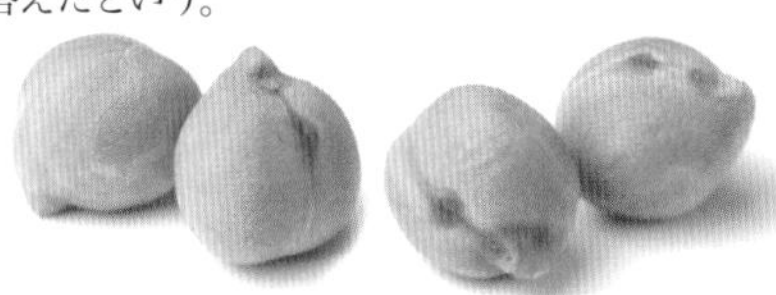
ひよこ豆の形は、日本のお菓子「ひよこ」に似ていなくもない。

古代ローマの彫刻は、神々を美しく理想的に表現したギリシャ彫刻とは異なり、実際に生きた人物達をリアルに描写しているのが特徴である。もっとも、実際に彫刻していたのは多くがギリシャ人である。有名なローマ彫刻の多くは作者名が知られていない。古代ギリシャの彫刻で現存するものは少ないが、古代ローマ時代にコピーされた彫刻が多数残っているため、今日まで伝わっている。

◆**Strabo ストラボン** ギリシャ語で「やぶにらみの、斜視の」を意味する形容詞 στραβός ストラ**ボ**スに由来する。この語から、医学英語の strabismus ストラ**ビ**ズマス「斜視」という用語が派生している。

◆**solidus ソリドゥス金貨** 金含有量が高いソリドゥス金貨は、数百年間交換レートが変わらず安定した通貨として広く取引されていたため、「中世のドル」とも呼ばれる。実は、「ドル」を表す記号 $ は、ソリドゥス金貨の頭文字 S を装飾した形が由来となっている。

N はどこへ行った？

Strabo・Plato・Apollo

日本語ではストラボンなのに、英語では Strabo で語尾に n がないのはなぜ？ 元々のギリシャ語 Στράβων スト**ラ**ボーンには最後に子音の [n] に相当する文字が付いている。しかし、この語がラテン語になると、主格では Strabo スト**ラ**ボーのように [n] が抜けた。実は消えたわけではなく、属格 Strabnis ストラ**ボー**ニス「ストラボンの」や、対格 Strabonem ストラ**ボー**ネム「ストラボンを」のように主格以外では [n] の子音が現れる。主格だけ [n] がなくなるという現象は、プラトン（ギリシャ語プ**ラ**トーン）のラテン語や英語が Plato だったり、ギリシャの太陽神 Ἀπόλλων ア**ポ**ッローン「アポロン」がラテン語や英語で Apollo なのと同様である。ラテン語や古フランス語を経由して英語に単語が入った場合、n 抜けの形になるのだ。一方、ギリシャ語から直接英語に単語が入った場合は n が付いたままとなる。ただし、ラテン語になると全部の n が落ちるわけではなく、ギリシャ語 Βαβυλών バビュ**ロー**ン「バビロン、バベル」がラテン語で Babylon **バ**ビローンとなるように、[n] を維持する場合もある（英語も Babylon **バ**ビロン）。

プリニ ズィ **エ**ルダ [plíni ði éldɚ]
Pliny the Elder F-141

ナチュラル **ヒ**ストリ [nǽtʃərəl hístəri]
Natural History F-142

タレミ [tάləmi]
Ptolemy F-143

ジーオウセントリック **モ**デル / **スィー**アリ [dʒi:ouséntrik mάdəl / θí:əri]
geocentric model / theory F-144

エピク**ティー**タス [ɛpiktí:təs]
Epictetus F-145

ニーオウプ**レイ**トニズム [ni:oupléitənizm]
Neoplatonism F-146

ミスレイイズム [míθreiizm]
Mithraism F-147
Mithraicism ともいう。

ミスラス [míθræs]
Mithras F-148
Manicheism とも書く。

マニキーイズム [mǽniki:izm]
Manichaeism F-149

マーニ [mά:ni] / **マ**ニ [mǽni]
Mani F-150

フォーラム ロウ**マー**ナム [fɔ́:rəm roumά:nəm]
Forum Romanum F-151

トライ**ア**ンファル **アー**チ [traiʌ́mfəl άɚtʃ]
Triumphal arch F-152

パンスィアン [pǽnθiən]
Pantheon F-153

カラ**スィー**アム [kαləsí:əm]
Colosseum F-154

バス オヴ キャラ**キャ**ラ [～ kærəkǽlə]
Baths of Caracalla F-155

ロウマン **ア**クィダクト [～ ǽkwidʌkt]
Roman aqueduct F-156

サリダス [sálidəs]
solidus F-157

説明的に記述する場合、solidus coin や、gold solidus coin, solidus gold coin、solidus coin of Rome とも書く

G キリスト教の誕生

キリスト教に関わる用語は分厚い辞書になるほど数多いが、ここではそのうちのほんの一部を紹介している。

G-1 **イエス**　イエスという名はヘブライ語で「ヤハウェは救い」の意。ヨシュア（C-24）という名前がギリシャ語化したもの。

G-2 **キリスト**　「油を注ぐ、油を塗る」を意味するギリシャ語動詞クリオーの形容詞形クリストスに由来。ヘブライ語メシアと同じ意味。

G-3 **キリスト教**（きょう）　イエスをキリストであると信じる人々の宗教。

G-4 **キリスト教徒**（きょうと）　キリスト教の信者のこと。

G-5 **キリスト教国**（きょうこく）　キリスト教界、全キリスト教徒のこと。

G-6 **山上の垂訓**（さんじょうのすいくん）　イエスがガリラヤのとある山の上で、弟子達と群集に語った教え。マタイとルカの福音書に記されている。

G-7 **ファリサイ派**（は）　ファリサイ人、パリサイ派、パリサイ人ともいう。律法を厳格に守るユダヤ教の一派。

G-8 **サドカイ派**（は）　またはサドカイ人。富裕な祭司階級。サンヘドリン（ユダヤの最高議会また最高法院）で多数派を占めたユダヤ教の一派。

G-9 **ピラト**　イエスの処刑を命じたユダヤの総督。カイサリアでピラトの名が刻まれた碑文が発見された（写真右）。

G-10 **ゴルゴタの丘**（おか）　カルバリ、カルヴァリともいう。またゴルゴダと濁る表記もある。キリストが十字架に磔（はりつけ）にされたと伝えられているエルサレムの丘。

G-11 **復活**（ふっかつ）　死んだものが生き返ること。キリスト教教義の一つ。

G-12 **使徒**（しと）　イエスによって選ばれた高弟達。12人いるため十二使徒という。ギリシャ語で「遣わされた者」の意。

G-13 **ペテロ**　ペトロ、ペトロス、シモン・ペテロともいう。十二使徒の一人。アラム語でケファ「岩の断片、石」の名で呼ばれている。ネロの迫害で殉教したとされる。

G-14 **パウロ**　ユダヤ教からキリスト教に改宗。パウロは十二使徒ではないが「異邦人の使徒」と呼ばれている。

G-15 **新約聖書**（しんやくせいしょ）　キリスト教の聖典で、新約とは神との「（モーセの古い契約に対して）新しい契約」の意。

G-16 **福音書**（ふくいんしょ）　新約聖書のうち、マタイ・マルコ・ルカ・ヨハネによる４つの文書。福音とは「良い知らせ」のこと。

G-17 **ヨハネの黙示録**（もくしろく）　新約聖書の巻末の書。この世の終末と最後の審判、神の国の到来について描かれている。

G-18 **殉教者**（じゅんきょうしゃ）　信仰のために生命を捧げた者達のこと。「最初の殉教者」は使徒行伝に書かれたステファノ（ステパノ）である。

G-19 **カタコンベ**　元はローマのセバスチアン教会の地下墓所を指すが、後に地下の墓所全般を指す。初期キリスト教の共同地下墓所。

G-20 **修道院**（しゅうどういん）　世俗から離れた修道士・または修道女が質素な共同生活を送る場所。中世においては聖書の写本作りや研究が行われ文化の担い手となった。

↑「ガリラヤの家」にある、山上の垂訓を十二使徒に語るイエスの像。「ガリラヤの家」とは、山上の垂訓が語られたと考えられるガリラヤ湖付近の山腹にある建物。

ゴルゴタの丘の場所に関しては正確な場所は不明だが、現在の聖墳墓教会内とする説や、「園の墓」付近の「されこうべの丘」とする説などがある。ゴルゴタとはヘブライ語で「頭蓋骨、されこうべ」を意味する。上の写真のように、「されこうべの丘」の側面にある穴は頭蓋骨の眼窩（がんか）に見えなくもない。

カタコンベ・ディ・サン・カッリスト

ユダヤ人の言語はヘブライ語だが、バビロニア捕囚によって当時の世界共通語のアラム語を話すようになった。さらにアレクサンドロス大王によるギリシャの世界支配のためにギリシャ語が共通語になり、そのため新約聖書はギリシャ語（コイネーと呼ばれるギリシャ語）で書かれた。さらにはローマの支配を受けるようになったためラテン語も話されはじめており、言語的に入り乱れていた。

ミラノのドゥオーモにある聖ヒエロニムス像

最初は五本山の一つに過ぎなかったが、キリスト教最大の教会となる。 **ローマ・カトリック教会** G-21

ローマ・カトリック教会において使徒ペテロの後継者とされている最高位の聖職。 **教皇、法王** G-22

はじめてキリスト教を公認したローマ皇帝。 **コンスタンティヌス** G-23

ニケア公会議ともいう。最初の全教会規模の会議（公会議）。三位一体を巡る論争が行われた。 **ニカイア公会議** G-24

コンスタンティヌス１世 がリキニウス帝とミラノで会見した際に発した勅令。キリスト教をはじめて公認し、キリスト教迫害に終止符を打った。 **ミラノ勅令** G-25

アタナシウスの指導の下に、父なる神と子なる神であるキリストは同本質と主張した。 **アタナシウス派** G-26

キリストの神性を父なる神よりも下位に置く。アタナシウス派と対立。 **アリウス派** G-27

エジプトにある古代からのキリスト教会。「キリストの単性論」（キリストの神性を強調する説）を信奉する。 **コプト教会** G-28

キリスト教で、父・子・聖霊は、唯一の神が 3つの姿となって現れたもので一体であるとする教理。 **三位一体** G-29

教義・学説を最も正しく継承していると一般にみなされている教説・教派。 **正統** G-30

正統とは異なる立場をとる教説・教派。もっとも異端の立場から見れば、「正統」と呼ばれている教説・教派の方が「異端」ということになる。 **異端** G-31

コンスタンティノポリス大主教ネストリウスが主唱者。エフェソス公会議で異端とされた。中国にまで教勢を広げ「景教」と呼ばれた。 **ネストリウス派** G-32

もしくはエペソ公会議。マリアを「神の母」（テオトコス）と呼ぶべきか、つまりはキリストの神性と人性について論争となった。 **エフェソス公会議** G-33

西方キリスト教会最大の教父。著作に『神の国』『三位一体論』『告白録』がある。 **アウグスティヌス** G-34

帝国を再統一したが、引退時に帝国を二分して息子達に譲ったため、以後東西ローマ帝国に分離した。帝国を単独で支配した最後の皇帝。 **テオドシウス** G-35

テオドシウス帝は、キリスト教をローマ帝国の国家宗教とした。つまり国教化した。 **国教** G-36

古代西方教会の聖書学者。ベツレヘムで修道院の指導にあたるかたわら、聖書のラテン語訳『ウルガータ』や聖書注解などを著した。 **ヒエロニムス** G-37

もしくはウルガータ訳。ヒエロニムスによる聖書のラテン語訳。後にカトリック教会の標準の訳となる。 **ウルガタ訳** G-38

歴史家にして聖書注釈家。代表作『教会史』の著者。「教会史の父」と称される。 **エウセビオス** G-39

イエス・キリストからコンスタンティヌス帝に至るまでの歴史を記したもの。 **教会史** G-40

G Birth of Christianity

G-1 ジーザス [dʒíːzəs] **Jesus**

G-2 クライスト [kráist] **Christ**

G-3 クリスチャン [krístʃən] **Christian**

G-4 クリスチャニティ [kristʃiǽnəti] **Christianity**

G-5 クリスンダム [krísndəm] **Christendom**

G-6 サーモン [sə́ːmən] オン ザ マウント **Sermon on the Mount**

G-7 ファリスィーズ [fǽrəsiːz] **Pharisees**

G-8 サデュスィーズ / サジュスィーズ [sǽdjusiːz / sǽdʒu-] **Sadducees**

G-9 パイリット [páilət] **Pilate**

G-10 ガルガサ [gálgəθə] / キャルヴァリ [kǽlvəri] **Golgotha / Calvary**

G-11 レザレクション [rɛzərékʃən] **Resurrection**

G-12 アパッスル [əpásl] **Apostles**

G-13 ピータ [píːtɚ] **Peter**

G-14 ポール [pɔːl] **Paul**

G-15 ニュー テスタメント [njuː téstəmənt] **New Testament**

G-16 ガスペル [gáspəl] **Gospel**

Revelation レヴェレイション [rɛvəléiʃən] という訳し方もある。

G-17 アパカリプス オヴ ジョン [əpákəlips əv dʒan] **Apocalypse of John**

G-18 マータ [máɚtɚ] **martyr**

G-19 キャタコウム [kǽtəkoum] **catacomb**

G-20 アビ [ǽbi] / マネストリ [mánəstəri] / カンヴェント [kánvənt] **abbey / monastery / convent**

◆**Golgotha ゴルゴタ / Calvary カルバリ** ゴルゴタはヘブライ語のグル**ゴー**レト「頭蓋骨」に由来する。グル**ゴー**レトはヘブライ語の語根 ***g-l-l***「転がす、転げる」に由来し、頭蓋骨が丸い形なので転がることに由来している。***g-l-l*** から派生したヘブライ語の地名は多数あり、例としては、ユダヤの北部の **Galilee「ガリラヤ」**は、ガーリール「転がる場所」、すなわち「周辺地域」を意味する（エルサレムから見れば辺縁の周辺地域だった）。またヨルダン川東部にある **Gilead「ギレアド**（ギレアデ）」は、族長ヤコブが義父ラバンと契約を結んだ証し（ヘブライ語 עֵד **エー**ド「証人」）として、石を「転がして」造った石塚（גַּל ガル）、すなわち「証しの石塚（גַּלְעֵד ガルエード）」を立てたのが起源である。英語の別の表現である Calvary「カルバリ」も、ラテン語 calvaria カル**ウァー**リア「頭蓋骨」に由来。現代の解剖学では、calvaria カルヴァリア（カルワリア）は**「頭蓋冠」**、つまり頭蓋骨上部の丸い部分を指すのに用いられている。

◆**abbey / monastery / convent 修道院** abbey は abbot「修道院長」が管理する「大修道院」を、monastery は男子修道院、convent は女子修道院を指す。

◆**pope 教皇、法王** pope は、ビザンチン期のギリシャ語 παπᾶς パ**パー**ス「お父さん、パパ」に由来。日本語では、教皇と法王という二つの訳語があるが、ローマ・カトリック教会では「教皇」の使用を勧めている。戦後、日本がバチカンと外交を結んだ当時は「法王」が主に使われていたため、駐日バチカン大使館は「ローマ法王庁大使館」と名付けられた。

◆**Athanasian アタナシウス派** 日本語表記はラテン語に準じて「アタナシ**ウ**ス派」とするものと、ギリシャ語に準じて「アタナシ**オ**ス派」とするものがある。英語の文献ではアタナシウス派は使われず、もっぱら Nicaean ナイ**スィー**アン「ニケア派」という呼び方がされている。

英語の orthodox は、ギリシャ語で「まっすぐな考え」すなわち「正しい教え」を意味する。Orthodox Church とは「正教会」、すなわち「東方正教会（ギリシャ正教会）」を指すのに用いられている。コプト教会も Coptic Orthodox Church「コプト正教会」と呼ばれている。英語では、この本来の用法からはずれて、「因習的な、月並みな、オーソドックスな」という意味が生じた。

Christ はチリスト？
ギリシャ文字 X

油を注がれて王となるダビデ。

キリストはギリシャ語 Χριστός クリストス「油を注がれた者」に由来する。古代イスラエルにおいて、王や大祭司、預言者に任命される際には、その頭に香料を調合した油が注がれた（その材料や分量が聖書の『出エジプト記』に書かれている）。イエス・キリストとは、救い主、そして王また祭司として「任命された」イエスを意味するといわれる。ところで、ギリシャ語 Χριστός の最初の文字の X は、英語のアルファベットの X エックスではなく、ギリシャ語アルファベットの X キー（もしくはカイ、ケー）である（小文字は χ で x よりもストロークが下に伸びる）。この文字は、日本語にはない発音で**「無声軟口蓋摩擦音」**（発音記号では [x]）を表す。[k] は舌が口蓋に触れるが、[x] は舌が口蓋に近づいても接せず狭められた隙間を息が通る「摩擦音」である。[x] はカ行の音というよりはむしろハ行の音に聞こえる（p.119 参照）。このため、ギリシャ正教会ではギリシャ語 Χριστός を**「ハリストス」**と音訳している。さて、ギリシャ語の X キーをラテン語に翻字する際には、k ではなく "ch" で表している。したがって、ギリシャ語由来の英語で ch のスペルを見たならば「チ」や「チャ」行ではなく、「カ」行の音として発音しなければならない（character「キャラクタ」や、echo「エコー」など）。ちなみに、クリスマスのことを英語で略して Xmas と書くが、この X は英語のエックスではなくて、ギリシャ文字の X キーであり、この 1 文字で Christ を表している。

χ　X

ロウマン キャソリック チャーチ [～ kǽθəlik tʃə́ːtʃ]
Roman Catholic Church G-21

ポウプ [poup]
pope G-22
一般的に教皇について述べる場合は小文字が多いが、特定の教皇の場合、大文字になる。

カンスタンティ(ー)ン カンスタンタイン [kánstənti(ː)n / kánstəntain]
Constantine G-23

カウンスル オヴ ナイスィア [káunsəl əv naisíə]
Council of Nicaea G-24

イーディクト オヴ ミラン [íːdikt əv milǽn]
Edict of Milan G-25

アサネイシャン [æθənéiʃən] ナイスィーアン [naisíːən]
Athanasian, Nicaean G-26

エアリアン [έəriən] / アリアン [ǽriən]
Arian G-27

カプティック オーソダクス チャーチ [káptik ɔ́ːθədɑks tʃə́ːtʃ]
Coptic Orthodox Church G-28

トリニティ [tríniti]
Trinity G-29

オーソダクスィ [ɔ́ːθədɑksi]
orthodoxy G-30
頭文字を大文字にすると（Orthodoxy）、「東方正教会」もしくは「正統派ユダヤ教」の意味になる。

ヘレスィ [hérəsi]
heresy G-31

ネストーリアン / ネストウリアン [nɛstɔ́ːriən / nɛstóuriən]
Nestorian G-32

カウンスル オヴ エフェサス [～ éfəsəs]
Council of Ephesus G-33

オーガスティーン オガスティン [ɔ́ːgəstiːn / əgʌ́stin]
Augustine G-34

スィーアドウシャス [θiːədóuʃəs]
Theodosius G-35

ステイト リリジャン [stéit rilídʒən]
state religion G-36

ジェロウム [dʒəróum]
Jerome G-37

ヴァルゲイト [vʌ́lgeit] / ヴァルギット [-gət]
Vulgate G-38

ユースィービアス [juːsíːbiəs]
Eusebius G-39
もしくは Church History。

イクリーズィアスティカル ヒストリ [ikliːziǽstikəl hístəri]
Ecclesiastical History G-40

「=」それとも「・」どちらで区切る？

英語その他のヨーロッパの言語では、Thomas Aquinasのように姓と名はスペースで区切られているが、日本語では「トマス　アクィナス」のように書くと収まりが悪いため、スペースの代わりに区切り記号が付けられている。トマス=アクィナスのように「=」を用いる方法や、トマス・アクィナスのように「・」(中黒〔なかぐろ〕という) で区切る方法がある。日本の正書法としては、どちらも可能である。ちなみに、「=」はイコールに見えるが、イコールは「＝」で、「=」はダブルハイフンという。この2つは大抵の書体では横幅が違う。さて、フランスには複数の名前をつないだ「複合名」さらには「複合姓」という伝統的な命名法があり、2つの名前はフランス語では「-」(ハイフン)でつなげられている。例えば、フランスの哲学者Jean-Jacques Rousseau ジャン=ジャック・ルソーや、フランスの化学者のJoseph Louis Gay-Lussac ジョセフ・ルイ・ゲイ=リュサックなど。これを日本語で表記する際には、大抵ダブルハイフンが用いられる。もしスペースの代わりを中黒で区切っていれば、ジャン=ジャック・ルソーのように元のハイフンとスペースが区別できるが、スペースの代わりにダブルハイフンを使うと、ジャン=ジャック=ルソーのように本来のハイフンの区切りが判別できなくなる。というわけで、本書ではスペースに対応する区切り記号として「・」(中黒) の方を採用している。

Jean-Jacques Rousseau	ジャン=ジャック・ルソー	ジャン=ジャック=ルソー
Joseph Louis Gay-Lussac	ジョセフ・ルイ・ゲイ=リュサック	ジョセフ=ルイ=ゲイ=リュサック

単語の区切りの歴史

今日、ヨーロッパの言語では、単語と単語の間をスペースで区切るのが普通だが、古代の言語では、単語と単語の間に区切り記号がないものも多かった。例えば、紀元前196年に作られたロゼッタストーン(p.21) に書かれている古代ギリシャ語にも(左図)、単語の区切りがないため、どこからどこまでが一つの単語なのかきわめて判別しにくい。一方で、それよりも昔の古代ヘブライ語や古代フェニキアの碑文 (右図) の中には、単語の区切りに「・」(中黒)が用いられたものもあった。とはいえ、時代が下れば、ギリシャ語もヘブライ語も、単語の区切りにはスペースが使われるようになっていった。

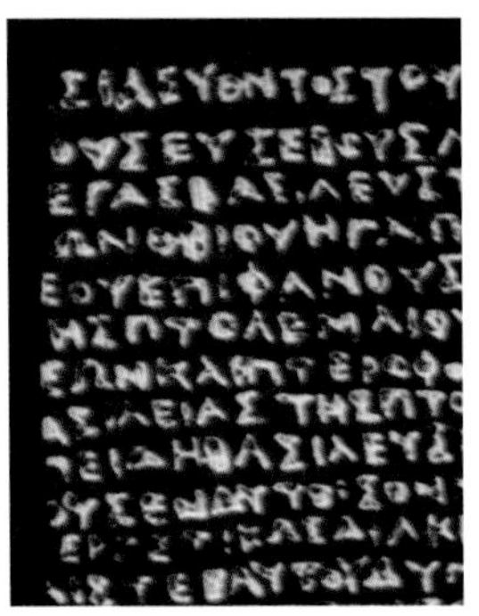

サマアル王キラムワの碑文の一部 (前850年頃)

Part II

Medieval Times

中世

H ゲルマン民族大移動・フランク王国

H-1 **ゲルマン人**（じん） ゲルマン語を話す諸民族。

H-2 **ゲルマン民族大移動**（みんぞくだいいどう）

H-3 **民会**（みんかい） ゲルマン人の武装能力をもつ自由人男子からなる。

H-4 **東ローマ帝国**（ひがしていこく） ビザンツ帝国と同じ（J-1）。1453年まで存続。

H-5 **西ローマ帝国**（にしていこく） 395年の東西分割から間もない476年に滅亡。

H-6 **ケルト人**（じん） 古代ヨーロッパの中・西部に住み、ケルト語を使用した。

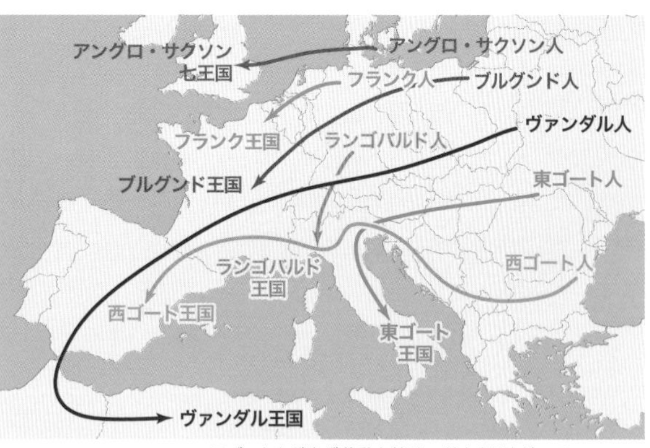

西ゴート人がまず移動を始め、ドナウ川を渡ってローマ帝国に侵入した。アングロ人、サクソン人、ジュート人は、ドイツ北岸からグレートブリテン島南部に侵入した。

H-7 **フン族**（ぞく） アジア内陸の遊牧騎馬民族。4世紀に西進し、西ゴート人を圧迫して民族大移動の発端を作った。

H-8 **アッティラ** もしくはアッチラ。フン族の王。西方の「大王」を自称。

アッティラは、後世の西洋人から「神による災い」や「神の鞭（むち）」と恐れられた。上はラファエロ画『大教皇レオとアッティラの会談』。教皇レオ1世は、ローマへ進軍していたアッティラと会見。レオ1世による説得により、アッティラはローマを略奪せずに兵を引き上げた。

H-9 **東ゴート人**（じん） 黒海北部（今日のウクライナ）にいたが、テオドリック大王に率いられイタリア半島を征服。

H-10 **西ゴート人**（じん） 黒海北西部（ドナウ・ドネストルの両河間の地域）にいたが、後にイベリア半島に移住。

H-11 **ヴァンダル人**（じん） もしくはバルダル人。西ゴート人に追われて、北アフリカに移住した民族。ヴァンダル王国を建国（首都カルタゴ）。

H-12 **ブルグンド人**（じん） またはブルグント人。ブルグンド王国を建国。フランス中東部に位置するブルゴーニュ地方の名の由来となった。

H-13 **アングロ・サクソン人**（じん） アングル人とサクソン人、およびジュート人をまとめた呼び方。

H-14 **ジュート人**（じん） 西ゲルマンに属し、アングロ・サクソン人の一部としてグレートブリテン島に移住。原住地はユトラント（ユラン）半島。

H-15 **オドアケル** ゲルマン人の傭兵（ようへい）隊長。西ローマ帝国皇帝を廃し、イタリア王となる。東ゴート王テオドリックに暗殺された。

H-16 **ランゴバルド** もしくはロンバルド、ロンバルディア、ランゴバルト。ランゴバルド人が建国した王国は後にカール大帝に倒された。

H-17 **フランク王国**（おうこく） ヨーロッパにおいてフランク人が建国した王国。カール大帝の時に最盛期を迎える。

H-18 **フランク人**（じん） ライン川東岸からフランス北部に拡大し、クローヴィスがフランク王国を建国。

H-19 **メロヴィング朝**（ちょう） クローヴィスがフランク人を統一して創始したフランク王国の王朝。

H-20 **クローヴィス1世** もしくはクロヴィス1世。初代フランク国王。メロヴィング朝の王。キリスト教のアタナシウス派に改宗。

洗礼を受けるクローヴィスのレリーフ。

神聖ローマ帝国は、ドイツ王オットー１世が教皇ヨハネス12世により神聖ローマ皇帝の冠を授けられた962年から、最後の皇帝フランツ２世がナポレオンに敗れて退位する1806年までの844年間存在した。当初は「神聖」とは呼ばれず、1157年にフリードリヒ１世バルバロッサが、ローマ・カトリック教会のキリスト教世界を守護するという理念から「神聖帝国」と呼んだのがはじまり。

西ゴート王国を征服したウマイヤ朝のイスラム軍を、フランク王国の宮宰カール・マルテルが撃退した。

フランク王国の宮宰。後世には「鉄槌(てっつい)」の異名で呼ばれた。 **カール・マルテル** H-21

王家の「執事」のようなものであったが、メロヴィング朝におけるカロリング家のように、国家の「摂政」のような権力の伴う地位となった。 **宮宰**（きゅうさい） H-22

フランク王国とイスラム軍との戦い。 **トゥール・ポワティエ間の戦い**（かん・たたか） H-23

またはピピン3世、ピピン短躯王、小ピピン。カール・マルテルの子。カロリング朝を開いたフランク王国の王。ローマ教皇に領土を寄進し、ローマ・カトリック教会との関係を強めた。 **ピピン** H-24

フランク王国の２番目の王朝。やがてヴェルダン条約とメルセン条約によって三分割される。 **カロリング朝**（ちょう） H-25

シャルルマーニュともいう。フランク王国の全盛期の王。ブリテン島を除くほとんどの西ヨーロッパを勢力下に収めた。 **カール大帝**（たいてい） H-26

カール大帝の戴冠を描いた16世紀のフレスコ画。

800年12月25日の午前中のミサにおいて、ローマ教皇（レオ３世）は「ローマ帝国皇帝」の帝冠をカール大帝に与えた。これによって古代の西ローマ帝国の皇帝の称号が復活した。カールはキリスト教世界の保護者として位置付けられることとなった。

レオ3世（せい） H-27

カールの戴冠（たいかん） H-28

モンゴル系民族で、６世紀にヨーロッパ東部のパンノニアに侵攻。 **アヴァール人**（じん） H-29

カロリング朝の王子3人がフランク王国の三分割を取り決めた協定。 **ヴェルダン条約**（じょうやく） H-30

ロタール領（中部フランク王国）を分割。ドイツ、フランス、イタリアの原型ができた。 **メルセン条約**（じょうやく） H-31

フランク王国が分裂して生まれた国。後のドイツ。カロリング朝が絶え、ザクセン朝から実質的にドイツ国家となる。 **東フランク**（ひがし） H-32

東フランク王国ザクセン朝の王。マジャール人を撃退。後に神聖ローマ皇帝初代とみなされるようになる。 **オットー1世**（せい） H-33

西進してヨーロッパに侵攻、オットー1世にレヒフェルトの戦いで敗れ、パンノニアに戻って定住し、それが後のハンガリー王国になったといわれている。 **マジャール人**（じん） H-34

オットー1世の即位からはじまる、ドイツ王を中心とした複合国家。 **神聖ローマ帝国**（しんせい・ていこく） H-35

フランク王国が分裂して生まれた国の一つ。後にこれがフランスとなる。 **西フランク**（にし） H-36

「カペー」はあだ名で、いつも着ていた「外套（英語では cape「ケープ」に相当）」に由来するという説や、「頭でっかち」という意味だとする説がある。 **ユーグ・カペー** H-37

西フランクのカロリング朝断絶の後、ユーグが創始した王朝。後にフィリップ2世、ルイ9世、フィリップ4世らが王権を拡大する。 **カペー朝**（ちょう） H-38

カール３世（肥満王）の時代にフランク王国は再統一されたが、その死後、フリューリ公ベレンガーリョ１世（ベレンガル１世）がトリエントでイタリア王に選出された。 **イタリア** H-39

H Germanic migration, Kingdom of the Franks

H-1 Germanic peoples
ジャーマニック ピープルズ [dʒəːmǽnik 〜]

H-2 Germanic migration
ジャーマニック マイグレイション [dʒəːmǽnik maigréiʃən]

H-3 Thing
スィング [θiŋ]

H-4 Eastern Roman Empire
イースタン ロウマン エンパイア [íːstən róumən émpaiə]

H-5 Western Roman Empire
ウェスタン ロウマン エンパイア [wéstən 〜]

H-6 Celts
ケルト [kélt]

H-7 Hun
ハン [hʌn]

H-8 Attila
アティッラ [ətílə]

H-9 Ostrogoth
アストラガス [ástrəgɑθ]

H-10 Visigoth
ヴィズィガス [vízəgɑθ]

H-11 Vandal
ヴァンダル [vǽndəl]

H-12 Burgundian
バガンディアン [bəgʌ́ndiən]

H-13 Anglo-Saxon
アングロウサクサン [æŋglousǽksən]

Anglosaxon というハイフンを用いないスペルもある。

H-14 Jute
ジュート [dʒuːt]

H-15 Odoacer
オウドウエイサ [oudouéisə]

H-16 Lombard
ランバード [lámbɑəd]

H-17 Kingdom of the Franks
キングダム オヴ ザ フランクス [〜 frǽŋks]

H-18 Franks
フランクス [frǽŋks]

H-19 Merovingian Dynasty
メラヴィンヂャン ダイナスティ [merəvíndʒiən 〜]

H-20 Clovis I
クロウヴィス [klóuvis] ザ ファースト

◆**Germanic migration ゲルマン民族大移動** 「ゲルマン人の移動」ともいう。英語では Gothic migration ゴスィック マイグレイション「ゴート人の移住」や Germanic national migration のように migration「移住、移動」という言葉を用いることもあれば、Great barbarian invasion バーベアリアン インヴェイジョンのようにローマ帝国のサイドから見た invasion「侵略」という表現を使うこともある。

◆**Thing 民会** ドイツ語では Ding ディング。Ding は古代においては**「決められた時」**、つまり決められた日時に集まる「集会、民会」を指していたが、やがてその意味はなくなり、現在では英語 thing もドイツ語 Ding も「物、事」という意味に変わった。

◆**Hun フン族** フン族自身は文字による記録をもたなかったため、その起源については詳しく分かっていない。ある学説では、世界的な寒冷化が原因で、より豊かな土地を求めたフン族が移動をはじめ、さらにそれがゲルマン人の各部族達をドミノ倒し的に押し出して、ローマに侵入するようになったという。この Hun「フン族」が現在の Hungary「ハンガリー」の名前の由来といわれている。

◆**Visigoth 西ゴート** Visi について当時の歴史家カシオドロスは「西」という意味であると説明したが、現代の学者はそれが誤解であって、どこかの部族の固有名詞に由来しているのではないかと考えている。

◆**majordomo 宮宰** ラテン語 major domus マーヨル・ドムス「家の長」に由来。英語で mayor of the palace ともいう。後に、majordomo は王室や貴族の執事長、召使頭を意味するようになる。

◆**Charlemagne シャルルマーニュ** ラテン語の Carolus カロルスは、イギリスでは Charles「チャールズ」大帝、ドイツでは Karl「カール」大帝、スペインでは Carlos「カルロス」大帝と呼び方が国によって異なる。日本のシャルルマーニュという呼び方は、フランス語の発音 [ʃarləmaɲ]「シャルル大帝」に由来する。

ゲルマン民族の大移動でギリシャ・ローマ文化は衰退していたが、カール大帝はイギリス出身の神学者のアルクィンをはじめ、各地から学者や芸術家を首都アーヘンに招き、古典文化の復興を進めた（Carolingian Renaissance「カロリング・ルネサンス」）。さらに各地の修道院や司教区に学校も創設した。この時期、文字も整備され「カロリング（朝）小文字（体）」が生まれた。

◆ **Carolingian Dynasty カロリング朝** 形容詞

Carolingianは「カールの子孫の」という意味。カールはラテン語 Carolus **カ**ロルスに由来。スペイン語やポルトガル語の人名 Carlos **カ**ルロスもこのラテン語に由来するが、カルロスとカロルスで若干紛らわしい。

東なのか？ 南なのか？

Ostrogoth「東ゴート」

Ostrogoth「東ゴート」の ostro- は、ゲルマン祖語の *austrą アウストラ「東」に由来する（ą のヒゲはポーランド語に見られる「オゴネク」という記号で、鼻母音になることを示す。* は推定形）。この *austrą と関係する語にはAustria「オーストリア」（意味は「東の地」。フランク王国から見れば東の辺境の地）や、英語の east「東」がある。ちなみに、現在のドイツ語でも「東」は Ost オストという。ところで、オーストリアに似た名前に Australia「オーストラリア」があるが、ラテン語の australis アウストラリス「南の」や auster アウステル「南風、南」に由来。実は、アウストラ「東」とアウステル「南」は共に印欧祖語の *hews-「東へ」に由来する。しかし、なぜ南に？ ある仮説では南東方向に伸びているイタリア半島の形が原因で、「東向き」を指していたつもりが「南向き」を指すことになってしまい、意味がシフトしたという。もしそうならば、昔から方向音痴が存在したということか。別説では、東が *aus-「輝く」に由来し（日の出で東の空が輝く）、「輝く」から「燃える、熱い」と意味が発展し、熱い「南風」を指すようになったという。

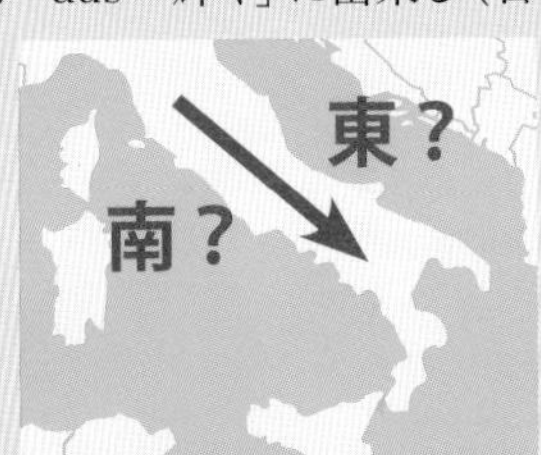

チャールズ マーテル [tʃáːrlz máːtəl]
Charles Martel H-21

メイジャドウモウ [meidʒədóumou]
majordomo H-22

バトル オヴ トゥア アンド プワティエイ [～ túə ənd pwatjéi]
Battle of Tours and Poitiers H-23

または Battle of Tours-Poitiers、単に Battle of Tours ともいう。Battle of Poitiersは別の戦い（K-20）。

ペピン [pépin]
Pep(p)in H-24

キャラリンジャン ダイナスティ [kærəlíndʒən ～]
Carolingian Dynasty H-25

シャーラメイン [ʃáːrləmein]
Charlemagne
チャールズ ザ グレイト
もしくは **Charles the Great** H-26

リーオウ [líːou] ザ サード
Leo III H-27

コロネイション オヴ シャーラメイン [kɔrənéiʃən ～]
coronation of Charlemagne H-28

エイヴァー / アヴァー [éivaː / ævaː]
Avars H-29

トリーティ オヴ ヴァーダン [tríːti əv vəːdʌ́n]
Treaty of Verdun H-30

トリーティ オヴ マーゼン（セ） [～ məːzən / -sən]
Treaty of Mersen H-31

オランダ語の通りの Meerssen メーアセンも使われる。オランダ語は母音の長音を表すために母音を2つ並べる。

イースト フランスィア [íːst frǽnsiə]
East Francia H-32

アトウ ザ ファースト [átou ～]
Otto I H-33

マジャー [mǽgjaː]
Magyar H-34

ホウリ ロウマン エンパイア [hóuli róumən émpaiə]
Holy Roman Empire H-35

ウェスト フランスィア [wést frǽnsiə]
West Francia H-36

ヒュー / ユー ケイピット [hjuː / juː kéipit]
Hugh Capet H-37

キャピーシャン ダイナスティ [kəpiːʃən dáinəsti]
Capetian Dynasty H-38

イタリ [ítəli]
Italy H-39

I　ヴァイキング・スラヴ諸国

I-1　**ノルマン人**　インド・ヨーロッパ語族のゲルマン人に属し、スカンディナヴィア半島やユトランド半島で、狩猟や漁労に従事し、造船や航海術に長じた民族。

I-2　**ヴァイキング**　スカンディナヴィア、ユトランド半島を本拠としたノルマン人のうち、8～11世紀頃に海洋に進出し、交易や略奪を行い、移住した人々。

I-3　**ブリタニア**　中世初期のブリタニアには、アングロ・サクソン人が南部から中部にかけて侵略し、七王国を建国した。デーン人が進攻した時代に次々と消滅し、ウェセックスだけが唯一生き残った。

I-4　**アングロ・サクソン七王国**

I-5　**ウェセックス王国**

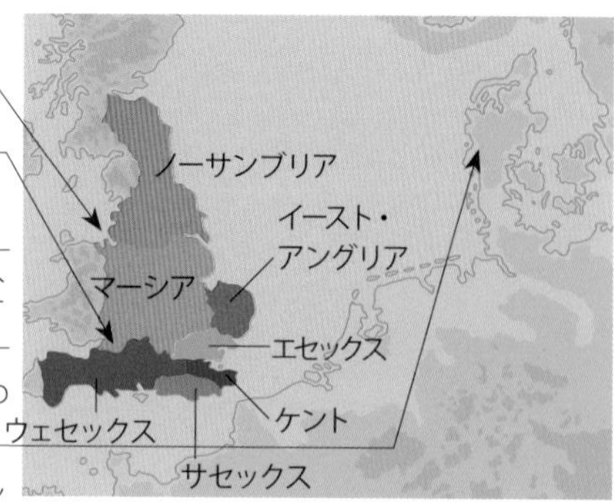

I-6　**エグバート**　ウェセックス王。幼年時代をカール大帝の宮廷で過ごした。七王国の分立を統一する。

I-7　**デーン人**　主にデンマーク地方からイングランドに侵入した北ゲルマン人の一派。クヌート王がデーン朝を建てた。

I-8　**デンマーク**　デーン人の本拠地。ユトランド半島と周辺の島々からなる。

I-9　**北海帝国**　デーン人は、イングランド、デンマーク、ノルウェーに及ぶ北海帝国を支配した。

I-10　**クヌート**　クヌート大王もしくはクヌート2世。カヌートともいう。イングランドを征服したデーン人の王。

I-11　**アルフレッド大王**　デーン人の侵攻を撃退したイングランド王。法典の制定、学問の保護なども行った。

I-12　**デーンロー**　イングランドの東北部。アルフレッド大王によってデーン人支配が認められた地域。

I-13　**ノルマンディー公国**　ノルマンジーともいう。ロロがフランス王から封土を得て、ノルマンディー地方に建てた公国。

I-14　**ロロ**　ロベール1世ともいう。あだ名は「徒歩王」（巨漢すぎて馬がもたず、いつも徒歩だった）。元はノルウェーのヴァイキングの一首長。

I-15　**シチリア王国**　ノルマン人が建国し、シチリア島とイタリア半島南部からなる王国を造った。

I-16　**シャルル3世**　フランスに侵入してきたロロに対して、キリスト教への改宗を条件にノルマンディーの地を与えた。

I-17　**ノルマンディー公ウィリアム**

I-18　**ヘイスティングスの戦い**　ヘイスティングズの戦いともいう。

I-19　**ノルマン征服**　北フランスのノルマンディー公ウィリアムがイングランドを征服した事件。

I-20　**ノルマン朝**　ノルマンディー公ウィリアムが創始した王朝。イングランドとノルマンディーにまたがる王国を支配。

ヴァイキングは寒い地域で活躍した人々というイメージがあるが、後に暖かい地中海にまで進出し活躍した。イスラム軍の侵攻に悩まされていたイタリア諸侯は、ヴァイキングを傭兵として雇い、彼らがやがてイタリアにゆるやかに定住して、ついには南イタリアとシチリアに王国を築くに至った。このように、ヴァイキングのイタリア征服はイギリスへの征服とはやや事情が異なる。

ルーシ I-21
もしくはルス。北欧からロシアに移住したノルマン人、また彼らが支配者となった国のこと。やがて先住民であるスラヴ人と混血し、現在のロシア、ウクライナ、ベラルーシの元となった。

リューリクとその後継者、オレグの像。

ノヴゴロド国 I-22
もしくはノブゴロド国。ルーシのリューリクが最初の支配者となった国。首都は短期間スタラヤ・ラドガに、次いでノヴゴロドに置かれた。

リューリク I-23
伝説では、スラヴ諸族から「われらの国は豊かだが秩序がない」といわれ、彼らを治めるためにスカンディナヴィアから来たという。

キエフ公国 I-24
スラヴ人と同化したノヴゴロド国のルーシは、リューリクの死後、ノヴゴロドからキエフに遷都し、キエフ公国として発展した。

ウラディミル1世 I-25
またはウラジーミル、ウラジミル、ウラディミール。ロシアのキエフ大公。キエフ大公国の版図を拡大。東方キリスト教を国教とした。

スラヴ人 I-26
スラブ人とも書く。インド・ヨーロッパ語族スラヴ語派に属する民族集団。東スラヴ人・西スラヴ人・南スラヴ人などに分けられる。

農奴 I-27
ヨーロッパ封建社会における自由を制限された農民。領主による支配を受け、土地に縛られて移転の自由がなかった。

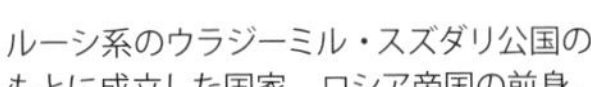

キプチャク・ハン国 I-28
モンゴル帝国のジョチの領地から始まったハン国。南ロシア一帯を支配した。

モスクワ大公国 I-29
ルーシ系のウラジーミル・スズダリ公国のもとに成立した国家。ロシア帝国の前身。

イヴァン3世 I-30
またはイワン3世。モスクワ大公国の大公。モンゴル人の支配を終わらせ、ロシアの基盤を作った。

ツァーリ I-31
カエサルのロシア語表記で、ロシア皇帝の称号。この称号はロシア革命まで続いた。

イヴァン雷帝 I-32
イワン雷帝、もしくはイヴァン4世。モスクワ大公ワシリー3世の子。「オプリチニナ制」を敷いた。

セルビア人 I-33
スラヴ人の中で主にバルカン半島周辺にいるセルビア人、クロアチア人、スロヴェニア人などのことを指す。

ポーランド I-34
ドイツとロシアにはさまれた地域。大国の時期と分割によって消滅する時期を繰り返した。

ポーランド人 I-35
西スラヴ人に属する。ポーランド国家を建設。ポーランドは、「平原」を意味するポーレに由来する。

カジミェシュ3世 I-36
またはカシミール大王。ポーランド王国の基盤を造り、クラクフ大学を設立した。

ヤギェウォ朝 I-37
もしくはヤゲウォ、ヤゲヴォ、ヤゲロー。リトアニア大公ヤギェウォにより始まるリトアニア・ポーランド王国の王朝。中央ヨーロッパで大国として繁栄した。

チェック人 I-38
西スラヴ人の一系統。チェコ人のこと。神聖ローマ帝国の下で、ベーメン(ボヘミア)王国を形成していく。

ブルガール人 I-39
トルコ系ブルガール人がスラヴ系と同化して、ドナウ下流右岸、バルカン東北部に国家を建設した。

ハンガリー王国 I-40
ドナウ川中流の北岸に広がるパンノニア平原に、マジャール人が定住し王国を建国した。

I Vikings, Slavs

ノーマン [nɔ́ɚmən]
I-1 **Norman**

ヴァイキング [váikiŋ]
I-2 **Viking**

ブリタニア [britǽniə / -tǽnjə]
I-3 **Britannia**

ヘプターキ [hέptɑɚki]
I-4 **Heptarchy**

キングダム オヴ ウェセックス [wέsəks]
I-5 **Kingdom of Wessex**

エグバート [έgbɚ:t]
I-6 **Egbert / Ecgberht**

デイン [déin]
I-7 **Dane**

デンマーク [dέnmɑ:k]
I-8 **Denmark**

[dǽánmɑ:k] や [dánmɑ:k]、[dá:nmɑ:k] など第一音節の母音は色々な発音がある。

ノース スィー エンパイア / エンパイア
[nɔ́ɚθ si: émpaiɚ / empáiɚ]
I-9 **North Sea Empire**

カニュート [k(ə)njú:t]
I-10 **Cnut / Canute / Knut**

アルフレッド ザ グレイト [ǽlfrεd / -rid ðə gréit]
I-11 **Alfred the Great**

デインロー [déinlɔ:]
I-12 **Danelaw**

ダッチィ オヴ ノーマンディ [dʌ́tʃi əv nɔ́ɚməndi]
I-13 **Duchy of Normandy**

ラロウ [rɑ́lou]
I-14 **Rollo**

キングダム オヴ ザ スィスィリ [～ sísəli]
I-15 **Kingdom of the Sicily**

チャールズ ザ サード、ザ スィンプル
[tʃɑ́ɚlz ðə símpl]
I-16 **Charles III, the Simple**

ウィリャム、デューク オヴ ノーマンディ
[wíljəm dju:k əv nɔ́rməndi]
I-17 **William, Duke of Normandy**

バトル オヴ ヘイスティングズ [bǽtl əv héistiŋz]
I-18 **Battle of Hastings**

ノーマン カンクウェスト [nɔ́ɚmən kɑ́nkwεst]
I-19 **Norman Conquest**

ノーマン ダイナスティ [nɔ́ɚmən dáinəsti]
I-20 **Norman Dynasty**

VIKING
入り江の民

Vikingは、古ノルド語vik **ヴィーク**「湾、入り江」＋-ing「～から来た」＋ -r 単数主格の接尾辞＝víkingr **ヴィー**キングル「入り江から来た者」が語源（複数ならvíkingar）。元々は特定の種族を指すわけでも、海賊行為を指すわけでもなく、海を渡ってくる人や集団を指す一般名詞だったが、やがて固有名詞化していった。北欧にはNarvik「ナルヴィク」やLarvik「ラルヴィク」、Dalvik「ダルヴィク」など入り江にちなむ地名が多数ある。アイスランドの首都Reykjavik「レイキャヴィク（レイキャヴィーク）」も、古ノルド語reykja「湯煙でけむる」＋vik「入り江」＝「湯煙の入り江」が語源。この地の温泉に由来している。ところで、日本人には食べ放題の「バイキング」料理が思い浮かぶが、この言葉は欧米人には通じない。食べ放題の店は、英語では **smorgasbord** スモーガスボードか **buffet**（フランス語に似た発音としては [bəféi] ビュ**フェイ**や [bu(:)féi] ビュ(ー)**フェイ**、英語化した発音は [bʌ́fe(t)] **バ**フェ）である。日本のバイキング料理の発祥は、帝国ホテル内にある昭和33年開業の「インペリアルバイキング」。その後、食べ放題形式の料理を出す店が、バイキングの名と共に日本中に広まった。

レイキャヴィク郊外にある地熱発電所の温水を利用した温泉「ブルーラグーン」。

ヴァイキング時代の鍋を再現したもの。欧米でViking cookingといえば、これを思い浮かべるに違いない。

ヴァイキングというと、イギリスを侵略した人々と考えられがちだが、実はこのヴァイキングがフランスに侵入し定住したのがノルマンディー公国。やがてフランス文化に影響されたノルマンディー人がイギリスを支配し、イギリスのノルマン朝となる。ヴァイキングはさらに、ロシアにも南下し勢力を広めた。ロシアで長く続いたロマノフ朝もヴァイキングの子孫である。

◆**Norman ノーマン人** 北方系のゲルマン人。「北の人」という意味で英語の North man に相当。英語の Norse **ノー**ス「ノルウェー人、北欧海賊」や、Nord **ノー**ド「ノルド語」も同根語である。西ゲルマン人による4～6世紀のゲルマン民族大移動（第1次民族大移動）の時期には、ノルマン人は北ヨーロッパにとどまっていたが、8～11世紀には南下し、その中で海賊や略奪を働いた者達が「ヴァイキング」として恐れられた。ノルマン人によるヨーロッパ各地への南下・移住は、**「第2次民族大移動」**と呼ばれている。

◆**Dane デーン人** デーン人の「デーン」はゲルマン祖語の *den-「低地、谷間」に由来すると考えられている。地名のデンマークは「デーン人の国境地」を意味する古ノルド語 Danmǫrk から来ている（mǫrk は「国境地、辺境地」のこと、ただし「デンマーク」の語源に関しては諸説ある）。英語は Denmark だが、デンマーク語は Danmark と書く。

◆**Knut クヌート** ラテン語経由すると k が c になるため、Canute や Cnut というスペルも見られる。北欧に古くからある家名で、「結び目」を意味する。英語の knot「結び目、ノット（時速約1852m）」や、knit「編み物をする、ニット」なども共通の語源に由来する。

◆**Ivan the Terrible イヴァン雷帝** 英語では「恐怖王」イヴァンを意味する。ロシア語も Гро́зный グ**ロ**ズヌイ「威嚇する、恐るべき、残酷な」という形容詞に由来するので雷という意味はない。グロズヌイの類語 гроза グ**ロ**ザ「雷」から日本語の「雷帝」の名が生まれた。ルーシの支配者は大公と称したが、イヴァン雷帝がはじめてローマ皇帝「カエサル」の名称に由来する царь[tsarʲ] **ツァ**リ「皇帝、ツァーリ」と称した。

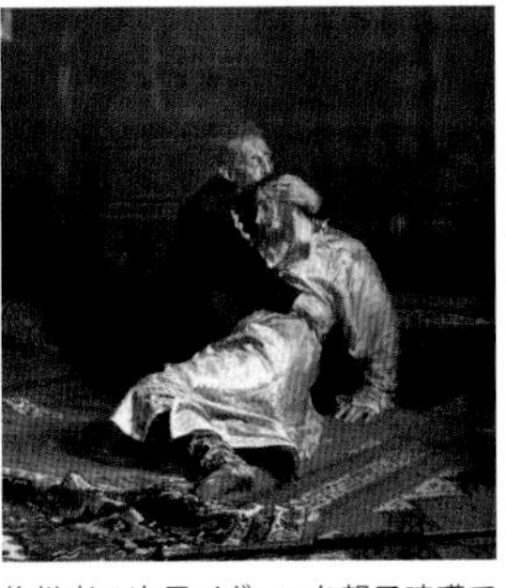
後継者の次男イヴァンを親子喧嘩で意図せず殺害したとされる。イリヤ・レーピン作。（部分）

ルース [ruːs]
Rus' I-21

ナヴガラド [nάvgərəd]
Novgorod I-22

ルーリック [rúərik]
Rurik I-23

プリンスィパリティ オヴ キーエフ [prinsəpǽləti əv kíːɛf]
Principality of Kiev I-24

ヴラディミア ザ ファースト [vlǽdəmiɚ ～]
Vladimir I I-25

Principality は、prince プリンス王子が治める国。それに対して Duchy は duke 公爵が治める国。Principality も Duchy もどちらも日本語では「公国」と訳されている。また、Grand Duchy は「大公国」と訳される。

スラーヴ [slaːv]
Slav I-26

サーフ [sɚːfs]
serf I-27

キプチャック / キプチャーク カーネイト [kiptʃǽk / kiptʃáːk káːneit]
Kipchak Khanate I-28

グランド ダッチィ オヴ マスコウ [grænd dʌ́tʃi əv máskou]
Grand Duchy of Moscow I-29

イヴァン [ívɑn] ザ サード
Ivan III I-30

発音とスペルの組み合わせは、特に決まっていない。

ザー [záɚ] / サー [saɚ] / ツァー [tsaɚ]※
czar / tzar / tsar I-31

イヴァン [ívɑn] ザ テリブル
Ivan the Terrible I-32

アイヴァン [áivɑn]、またはロシア語の元の発音に近いイヴァン [iván] やイヴァーン [iváːn] とも発音する。

サーブ [sɚːb]
Serb I-33

ポウランド [póulənd]
Poland I-34

ポウル [poul]
Pole I-35

またはキャズィミア [kǽzəmiɚ]

キャスィミイア ザ サード、ザ グレイト [kǽsəmiɚ ～]
Casimir III, the Great I-36

ヤギェロウニアン ダイナスティ [jɑgjɛlóuniən ～]
Jagiellonian Dynasty I-37

Jagiellon [jɑgjɛ́lɔːn] ヤギェローンとも書く。

チェック [tʃɛk]
Czech I-38

バルガ [bʌ́lgɚ]
Bulgar I-39

キングダム オヴ ハンガリ [kíŋdəm əv hʌ́ŋgəri]
Kingdom of Hungary I-40

J キリスト教・十字軍

J-1 **ビザンティン帝国** またはビザンツ帝国。東西に分裂したローマ帝国のうちの東方の帝国（首都コンスタンティノープル）。

J-2 **コンスタンティノープル** もしくはコンスタンチノープル。「第二のローマ」と呼ばれる。後にイスタンブルに改称。

J-3 **ユスティニアヌス大帝** ヴァンダル王国、東ゴート王国を滅ぼし、地中海世界を再統一した。

J-4 **ローマ法大全** ユスティニアヌス大帝の命令で編纂された法典。『法学提要』『学説彙纂（いさん）』『勅法彙纂』とその後に編集された『新勅法』を一体化した総称。

J-5 **ハギア・ソフィア聖堂** 聖ソフィア聖堂ともいう。コンスタンティノープルにある歴史的建築物。

J-6 **レオン3世** またはレオーン3世。東ローマ帝国イサウリア朝の初代皇帝。聖像禁止令を発した。

J-7 **イコン** ギリシャ正教会やロシア正教会などの東方の教会で礼拝に用いられる聖画像のこと。木板や金属板にキリストや聖母、聖者などを描いた。

J-8 **聖像破壊運動** レオン3世が出した聖像禁止令により生じたイコンの破壊運動。ローマ教皇が反発し、キリスト教の東西対立の端緒となった。

J-9 **モザイク壁画** 小さな陶器片やガラス片を壁面に埋め込んで絵画を描いたもの。サン・ヴィターレ聖堂や聖ソフィア大聖堂のモザイク壁画がよく知られている。

J-10 **カノッサの屈辱** 神聖ローマ皇帝ハインリヒ4世が、破門を恐れてローマ教皇グレゴリウス7世に屈服した事件。ローマ教皇権の最盛期の出来事とされる。

J-11 **グレゴリウス7世** ローマ教皇。聖職売買と聖職者の妻帯の禁止など「グレゴリウス改革」を行う。

J-12 **ハインリヒ4世** 神聖ローマ皇帝。叙任権闘争でローマ教皇グレゴリウス7世と争う。

J-13 **破門** ローマ・カトリック教会において信者に対して与えられる最大の罰。破門された信者に諸権利は認められず、キリスト教世界から追放される。

J-14 **叙任権闘争** 神聖ローマ皇帝がローマ教皇との間で司教や修道院長の聖職叙任権を巡って行った争いのこと。

J-15 **インノケンティウス3世** もしくはインノケンチウス3世、イノケンチウス3世。ローマ教皇権の全盛期の教皇。

インノケンティウス3世は、神聖ローマ皇帝やイギリス王・フランス王を屈服させ、強大な教皇権を実現、「教皇は太陽、皇帝は月」との言葉を残した。

J-16 **教皇至上主義** 教皇権至上主義ともいう。王は教皇の支配下にはないとする「国家教会主義」と対立。王よりもローマ教皇の首位性を主張した立場。

J-17 **教皇領** ローマ教皇の領有する領地。「ピピンの寄進」で成立し、中部イタリアで教皇国家を形成していたが、イタリア王国に併合された。

J-18 **枢機卿**（↓もしくは「すうきけい」） 教皇の最高顧問。元はローマ在住の司祭や助祭の中から教皇が自らの顧問として任じた者達だったが、やがてローマ以外からも選ばれ、教皇選出選挙（コンクラーヴェ）の選挙権をもつようになる。

J-19 **司教** カトリック教会の位階の一つ。正教会では「主教」、プロテスタントの一部では「監督」という用語が用いられる。

J-20 **司祭** カトリック教会の位階の一つ。呼称は「神父」。プロテスタントでは司祭がおらず、信徒を指導する者は「牧師」と呼ばれる。

セルジューク朝トルコに小アジアやパレスチナを奪われたビザンツ皇帝は、1095年、西欧諸国に救援を要請した。これに呼応し、カトリック教会の諸国が、聖地エルサレム奪還を目的として遠征軍である「十字軍」を複数回派遣した。セルジューク朝トルコは、十字軍と戦った後、モンゴル帝国の侵攻を受け13世紀後半に衰退した。

アンセルムスの著書『プロスロギオン』では神の存在証明について論じている。

中世ヨーロッパの学問の中心となったキリスト教神学。
神学 J-21

中世ヨーロッパで、教会・修道院付属の学校や大学を中心として形成された神学・哲学の総称。
スコラ学 J-22

世界最古の大学はボローニャで始まり（法学）、やがてサレルノ大学（医学）、パリ大学（神学）、オックスフォード大学（神学等）、ケンブリッジ大学（神学）、プラハ大学（神学等）が設立された。
大学 J-23

イギリスの哲学者。実在論を唱え、スコラ学の父と呼ばれる。
（カンタベリーの）アンセルムス J-24

フランスのスコラ哲学者・神学者。教会の権威や伝統を大胆に批判。エロイーズとの恋愛は有名。
アベラール J-25

イギリスのスコラ哲学者。実在論に反対して唯名論を唱え、イギリスにおける経験論の基を作った哲学者の一人。
オッカム（のウィリアム） J-26

またはトマス・アキナス。イタリアのスコラ哲学者・神学者。キリスト教とアリストテレス哲学を統合し、スコラ学を完成。
トマス・アクィナス J-27

トマス・アクィナスの著作。
神学大全 J-28

ロジャー・ベーコン J-29
イギリスの自然科学者。経験的方法を重視し、演繹（えんえき）法に対し帰納（きのう）法を提唱した。

十字軍 J-30

セルジューク朝 J-31

ウルバヌス2世は、クレルモン公会議で十字軍運動を呼びかけたローマ教皇。クリュニー修道院出身の改革派教皇で、教皇権の確立に努め、十字軍の成功によってその権威を高めた。

ウルバヌス2世 J-32

ウルバヌス2世が主催した公会議（教会会議）。聖職売買の禁止や聖職者妻帯の禁止、聖職叙任権の奪回等の教会改革を行い、最後に十字軍を宣布した。
クレルモン公会議 J-33

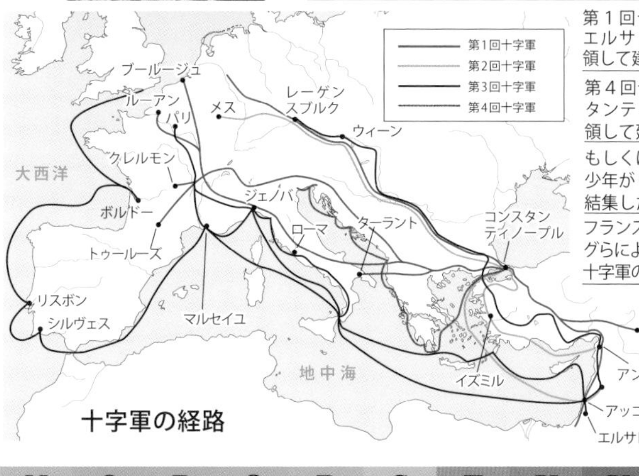

十字軍の経路

第1回十字軍がエルサレムを占領して建てた国。
エルサレム王国 J-34

第4回十字軍がコンスタンティノープルを占領して建てた国。
ラテン帝国 J-35

もしくは子供十字軍。少年がリーダーとなって結集した十字軍。
少年十字軍 J-36

フランスの騎士ユーグらにより創設。十字軍の主勢力。
テンプル騎士団 J-37

聖ヨハネ騎士団 J-38

ドイツ騎士団 J-39

J Christianity, Crusade

ビザンティン エンパイア [bízəntin émpaiə]
J-1 **Byzantine Empire**

カンスタンティノウプル [kɑnstæntinóupl]
J-2 **Constantinople**

ジャスティニアン ザ グレイト [～ dʒʌstíniən]
J-3 **Justinian the Great**

コーパス ジュアリス スイヴァイリス [kɔ́rpəs dʒúəris siváilis]
J-4 **Corpus Juris Civilis**

ヘイジア ソウフィア / ソウフィア [héidʒiə sóufiə / soufíə]
J-5 **Hagia Sophia**

リーオウ [lí:ou] ザ サード
J-6 **Leo/Leon III**

アイコン [áikən]
J-7 **icon**

アイカノクラズム [aikánəklæzm]
J-8 **iconoclasm**

モウゼイイック [mouzéiik]
J-9 **mosaic**

ウォーク トゥ キャナサ [～ kənásə]
J-10 **Walk to Canossa**

グレガリ [grégəri] ザ セブンス
J-11 **Gregory VII**

ヘンリ [hénri] ザ フォース [fɔ́ərθ]
J-12 **Henry IV**

エクスコミュ(ー)ニケイション [ɛkskəmju(:)nikéiʃən]
J-13 **excommunication**

インヴェスティチャ カントラヴァースィ [invéstitʃə kántrəvə:si]
J-14 **Investiture Controversy**

イノセント [ínəsənt] ザ サード
J-15 **Innocent III**

アルトラマンタニズム [ʌltrəmántənizm]
J-16 **Ultramontanism**

ペイパル ステイツ [péipəl steits]
J-17 **Papal States**

カーディナル [ká:rdinəl]
J-18 **Cardinal**

ビショップ [bíʃəp]
J-19 **Bishop**

プリースト [prí:st]
J-20 **Priest**

◆**Byzantine Empire ビザンティン帝国**　ビザンティンはByzantium「ビザンティウムに属する」の意。ビザンティウムは、コンスタンティノープルの古名。このギリシャの植民都市の伝説的な創始者 Byzas ビュザスに由来する。

◆**Corpus Juris Civilis ローマ法大全**　corpus は、ラテン語で基本的に「体」の意味。そこから、文書の「全体」や「集成」という意味になった。juris は、ラテン語で「法、権利」を意味する jus **ユ**ースの属格で「法の」という意味。よって、corpus juris は「法規集」「法典」「法大全」という意味になる。古代の civilis は、ラテン語 civis **キー**ウィス「ローマ市民」のこと。civis から、英語 civil「市民の、国内の」や civilization「文明」といった言葉が生まれている。ユスティニアヌスは長い歴史の中で複雑化していたローマの法律を整備した。

◆**icon イコン**　ギリシャ語 εἰκών エイ**コー**ン「似姿、像、肖像画」に由来(「聖像」に特定されているわけではない)。この語から、簡単な絵柄で記号化したものを意味する「アイコン」という語が生まれた。

現代の icon

◆**Walk to Canossa カノッサの屈辱**　英語では、Road to Canossa や、Way to Canossa、Going to Canossa、また Humiliation of Canossa という言い方もある。日本語ではもっぱら「屈辱」だが、英語ではカノッサへの「道」という表現が多い。叙任権闘争で対立していたハインリヒ４世に対して、教皇グレゴリウス７世は破門を宣告。ハインリヒ４世は、グレゴリウス７世が滞在していたトスカーナ女伯マティルデの居城カノッサ城を訪れ、カノッサ城門の前で雪が降る中、三日三晩裸足で断食をした結果、破門が撤回された。

◆**Innocent インノケンティウス**　ラテン語で否定の接頭辞 in- ＋ nocens ノ**ケー**ンス「傷つける、害する」＝

カール大帝の戴冠を行った教皇は Leo III「レオ 3 世」、聖像禁止令を出した皇帝は Leon III「レオン 3 世」で紛らわしい。Leo や Leon はどちらも、「ライオン」を意味するギリシャ語レオーンに由来。レオン 3 世はギリシャ正教会なので言語がギリシャ語で語尾に n が残り、ローマ・カトリック教会のレオ 3 世は言語がラテン語なので、語尾の n がなくなっている(p.63 のコラム参照)。

「罪のない、汚れを知らない」という意味がある。

◆**Scholasticism スコラ学**　ギリシャ語で「暇、自由時間、その時間に行う余暇」を意味する σχολή スコレーから、ラテン語 schola スコラという言葉が生まれた。初めは教会や修道院に付属した歌の「学校」を指していたが、「討論、講義」を指すようになり、「スコラ学」という意味になる。また、討論や講義が行われる場所という意味から、英語の school スクール「学校」も派生した。

病院騎士団？
Knights Hospitaller

聖ヨハネ騎士団は、英語で St. John Hospitaller ともいうが、Knights Hospitaller として知られている。十字軍の時代、エルサレムのヨハネ修道院の跡に造られた、病院兼巡礼者宿泊施設としてはじまった。十字軍がパレスチナから追われた後はキプロス島に、次いでロードス島に本拠地を移し、医療活動と共にイスラム軍との戦闘に加わった（それゆえ当時は「ロードス騎士団」と呼ばれた）。しかし、オスマン帝国のスレイマン 1 世によってロードス島が陥落すると、マルタ島に移ったため、「マルタ騎士団」として知られるようになる。やがてナポレオンのマルタ島侵攻によりマルタ島を奪われ、国土を失った。今日でも領土をもたない「主権実体」として、百に近い国と外交関係をもち、今も医療活動や人道援助等の活動に従事している。

聖ヨハネ騎士団が医療活動に携わっている場面の模型。

スィアラジ [θiálədʒi]
theology J-21

スコラスティスィズム [skəlǽstisizm]
Scholasticism J-22

ユニヴァースィティ [junəvə́ːsiti]
university J-23

アンセルム（オヴ　キャンタベリ）[ǽnsɛlm əv kǽntərbɛri]
Anselm (of Canterbury) J-24

アベラード [ǽbəlɑrd]
Abelard J-25

Ockham オッカムはイギリス南部の町で、ウィリアムの出身地。

（ウィリャム　オヴ）アカム [wíljəm əv ákəm]
(William of) Ockham J-26

タマス　アクワイナス [táməs əkwáinəs]
Thomas Aquinas J-27

スマー　スィアラジカー [súmɑː θiəládʒikɑː]
Summa Theologica J-28

ラジャ　ベイカン [rádʒə béikən]
Roger Bacon J-29

クルーセイド [kruːséid]
Crusade J-30

セルジューク　ダイナスティ [sɛldʒúːk dáinəsti]
Seljuq / Seljuk Dynasty J-31

アーバン [ə́ːbən] ザ　セカンド
Urban II J-32

カウンセル　オヴ　クレマント [káunsəl əv klérmɑnt]
Council of Clermont J-33

キングダム　オヴ　ジルーサレム [kíŋdəm əv dʒirúːsələm]
Kingdom of Jerusalem J-34

ラトゥン　エンパイア [lǽtən ɛ́mpaiə]
Latin Empire J-35

チルドレンズ　クルーセイド [tʃíldrənz kruːséid]
Children's Crusade J-36

ナイツ　テンプラ [náits témplə]
Knights Templar J-37

ナイツ　ハスピタラ [náits háspitələ]
Knights Hospitaller J-38

テュータニック　オーダ [t(j)uːtánik ɔ́rdə]
Teutonic Order J-39

K 百年戦争・薔薇戦争

このページでは、年代順に人物を配置しており、英・仏・ランカスター家・ヨーク家が入り交じっているため、㊈㊋㊍㊐で区別している。

K-1 ㊈ **プランタジネット朝**（ちょう）

K-2 ㊈ **リチャード1世 獅子心王**（せい ししんおう）

K-3 ㊈ **ジョン欠地王**（けっちおう） 出生時に領地を与えられなかったことから欠地王と呼ばれる。

K-4 **マグナ・カルタ（大憲章）**（だいけんしょう）

K-5 ㊈ **シモン・ド・モンフォール**

K-6 **模範議会**（もはんぎかい） エドワード1世が、スコットランド遠征の戦費捻出のため招集した議会。

マグナ・カルタは、貴族達がジョン欠地王に、王権の制限・貴族の特権・都市の自由を認めさせた文書。今も憲政の重要文書の一つとされている。
風刺画家ジョン・リーチ作の1875年のイラスト。

ながすねおうとも読む。

K-7 ㊈ **エドワード1世 長脛王**（せい ちょうけいおう） 足が長く、長脛王のあだ名がある。ウェールズやスコットランドに侵攻した。

K-8 **ウィリアム・ウォレス** エドワード1世によるスコットランド侵攻に対し、反乱を指揮する。スコットランドで英雄とされる。

K-9 ㊋ **フィリップ2世 尊厳王**（せい そんげんおう） フランスのカペー朝の国王。イギリス王ジョンと争って領地を拡大し、王権強化の基盤を作った。

K-10 **カタリ派**（は） キリスト教異端の一派。カタリとは「清浄」の意。極度に禁欲的な戒律をもつ。

K-11 **アルビジョワ派**（は） カタリ派の南フランス分流。原語はアルビ地方の人々の意。

K-12 **三部会**（さんぶかい） フランスの身分制議会。聖職者、貴族、第三身分（平民）の各代表によって構成された。身分制議会の代表例。

K-13 ㊋ **ヴァロワ朝**（ちょう） フランス王国のカペー朝に続く、フィリップ6世即位によりはじまる王朝。

K-14 **百年戦争**（ひゃくねんせんそう） フランスの王位継承権を巡り、イギリス・フランスの間で断続的に行われた戦争。フランスでは騎士として参戦した封建領主の没落をもたらし、王権が強化されることになった。

K-15 ㊈ **エドワード3世**（せい） カペー朝フィリップ4世の孫としてフランスの王位継承権を主張し、百年戦争をはじめる。

K-16 **ブルターニュ継承戦争**（けいしょうせんそう） ブルターニュ公ジャン3世の後継者を巡る争い。

K-17 ㊋ **シャルル5世 賢明王**（せい けんめいおう） 一般税、都市の援助金、塩の専売収益を整備した。

K-18 ㊈ **エドワード黒太子**（こくたいし）↓もしくは「くろたいし」 百年戦争当時のイギリス王エドワード3世の皇太子。

K-19 **クレシーの戦い**（たたか） エドワード3世指揮下のイングランド軍が、フランス王フィリップ6世の軍を撃破した。

K-20 **ポワティエの戦い**（たたか） エドワード黒太子がフランス国王ジャン2世を破って捕虜にした戦い。

シモン・ド・モンフォールはイギリスの貴族でレスター伯。1264年に貴族の反乱を指導し、ヘンリ3世に議会開設を認めさせた。この議会はモンフォール議会（シモン・ド・モンフォール議会）という。これは、イングランドの議会制度の基礎となり、後のイギリス議会の下院の源流となった。

アジャンクールの戦い K-21
アザンクール、アジンコートともいう。約7千の歩兵を率いたヘンリ5世が、カレー南東のアジャンクールで、重装騎兵を主軸とする約2万のフランス軍を圧倒した。

アジャンクールの古戦場に立てられている、木の板でできたイギリスの長弓隊。

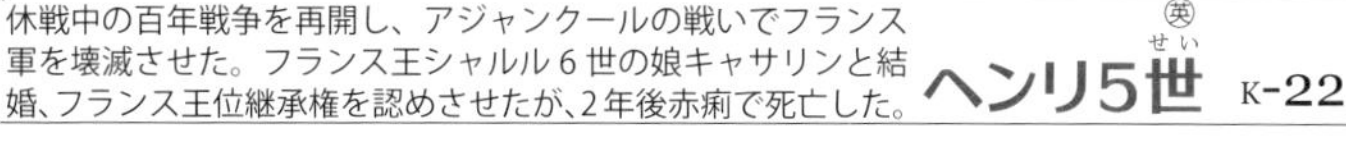

ヘンリ5世（英） K-22
休戦中の百年戦争を再開し、アジャンクールの戦いでフランス軍を壊滅させた。フランス王シャルル6世の娘キャサリンと結婚、フランス王位継承権を認めさせたが、2年後赤痢で死亡した。

長弓隊 K-23
フランス軍は弩（いしゆみ）を使用したが、長弓を用いたイギリスの軽装歩兵が打ち破り、弓の性能の差が勝敗を分けた。

ジャンヌ・ダルク（仏） K-24
または「オルレアンの乙女」。百年戦争でオルレアンの解放を指揮し、フランスの窮地を救った少女。

オルレアン K-25
フランス中央部の小都市。連戦連勝のイギリス軍はオルレアン包囲戦で攻略に失敗。以後、フランスの反撃が始まる。

シャルル7世 勝利王（仏） K-26
イギリス軍を撤退させて、百年戦争を終わらせたフランス王。

カレー K-27
フランス北部のドーヴァー海峡に面した要地。百年戦争後も、ここのみイギリスの占領が続いた。

ランカスター家（赤） K-28
プランタジネット家のエドワード3世の次男ジョンがランカスター公を名乗り、その子ヘンリ4世がランカスター朝を開く。

ヨーク家（白） K-29
プランタジネット家の支流。ヨーク公エドマンド・オブ・ラングリーの子孫。

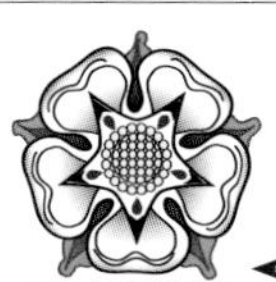

ヨーク家の家紋。

白薔薇と赤薔薇 K-30

薔薇戦争 K-31
王位継承を巡るランカスター家とヨーク家の争い。

ランカスター家の家紋。

ヘンリ6世（赤） K-32
エドワード4世に王位を追われ、ロンドン塔に幽閉される。

マーガレット（赤） K-33
ヘンリ6世の王妃。

ヘンリ6世の王妃。マーガレット・オブ・アンジュー。フランスのヴァロワ＝アンジュー家の出身。エドワード・オブ・ウェストミンスターの母。気弱な夫と幼い息子に代わり、ランカスター派を率いて戦争を指揮した。

エドワード4世（白） K-34
ヨーク朝初代の王。ランカスター家のヘンリ6世を追放して王位に就いた。

セント・オールバ(ー)ンズの戦い K-35

リチャード3世（白） K-36
グロスター公。ヨーク朝最後の王。ボスワースの戦いに敗れ、戦死した。

ボズワースの戦い K-37
バーミンガム北東のボズワースが戦場となる。

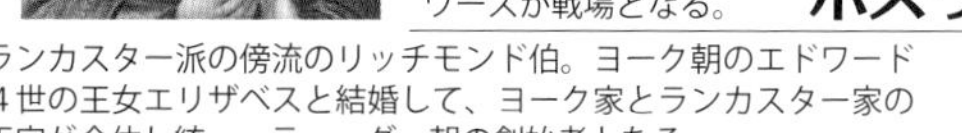

ヘンリ7世（赤） K-38
ランカスター派の傍流のリッチモンド伯。ヨーク朝のエドワード4世の王女エリザベスと結婚して、ヨーク家とランカスター家の王家が合体し統一。テューダー朝の創始者となる。

テューダー朝 K-39
チューダー朝ともいう。イギリス絶対王政全盛期の王朝。ヘンリ7世からエリザベス1世にかけて、ヨーロッパの大国に成長した時期の王朝。

星室庁裁判所 K-40
「星室裁判所」や「星法院」、または英語の通り「スター・チェンバー」ともいう。イギリス絶対王制期の刑事特別裁判所。

ハウス オヴ プランタジニット [～ plæntædʒənit]
K-1 House of Plantagenet

リチャド ザ ファースト、ザ ライアンハート [rítʃə-d ～ ðə láiənhɑə-t]
K-2 Richard I, the Lionheart

ジャン ラックランド [dʒán lækland]
K-3 John Lackland

マグナ カータ [mægnə káə-tə]
K-4 Magna Carta

サイモン ド マンフォート [sáimən də mántfə:t]
K-5 Simon de Montfort

マデル パーラメント [mádəl páə-ləmənt]
K-6 Model Parliament

エドワド ザ ファースト、ローングシャンクス [édwə-d lɔ́:ŋʃæŋks]
K-7 Edward I, Longshanks

ウィリャム ウァラス [wíljəm wáləs]
K-8 William Wallace

フランス語のスペルで発音が英語の Auguste [áugu:st] アウグーストもある。

フィリップ ザ セカンド オーガスタス [fílip ɔ:gʌ́stəs]
K-9 Philip II, Augustus

キャサー [kæθɑə-] / キャサライ [kæθɑrai]
K-10 Cathar（単数）/Cathari（複数） または Carthars

アルビジェンス [ælbidʒéns]
K-11 Albigense

イステイツ / イステイツ ジェネラル [istéits / stéits dʒénərəl]
K-12 Estates/States General

ハウス オヴ ヴァルワ(ー) [～ valwá(:) / vælwɑ]
K-13 House of Valois

ハンドリッド イヤズ ウォー [hʌ́ndrid jíə-z wɔə-]
K-14 Hundred Years' War

エドワド [édwə-d] ザ サード
K-15 Edward III

ウォー オヴ ザ ブレトゥン サクセション [～ brétn səkséʃən]
K-16 War of the Breton Succession

チャールズ ザ フィフス、ザ ワイズ [tʃáə-lz ðə wáiz]
K-17 Charles V, the Wise

エドワド ザ ブラック プリンス [～ blæk prins]
K-18 Edward the Black Prince

バトル オヴ クレスィ / クレイスィー [～ krési / kreisí:]
K-19 Battle of Crécy

バトル オヴ プワティエイ [pwatjéi]
K-20 Battle of Poitiers

◆ **House of Plantagenet プランタジネット朝**　Plantagenet とは、ラテン語 planta genista プランタ ゲニスタ「エニシダの植物」を短くしたもの。アンジュー家のエンブレムが、エニシダ（金雀枝）の意匠を施したもののため。プランタジネット朝の開祖ヘンリ２世の父であるジョフロワ４世が、エニシダの小枝を帽子に挿（さ）して戦地に赴（おもむ）いたことから、ジョフロワ４世のあだ名となった（Geoffrey Plantagenet）。やがてそれが家名となった。

◆ **Richard I, the Lionheart リチャード1世 獅子心王**　その勇猛果敢ぶりのため、敵のイスラムの王サラディンが「キリスト教徒一の勇者」と称えた王。「中世騎士道の華」「勇敢な獅子王」として今も賞賛されている半面、好戦的な言動のために味方のはずのキリスト教国の王達から反感を買い、帰国途中にもオーストリア公レオポルド５世に捕まり、莫大な身代金を支払うはめとなる。

◆ **Magna Carta マグナ・カルタ**　ラテン語 magna **マ**グナ（マンナ）は「大きな」、carta **カ**ルタは「パピルス、一枚の紙、四角い紙」、そこから転じて「憲章」を意味した。日本語の**「かるた（歌留多）」**は、ポルトガル語を経由して日本語に入ったもの。英語の Card「カード」も同根語。

◆ **Joan of Arc ジャンヌ・ダルク**　英語の発音で音をつなげた場合はジョウノヴァーク。フランス語では Jeanne d'Arc ジャン(ヌ) ダーク[ʒan dark]。フランス語の古いスペルでは、Jehanne Darc。Jehanne は、英語の John ジョン「ヨハネ」の女性形に相当。ジャンヌ・ダルクは Arc ア

百年戦争は、近代国家の戦争のように国と国とが戦う戦争ではなく、イギリスを支配していたプランタジネット朝(フランスの貴族アンジュー伯アンリが初代の王)およびランカスター朝(プランタジネット朝の分家)が、フランスを支配するヴァロワ朝の王と戦うというフランス人同士の争いであり、いわばフランス国内の内戦である。

ルク村と関係がないため、アルク村のジャンヌという意味ではなく、父方の姓がDarcだったものが、近代になってd'Arc というスペルに変えられたものといわれている。

◆ **The Court of Star Chamber 星室庁裁判所**

国王の権限で貴族を裁くことができたため、絶対王政の象徴とみなされた。ウェストミンスター宮殿の「星の間」(天井には星が描かれていた)で開かれたのが由来。

リチャード3世
邪悪なヒキガエル?

シェイクスピアの史劇『リチャード3世』の中では、リチャード3世は「その化物じみた醜い姿」で、背中が曲がって足を引きずり、「ヒキガエル」のようだとされている。さらには、親族や反対派の貴族を謀反(むほん)の疑いで次から次へと処刑した、冷酷で極悪非道の王として描かれている。本当だろうか? 2012年、リチャード3世の埋葬地が発見され(駐車場になっていた)、後頭部が何度も打たれていた遺骨が発掘された。脊椎側彎症(せきついそくわん)の跡も発見されたが、衣服で隠せる程度と推定された。頭蓋骨から顔も復元されたが、決して醜い容貌ではない。勝者であるテューダー朝の王達が、リチャード3世をまるで悪の権化のように中傷し、それが後世に広まったのであろう。

バトル オヴ アジャンコート [ǽdʒənkɔɚt]
Battle of Agincourt K-21

ヘンリ [hénri] ザ フィフス
Henry V K-22

ズィ イングリッシュ ロングボウ [lɔ́ŋbou]
the English longbow K-23

ジョウン オヴ アーク / ジョウノヴァーク [dʒóun əv ɑɚk / dʒóunəvaɚk]
Joan of Arc K-24

オーリアンズ [ɔ́ɚlianz]
Orléans K-25

チャールズ ザ セブンス、ザ ヴィクトーリアス [tʃɑ́ɚlz ðə viktɔ́:riəs]
Charles VII the Victorious K-26

キャレイ / キャレイ / カレイ [kǽlei / kæléi / kəléi]
Calais K-27

ハウス オヴ ランカスタ [~ lǽŋkəstɚ]
House of Lancaster K-28

ハウス オヴ ヨーク [~ jɔɚk]
House of York K-29

(ホ)ワイト ロウズ [(h)wait / wait róuz] レッド ロウズ [rɛd róuz]
White Rose & Red Rose K-30

ウォーズ オヴ ザ ロウズィズ [~ róuziz]
Wars of the Roses K-31

ヘンリ [hénri] ザ スィックス [siksθ]
Henry VI K-32

マーガレット [mɑ́ɚg(ə)rət]
Margaret K-33

エドワド [ɛ́dwɚd] ザ フォース
Edward IV K-34

バトル オヴ セイント オールバンズ / アルバンズ [~ ɔ́:lbənz / ǽlbənz]
Battle of St. Albans K-35

リチャド [rítʃɚd] ザ サード
Richard III K-36

バトル オヴ ボズワース フィールド [~ bɔ́zwɚ:θ]
Battle of Bosworth Field K-37

ヘンリ [hénri] ザ セブンス
Henry VII K-38

ハウス オヴ テューダ [~ t(j)ú:dɚ]
House of Tudor K-39

ザ コート オヴ スター チェインバ [~ stɑ́ɚ tʃéimbɚ]
The Court of Star Chamber K-40

Romance ロマンス

中世ヨーロッパでは、文語は古典ラテン語、口語は俗ラテン語すなわちRomance「ロマンス語」が用いられた。そのため、ロマンス語で書かれた中世の騎士物語（騎士道物語）のことを「Romance」ロマンスといい、そこから現代英語の**romance**「ロマンス、恋愛小説」や、**romantic**「ロマンチックな、空想的な」、**Romantic**「ロマン主義の」という言葉が派生していった。日本語で「男のロマン」という時の「ロマン（浪漫）」は、自分の夢、憧れ、冒険心を指している場合が多いが、英語の **Roman** は「ローマの、ローマ人、ローマ・カトリック教徒」を指しており、「男のロマン」のような用法は日本独特である。多くの騎士物語は、冒険や正義のための敵との戦い、美しい貴婦人との恋愛を描いており、まさに現在のファンタジー小説の起源といえる。それらの物語は吟遊詩人によって弾き語りで広まっていった。テーマとしては伝説の**アーサー王**（サクソン人の侵攻に抵抗したブリトン人の王）と**円卓の騎士**を扱う物語や、**トリスタンとイゾルデ**、**アレクサンドロス大王**などが人気を博したが、やがては騎士精神も騎士物語も廃(すた)れていった。セルバンテスの名作**『ドン・キホーテ』**は、騎士物語をパロディ化したものである。

イギリス南西部の岬のティンタジェル城廃墟付近に置かれている「アーサー王」の像（ルービン・アイノン作）

関連英語

騎士道物語	シヴァルリック ロウマンス [ʃivǽlrik roumǽns] **Chivalric romance**
吟遊詩人	バード [bάɚd] **bard**
アーサー王	キング アーサ [kiŋ άɚθɚ] **King Arthur**
トマス・マロリー	タマス マロリ [tάməs mǽləri] **Thomas Malory**
トリスタンとイゾルデ	トリスタン [trístən] アンド イスールト [isú:lt] / イゾウルダ [izóuldə] **Tristan and Iseult / Isolde**
セルバンテス	サヴァンティーズ [sɚvǽnti:z] **Cervantes**
ドン・キホーテ	ダンキオウティ [dɑnki(h)óuti] **Don Quixote**

Part III

Early Modern Times

近世

L ルネサンス

L-1 **ルネサンス** 大航海時代、宗教改革の動きと共に、ヨーロッパ近代の出発点となった。

L-2 **人文主義**（じんぶんしゅぎ） 「ヒューマニズム」ともいう。カトリック教会の神中心の世界観に対して、人間そのものの美しさや価値を見いだした思想。

L-3 **人文主義者**（じんぶんしゅぎしゃ） ルネサンス期において、人文主義に基づき、ギリシャ・ローマの古典文芸や聖書原典の研究を基本として、神や人間の本質を考察した知識人のこと。

L-4 **ペトラルカ** ローマの古典の復興を試み、古典を通じて人間性を追求する人文主義の先駆者。典雅な詩風により近代抒情（じょじょう）詩に大きな影響を与えた詩人・学者。

L-5 **マキァヴェリ** 実際の活動の体験から、現実的な政治や外交のあり方を説いた『君主論』などの諸作で、近代の政治思想に大きな影響を与えた思想家、フィレンツェ共和国の外交官。

L-6 **君主論**（くんしゅろん） 君主は権力への野心と武人的な決断力をもち、徹底した権謀術数的統治手段をとるべきだと説く。

L-7 **メディチ家**（け） フィレンツェの銀行家、政治家の一族。ルネサンスの芸術・学問の保護者となった。

L-8 **ロレンツォ・デ・メディチ**

イタリアのルネサンス最盛期のメディチ家当主。イル・マニフィコ（偉大な人）と呼ばれた。その財力を用いて、多数の芸術家のパトロンとなった。

L-9 **ダンテ** フィレンツェ出身の詩人、文学者。『神曲』をトスカーナ語の口語で書いた。

L-10 **神曲**（しんきょく） ダンテの代表作の長編叙事詩。地獄編・煉獄（れんごく）編・天国編の3部からなる。

L-11 **ボッカチオ** もしくは、ボッカッチョ。フィレンツェの文学者。代表作に『デカメロン』がある。

L-12 **デカメロン** 黒死病（ペスト）の難を逃れてフィレンツェの郊外に避難した人々の物語。

L-13 **チョーサー** イギリスの詩人。「英詩の父」と呼ばれる。代表作は『カンタベリー物語』。

L-14 **カンタベリー物語**（ものがたり）

L-15 **エラスムス** ルネサンス最大の人文主義者。代表作は『愚神礼賛』。

エラスムスは、オランダのロッテルダム出身の人文主義者・聖職者。ケンブリッジ大学でギリシャ語を教え、新約聖書のラテン語・ギリシャ語対訳である『校訂版 新約聖書』をバーゼルで刊行した。

L-16 **愚神礼賛**（ぐしんらいさん） 痴愚の女神が語るという形式で、当時の教会の形式化や、聖職者の偽善を鋭く風刺した書物。

L-17 **トマス・モア** イングランドの法律家・思想家・人文主義者。ヘンリ8世により反逆罪で処刑された。

L-18 **ユートピア** トマス・モアの主著。理想社会を描くことを通じ、当時の社会への批判を展開した。

L-19 **ロイヒリン** ドイツの新プラトン主義者・古典学者。古典研究をヘブライ語の分野にまで広げ、『ヘブライ語入門』を著す。

L-20 **ラブレー** フランスの作家・医師。騎士物語のパロディーである『ガルガンチュワ物語』と『パンタグリュエル物語』が有名。

ルネサンス期の芸術家・科学者は他にも多数いるため、彼らの名前の語源を詳述するだけで一冊の本になるほどだが、ここではごく一部の代表的な芸術家達やその作品を紹介するにとどめる。

モンテーニュ L-21
フランスを代表する哲学者・モラリスト・懐疑論者。ボルドーに近い「モンテーニュ」で生まれた。

随想録（ずいそうろく） L-22
もしくは『エセー』。モンテーニュの主著。日常の事柄に関する107の随筆集で、当時としては全く新しいジャンルの書物だった。

ボッティチェリ L-23
またはボッチチェリ。フィレンツェの画家でルネサンス絵画の代表的人物。『春』『ヴィーナスの誕生』で人間美を表現した。

ブラマンテ L-24
ミラノ、ローマで活躍した建築家。サン・ピエトロ大聖堂修築の設計図を作成した。ルネサンス建築様式の完成者といわれる。

サン・ピエトロ大聖堂（だいせいどう） L-25
ローマ・カトリック教会の総本山。世界最大の大聖堂。ローマ帝国期に建造。ルネサンス期に修築された。

ミケランジェロ L-26
イタリアの画家・彫刻家・建築家・詩人。ルネサンスの巨匠。

システィナ礼拝堂（れいはいどう） L-27
バチカン宮殿にある礼拝堂。ミケランジェロの『最後の審判』等、多数の絵画がある。現在、ローマ教皇選出のコンクラーヴェの開催地。

最後の審判（さいごのしんぱん） L-28
世界の終末における神の審判を描いたシスティナ礼拝堂のフレスコ画。幅約13m、高さ約14mで、世界最大規模の壁画。約5年の歳月をかけて完成させた。

レオナルド・ダ・ヴィンチ L-29
芸術や解剖学、科学、建築、兵器開発など広い分野で活躍したルネサンスの巨匠。

最後の晩餐（さいごのばんさん） L-30
キリストが磔刑（たっけい）の前夜に、12人の弟子と共にした晩餐を描いたダ・ヴィンチの作品。サンタ・マリア・デッレ・グラツィエ教会の食堂の壁に描かれた。

「恋多き男」の異名をとったラファエロの若き日の自画像。

モナ・リザ L-31
レオナルド・ダ・ヴィンチ作の婦人肖像画。神秘的な微笑をたたえる永遠の女性像として知られる。

ラファエロ L-32
ラファエッロともいう。ルネサンスの盛期にローマなどで活躍した画家・建築家。『聖母子像』、壁画『アテネの学堂』などが代表作。

アテネの学堂（がくどう） L-33
バチカン宮殿「署名の間」を飾る壁画の一つ。→p.45。

ファン・アイク兄弟（きょうだい） L-34
ネーデルラント出身のファン・アイク兄弟（ファン・エイクともいう）は、初期フランドル派の礎を築いた芸術家。『アルノルフィニ夫妻の肖像』が有名。

デューラー L-35
ドイツの画家・版画家・数学者。『四人の使徒』が代表作。

ブリューゲル L-36
フランドルの画家。農民生活を題材とする作品を多数描いた。

コペルニクス L-37
ポーランドの天文学者。

地動説（ちどうせつ） L-38
コペルニクスは天体観測に基づき地動説を説き、近代天文学、科学への道を開いた。

グーテンベルク L-39
ドイツの活版印刷術の創始者。

活版印刷（かっぱんいんさつ） L-40
グーテンベルクは『グーテンベルク聖書』を出版。この活版印刷による聖書の普及が、宗教改革の広がりに大きく貢献した。

L-1 レネサーンス [rénəsa:ns] / レネ**サー**ンス [rɛnəsá:ns]
Renaissance

L-2 **ヒュー**マニズム [hjú:mənizm]
humanism

L-3 **ヒュー**マニスト [hjú:mənist]
humanist

L-4 ペト**ラー**カ [pɛtráɚkə]
Petrarca

L-5 マキア**ヴェ**リ [mækiəvéli]
Machiavelli

L-6 ザ プ**リ**ンス [ðə prins]
The Prince

L-7 **メ**ディチー **ファ**ミリ [méditʃi: fǽməli]
Medici family

L-8 ロ**エ**ンゾウ ディ **メ**ディチー [ləréenzou di méditʃi:]
Lorenzo de' Medici

L-9 **ダー**ンテイ [dá:ntei]
Dante

L-10 ザ ディ**ヴァ**イン **カ**メディ [ðə diváin kámədi]
The Divine Comedy

L-11 ボウ**カー**チオウ [bouká:tʃiou]
Boccaccio

L-12 ザ ディ**キャ**メラン [ðə dikǽmərən]
The Decameron

L-13 **チョー**サ [tʃɔ́:sɚ]
Chaucer

L-14 ザ **キャ**ンタベリ **テイ**ルズ [ðə kǽntɚberi teilz]
The Canterbury Tales

L-15 イ**ラ**ズマス [irǽzməs]
Erasmus

L-16 (イン) プ**レイ**ズ オヴ **ファ**リ [in préiz əv fáli]
(In) Praise of Folly

L-17 **タ**マス **モー** [táməs mɔ́ɚ]
Thomas More

L-18 ユー**トウ**ピア [ju:tóupiə]
Utopia

L-19 **ロイ**クリン [rɔ́iklən] / **ロイ**ヒリーン [rɔ́jçli:n]
Reuchlin

L-20 **ラ**ベレイ [rǽbəlei]
Rabelais

◆**Renaissance ルネサンス**　この語は「再生、復活、復興」を意味するフランス語に由来する。フランス語は単語の最後の音節にアクセントが来るので、フランス語風の発音の場合は レネ**サー**ンスになるが、アメリカ英語では**レ**ネサーンスと発音されることが多い (ゲルマン語由来の名詞は語頭にアクセントが来ることが多い)。イギリス英語では、レ**ネ**サーンスというアクセントの位置でも発音される。古代ギリシャ・古代ローマ文化の再生を目指した文化運動を指している。

◆**The Divine Comedy 神曲**　divine ディヴァインは英語で「神の、神聖な」という意味の形容詞。オペラの女性歌手やプリマドンナのことを英語で Diva ディーヴァというが、これも divine と同根語である。Divine Comedy は直訳すれば「神喜劇」となるが、神曲は吉本新喜劇のようないわゆる日本の「喜劇」とは異なる。そもそも、comedy という言葉は、ギリシャ語の κῶμος **コー**モス「祭りの行列、飲み騒ぎ」＋ ᾠδή オー**イデー**「歌、曲」＝ κωμῳδία コーモーイ**ディ**ア「祭りの行列の乱痴気騒ぎで歌う陽気な歌・世相を揶揄(やゆ)する風刺歌」に由来する。やがて、悲しい結末で終わるギリシャ悲劇に対して、政治や社会問題を描いたユニークな風刺劇をコーモーイディア、コメディー「喜劇」と呼ぶようになったもの。神曲も当時の政治や社会への風刺に満ちている作品である。comedy の語源に「曲」という意味があるので、「神曲」は決して極端な意訳というわけではない。ちなみに、英語の melody「メロディー」も「良い歌」という意味である。

ギリシャ喜劇で役者がかぶったお面

◆**The Decameron デカメロン**　大きいメロンという意味ではなく、ギリシャ語の δέκᾰ **デ**カ「10」に ἡμέρᾱ ヘー**メ**ラ「日」を足したもので「十日間」の意。それゆえデカメロンは『十日物語』とも呼ばれている。フィレンツェの男女 10 人が、黒死病を逃れて郊外の別荘に集まり、各々が 1 日 1 話を 10 日にわたって順番に語ったという形

ミケランジェロの名がミカエルという天使の名前に由来するように、同時代の画家の Raphael ラファエロも、聖書の正典には出て来ないが、旧約聖書外典の『トビト記』や『エノク書』に出てくる天使の名前に由来している。当時の人名の多くが聖書からとられているので、西欧の人名には天使の名前がしばしば用いられている。

で、計100話の短編からなる。あらゆる身分の人々の生きざまが生き生きと描かれており、ダンテの『神曲』(The Divine Comedy 神喜劇) に対して『人間喜劇』『人曲』(The Human Comedy) とも呼ばれている。

◆ **Utopia ユートピア**　ユートピアはトマス・モアの長編小説の架空の国の名前。ギリシャ語の οὐ **ウー**否定の小辞に τόπος **ト**ポス「場所、位置」を合わせた「どこにもない場所」のこと。一方、「悪い、間違った、困難な」を意味する接頭辞 δυσ- **デュ**スが付いた英語 dystopia ディスト**ウ**ピアは、ユートピアとは真逆の、個人の自由が著しく制限された監視社会を表す語としてSF小説で使われている。

ミケランジェロは天使ミカエル
Michelangelo

ミケランジェロという名前は、イタリア語の Michele ミケーレ + Angelo アンジェロ「天使」を結びつけたもの。ミケーレは天使 Michael「ミカエル」のことで、国によって色々な発音がある。マイケル(英語)、ミヒャエル(ドイツ語)、ミシェル(フランス語)、ミハイル(ロシア語)、ミゲル(スペイン語)など。元々はヘブライ語の מִיכָאֵל **ミー**「誰？」＋**カー**「～のような」＋**エー**ル「神」＝**「誰が神のようであろうか？(否、誰もいない)」**という反語を用いた文が名前になったもの。

マンテイン [mantéin]
Montaigne L-21

エセイズ [εséiz]
Essays L-22

バティチェリ [batitʃéli]
Botticelli L-23

ブラマンテイ [brəmántei]
Bramante L-24

セイント ピーターズ バスィリカ [seint pí:tɚz bəsílikə]
St. Peter's Basilica L-25

マイカランジェロウ [maikəlǽndʒəlou]
Michelangelo L-26

スィスティーン チャペル [sísti:n tʃǽp(ə)l]
Sistine Chapel L-27

ラスト ジャッジメント [lǽst dʒʌ́dʒmənt]
Last Judgement L-28

リーアナードウ ダ ヴィンチ [li:ənáɚdou də víntʃi]
Leonardo da Vinci L-29

ラスト サパ [lǽst sʌ́pɚ]
Last Supper L-30

モウナ リーサ [móunə lí:sə]
Mona Lisa L-31

ラフィアル [rǽfiəl]
Raphael L-32

ザ スクール オヴ アスィンズ [ðə sku:l əv ǽθinz]
The School of Athens L-33

ヴァン アイク ブラザズ [væn aik brʌ́ðɚz]
Van Eyck brothers L-34

デュラ [dúrɚ]
Dürer L-35

ブロイゲル [brɔ́igəl]
Brueghel L-36

コウパーニカス [koupɚ́:nikəs]
Copernicus L-37

ヒーリオセントリック スィオリ [hi:liouséntrik θíəri]
heliocentric theory L-38

グーテンバーグ [gú:tnbɚ:g]
Gutenberg L-39

レタープレス プリンティング [létɚprεs príntiŋ]
letterpress printing L-40

M 大航海時代

M-1 **遠洋航海**（えんようこうかい）

M-2 **香辛料**（こうしんりょう）

M-3 **ポルトガル**

M-4 **リスボン** ポルトガルの首都。16世紀の貿易の中心地。

M-5 **マルコ・ポーロ**

M-6 **東方見聞録**（とうほうけんぶんろく） 『世界の記述』ともいう。日本を黄金の国ジパングと紹介し、日本のことをはじめてヨーロッパに伝えた。

M-7 **エンリケ航海王子**（こうかいおうじ） 西アフリカ探検事業のパトロン。大航海時代の幕開けに寄与した。

M-8 **バルトロメウ・ディアス** バーソロミュー・ディアズともいう。

M-9 **ジョアン2世 完全王**（せい かんぜんおう） もしくは無欠王。

M-10 **喜望峰**（きぼうほう） アフリカの南端の岬。バルトロメウ・ディアスの船隊が発見。「嵐の岬」と名付けられたが、後にジョアン2世により「喜望峰」と改名された。

M-11 **エルミナ要塞**（ようさい） ガーナの南端の港。奴隷貿易の拠点となった。

M-12 **ヴァスコ・ダ・ガマ** またはバスコ・ダ・ガマ。

M-13 **マヌエル1世 僥倖王**（せい ぎょうこうおう） もしくは金持王。

M-14 **カリカット** コーリコード、コージコード、コジコーデともいう。インド南部の港湾都市。

M-15 **インド航路**（こうろ） 1497年にリスボンを出発したヴァスコ・ダ・ガマの船隊は、喜望峰を回りインド洋を横切って、翌年インド西海岸のカリカットに到達。1499年リスボンに戻り、インド航路を開発した。

M-16 **ペロ・ダ・コヴィリャン** ポルトガルのコヴィリャン生まれ。ヴァスコ・ダ・ガマより10年も早く、地中海経由でインドに到達していた。

M-17 **ゴア** インド西海岸にある主要な交易港。1961年までポルトガルの植民地だった。

M-18 **カブラル** 第1回のヴァスコ・ダ・ガマの船隊に続く第2回のインド派遣艦隊を指揮したポルトガルの貴族。大量の香辛料を買い付けた。

M-19 **ブラジル** カブラルの船がブラジルを発見。「テラ・ダ・ヴェラ・クルス（真実の十字架の地）」と命名。その発見が偶然か意図したものかは意見が分かれる。

M-20 **モルッカ諸島**（しょとう） マルク諸島ともいう。「香料（スパイス）諸島」という名で知られていた。

イベリア半島では、キリスト教諸国間で領土を巡る争いが続いていたが、教皇インノケンティウス３世は、キリスト教徒同士の小競り合いをやめ、統一してイスラム勢力に立ち向かうよう命じた。カスティリャ王国は、イスラム教国のグラナダ王国を追放し（グラナダ陥落）、約 800 年にわたったレコンキスタを完成させた。

ア・コルーニャ
フランス
ナバラ王国
ポルトガル王国
アラゴン王国
カスティリャ王国
シエテ・アグアス
グラナダ

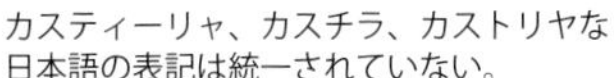

カスティリャ王国の女王イサベルは、アラゴンの王子フェルナンドと結婚。カスティリャとアラゴンは合同し、スペイン王国となった。2人は**カトリック両王**と呼ばれた。フェルナンドは、カスティリャ王としてはフェルナンド**5世**、アラゴン王としてはフェルナンド**2世**となる。

解説	用語	番号
カスティーリャ、カスチラ、カストリヤなど日本語の表記は統一されていない。	**カスティリャ王国**	M-21
またはイサベラ。カスティリャ王国の女王。コロンブスの新大陸進出を援助した。	**イサベル女王**	M-22
イベリア半島北部でナヴァラ王国から独立した国。	**アラゴン王国**	M-23
もしくはフェルディナンド、フェランド、フェラン。	**フェルナンド5世**	M-24
国名は、ローマの属州ヒスパニアに由来。	**スペイン**	M-25
国土回復運動ともいう。イベリア半島からイスラム勢力を排除する運動。	**レコンキスタ**	M-26
イベリア半島最後のイスラム王朝、ナスル朝グラナダ王国の首都。ナスル朝初代君主のムハンマド１世が建てたのがアルハンブラ宮殿。	**グラナダ**	M-27
またはユダヤ人追放令。レコンキスタ完遂後、カトリック両王が発令した。	**ユダヤ教徒追放令**	M-28
大西洋横断を果たした航海者。生涯に何度も大西洋を横断したが、発見したのは新大陸でなくインドだと死ぬまで信じていた。	**コロンブス**	M-29
キューバ島やイスパニョーラ島、ジャマイカ島など。本当のインドとは異なるため「西インド」の名が付いた。	**西インド諸島**	M-30
バハマ諸島の中東部にある小島。この島への上陸が、新大陸探検の第一歩となった。	**サン・サルバドル島**	M-31
またはトスカネッリ。イタリアの天文・地理学者。地球の直径を小さく見積り、コロンブスがアメリカ大陸をインドと誤解した一因となる。	**トスカネリ**	M-32
フィレンツェ生まれの航海者、天文・地理学者。	**アメリゴ・ヴェスプッチ**	M-33
ポルトガル人だが、スペインのカルロス１世に任命されて、スペイン人の乗組員の艦隊を引き連れて航海に出る。フィリピンのセブ島で戦死した。	**マゼラン**	M-34
マゼラン艦隊は、西回りでモルッカ諸島に到達する、いわゆる「マゼランルート」により、人類史上初めて地球を一周した。	**世界周航**	M-35
スペイン・ポルトガル間の国境紛争を調停し、出身地スペインに有利な教皇子午線を定めた。	**アレクサンデル6世**	M-36
トルデシラス条約ともいう。1494年締結。	**トルデシリャス条約**	M-37
アジアにおけるスペイン・ポルトガル間の植民地分界線の協定（1529 年）。	**サラゴサ条約**	M-38
ナオともいう。遠洋航海用の大型帆船。コロンブスやマゼランが乗船した船もこのタイプ。	**カラック船**	M-39
カラック船よりも小型で、高い操舵性を有した帆船。	**カラベル船**	M-40

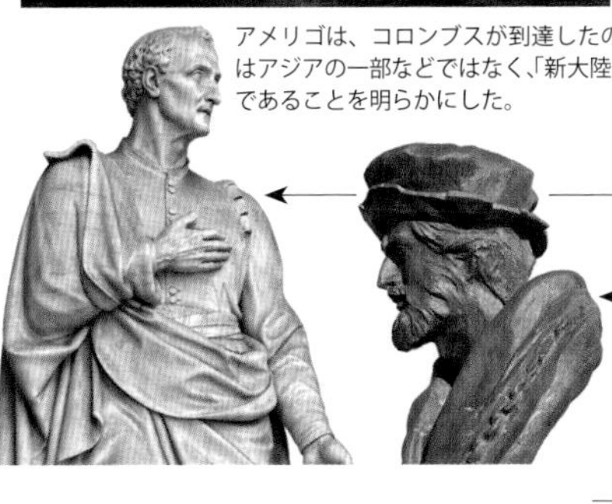

アメリゴは、コロンブスが到達したのはアジアの一部などではなく、「新大陸」であることを明らかにした。

トルデシリャス条約（1494）
スペインが優先
カナリア諸島
カーボベルデ諸島
教皇子午線
アレクサンダー６世
ポルトガルが優先
サラゴサ条約（1529）
モルッカ諸島
スペインが優先

M Age of Discovery

M-1 ロング オウシャン ヴォイイジ [～ vɔ́iidʒ]
(long) ocean voyage
または distant voyage ディスタント ヴォイイジ [dístənt vɔ́iidʒ]。

M-2 スパイス [spais]
spice

M-3 ポーチュガル [pɔ́ɚtʃəgəl]
Portugal

M-4 リズバン [lízbən]
Lisbon

M-5 マーコウ ポウロウ [máɚkou póulou]
Marco Polo

M-6 ザ トラヴェルズ オヴ マーコウ ポウロウ
The Travels of Marco Polo

M-7 プリンス ヘンリ ザ ナヴィゲイタ [prins hénri ðə nǽvigeitɚ]
Prince Henry the Navigator

M-8 バーサラミュー ダイアズ / ダイアス [bɑːθáləmjuː dáiəz / dáiəs]
Bartholomew Diaz / Dias

M-9 ジャン [dʒɑn] ザ セカンド、ザ パーフェクト
John II, the Perfect

M-10 ケイプ オヴ グッド ホウプ [keip ～]
Cape of Good Hope

M-11 エルミナ キャッスル [elmínə ～]
Elmina Castle

M-12 ヴァースコウ ダ ギャマ [váːskou də gǽmə]
Vasco da Gama

M-13 マニュエル ザ ファースト、ザ フォーチュニット [mǽnjuəl ～ fɔ́ɚtʃ(ə)nət]
Manuel I, the Fortunate
the Great 大王ともいう。

M-14 カリカット [kǽlikʌt]
Calicut
現代名は Kozhikode

M-15 ザ スィー ルート トゥー インディア [～ índiə]
the sea route to India

M-16 ペル ダ クヴィラー [péru də kuvilɑ̃́]
Pêro da Covilhã
または Pero de Covilhão

M-17 ゴウア [góuə]
Goa

M-18 キャブラール [kəbrɑ́ːl] / キャブロール [kəbrɔ́ːl]
Cabral

M-19 ブラズィル [brəzíl]
Brazil

M-20 マラカズ [məlʌ́kəz] / マールークー アイランズ [mɑːlúːkuː ～]
Moluccas / Maluku Islands

◆**The Travels of Marco Polo 東方見聞録** Book of the Marvels of the World（『世界の驚異の書』）ともいう。東方見聞録に描かれたアジアの富や自然の記述は、大航海時代の探検家の冒険心、野心を刺激した。日本を黄金の国と紹介しているが、マルコ・ポーロ本人は日本には訪れておらず、人づてに聞いた話を書いたに過ぎない。

◆**Vasco da Gama ヴァスコ・ダ・ガマ** ヴァスコ・ダ・ガマの Vasco「ヴァスコ」は、バスク語の Velasco「カラス」が短くなったもの。バスクとは、ピレネー山脈のフランスとスペインの両国にまたがる地域。ちなみに、バスク人のことをスペイン語やガリシア語では vasco と書くが、ポルトガル人のヴァスコ・ダ・ガマはバスク出身ではない（ポルトガル語ではバスクは Basco と書く）。Gama ガマはおそらく鹿の一種の「ダマジカ」を意味する。つまり「鹿鳥」である。

◆**Calicut カリカット** マラヤーラム語で「要塞化された宮殿」を意味する語に由来。インド航路が開かれると、インドから木綿織物がヨーロッパに輸入され、それらは **calico「キャラコ（キャリコ）」**と呼ばれた。イギリスの毛織物工業に大打撃を与えたため、イギリスでは一時期「キャラコ禁止法」（イギリスへの輸入の禁止）が施行された。ちなみに、イギリスではキャラコはもっぱら白無地物を指し、アメリカでは主にプリントされた綿織物を指している。日本では、子供服・足袋などに使用される漂白して強いのりをつけた平織の綿織物をキャラコと呼んでいる。

◆**Reconquest レコンキスタ** 英語の「再び」を意味する接頭辞 re- レに、conquest「征服、征服地、獲得」を足したもの。スペイン語では Reconquista レコンキ（ー）スタといい、日本ではレコンクウェストよりレコンキスタの方が知られている。英語 conquest の動詞形は conquer カンカ「征服する」で、「征服者」は conqueror

レコンキスタ完了後、イスラム教徒を排除したカトリック両王は、次いでユダヤ教徒に対して改宗か国外退去を命じる。Alhambra Decree（アルハンブラ令）を発令、この命令は Edict of Expulsion（追放の勅令）とも呼ばれている。それと同時にユダヤ教徒への迫害が生じ、半数以上のユダヤ教徒がカトリックに改宗したが、改宗を拒んで国外に追放された者も多かった。

カンカラ。conquest を分解すれば、「完全に、徹底的に」を意味する強意の接頭辞 con- と quest クエスト「追求、探求」になる。question クエスチョンも同根語である。

◆ **Magellan マゼラン**

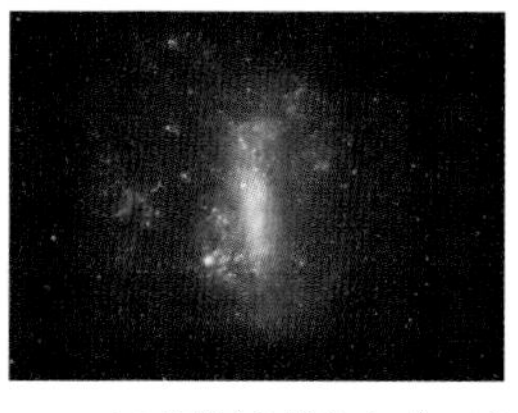

マゼラン一行が世界一周をしている間、参加していたヴェネツィアのアントニオ・ピガフェッタが、ヨーロッパ人で初めて**マゼラン星雲**についての記録を残した（マゼラン星雲という名称はさらに後代の命名である）。他にも、南アメリカ大陸南端とフエゴ島との間にある海峡が「マゼラン海峡（マガリャネス海峡）」と名付けられている。

コロン・コロンビア・コロンボ

Columbus「コロンブス」

コロンブスの名は、ラテン語 Columbus コルンブス「鳩」に由来。彼の名前は合衆国の首都ワシントンと同じ意味をもつ「コロンビア特別区」(District of Columbia) や、カナダの「ブリティッシュ・コロンビア州」、南アメリカの「コロンビア共和国」などの地名の由来となっている。実は、南米には「大コロンビア (Gran Colombia)」と呼ばれる現在のベネズエラ、コロンビア、エクアドル、パナマやその周辺国の一部を足した巨大な共和国があった。当時、現在のコロンビアにあたる地域は「ヌエバ・グラナダ」と呼ばれていた。

大コロンビア

キングダム オヴ キャスティール [～ kæstíːl]
Kingdom of Castile M-21

イザベラ [izəbélə]
Queen Isabella M-22

キングダム オヴ アラガン [～ ǽrəgən]
Kingdom of Aragon M-23

ファーディナンド [fə́ːdinænd] ザ フィフス
Ferdinand V M-24

スペイン [spein]
Spain M-25

リーカンクウェスト [riːkáŋkwɛst]
Reconquest M-26

グラナーダ [grənáːdə]
Granada M-27

アルハンブラ ディクリー [ælhǽmbrə dikríː]
Alhambra Decree M-28

カランバス [kəlʌ́mbəs]
Columbus M-29

ウェスト インディズ [～ índiz]
West Indies M-30

サンサルヴァドー [sənsǽlvədɔə]
San Salvador M-31

トウスカーネッリー [touskɑːnélliː]
Toscanelli M-32

アメアリゴウ アメイゴウ ヴェスプーチ
[améərigou / ɑməígou vespúːtʃi]
Amerigo Vespucci M-33

マジェラン [mədʒélən] / マゲラン [məgélən]
Magellan M-34

サーカムナヴィゲイション [səːkəmnævigéiʃən]
Circumnavigation M-35

アリグザンダ ザ スィックス [æligzǽndə ðə siksθ]
Alexander VI M-36

トリーティ オヴ トーゼ(デ)スィリャス [～ tɔəðesíljɑs]
Treaty of Tordesillas M-37

トリーティ オヴ サラゴサ / サラゴウザ
[～ θərəgɔ́θə / sərəgɔ́sə / sərəgóuzə]
Treaty of Zaragoza M-38

キャラック [kǽrək]
carrack M-39

キャラヴェル [kǽrəvel]
caravel M-40

N 宗教改革

フィリップ４世は、テンプル騎士団を異端として弾圧し解散させるなど、王権強化に努めた。「教皇を憤死させた王」という悪名の半面、中世フランスの名君との正反対の評価がなされている。

N-1 **ボニファティウス8世** 聖職者に課税しようとしてフィリップ４世と争う。

N-2 **フィリップ4世 美男王** または端麗王。フランスのカペー朝の国王。アナーニ事件で教皇を憤死させ、新教皇をフランスのアヴィニョンに移した。

N-3 **アナーニ事件** フィリップ４世が遣わしたギョーム・ド・ノガレが、イタリア貴族のコロンナ家と協力し、アナーニにいたローマ教皇ボニファティウス８世を襲撃し暴行を加え、監禁した事件。

N-4 **教皇のバビロン捕囚**

N-5 **アヴィニョン**

N-6 **クレメンス5世**

N-7 **教会大分裂** 教皇がアヴィニョンとローマに分立した。

N-8 **フス** コンスタンツ公会議で異端とされ、火刑となった。

N-9 **コンスタンツ公会議** 教会の大分裂を終わらせた公会議。

N-10 **フス戦争** フス派と神聖ローマ皇帝ジギスムントとの戦い。初めはフス派が連戦連勝したが、ジシュカの死後、内部分裂し、やがてフス派は壊滅した。

N-11 **ヤン・ジシュカ** ジシカともいう。フス戦争における隻眼の英雄。マスケット銃や荷馬車を改良した戦車等の新兵器を導入。

N-12 **マルティン・ルター** 『95カ条の論題』を発表し、宗教改革を起こす。

N-13 **ヴィッテンベルク** ルターはこの町の大学の神学教授。

N-14 **レオ10世** サン・ピエトロ大聖堂の再建費を集めるために、ドイツで贖宥状を売りに出す。それを非難したルターを破門した。

N-15 **贖宥状** 免罪符と訳されてきた。犯した罪の償（つぐな）いを軽減・赦免（しゃめん）するもの。

N-16 **95カ条の論題**

N-17 **信仰義認論** 人は信仰によってのみ義認されるという説。

N-18 **キリスト者の自由** ルターの代表的著作。

N-19 **福音主義** ローマ教会の権威や伝統を否定し、聖書に対する信仰を主眼に置いた信条。

N-20 **万人祭司説** キリスト教の信仰者は等しく神の前で祭司であるとする考え。

95カ条の論題が貼られたヴィッテンベルクの城教会の門扉。

フィリップ４世は、教皇クレメンス５世に対して南フランスのアヴィニョンに教皇庁を移すことを要求し、その後の約70年間、ローマ教皇はローマを離れてアヴィニョンにいた。これをユダヤ人のバビロン捕囚（約70年）になぞらえて「教皇のバビロン捕囚」というが、教皇は別にアヴィニョンに強制連行されたり、幽閉されて不自由な生活を強いられていたわけではない。

ルターが聖書をドイツ語訳した部屋。

ドイツとデンマーク、スウェーデン、ノルウェーなどに広がる。 **ルター派** N-21

ザクセン選帝侯フリードリヒ N-22

ルターが帝国からの追放を宣告された。 **ヴォルムス帝国会議** N-23

ルターが新約聖書のドイツ語訳を完成させた古城。 **ヴァルトブルク城** N-24

新約聖書のドイツ語訳。活版印刷機により印刷され、広く普及した。 **ルター訳聖書** N-25

シュパイアー帝国会議ともいう。 **シュパイエル帝国会議** N-26

第２回シュパイエル帝国議会の決定に対する抗議者という意味だったが、後に新教全体を指す。 **プロテスタント** N-27

宗教改革を支持して起こった農民の反乱。 **ドイツ農民戦争** N-28

ドイツ農民戦争の指導者。最後はルターと対立。 **ミュンツァー** N-29

メランヒトンは、カトリックとルター派間の調停を図ったが、いずれからも同意を得られず調停は失敗、対立へと向かった。

アナバプテストともいう。ツヴィングリの改革から生まれた一派。幼児洗礼を否定した。 **再洗礼派** N-30

カトリックに対抗してプロテスタントの7諸侯と11都市が同盟したもの。 **シュマルカルデン同盟** N-31

ルター派の信仰を認める決定を下した帝国議会の決議。 **アウクスブルクの和議** N-32

ドイツの人文主義者、神学者。ルターに共鳴し、「アウクスブルク信仰告白」を起草した。 **メランヒトン** N-33

元チューリヒの司祭。ルターに共鳴し、スイスで最初に宗教改革を進めた。 **ツヴィングリ** N-34

ツヴィングリとルターはミサのパンと葡萄酒の解釈や他の幾つかの部分で対立した。

スイスの都市。ツヴィングリが宗教改革を行い、ここで神権政治の樹立を試みた。 **チューリヒ** N-35

英語読みではカルヴィン。初期の宗教改革の主たる指導者。 **カルヴァン** N-36

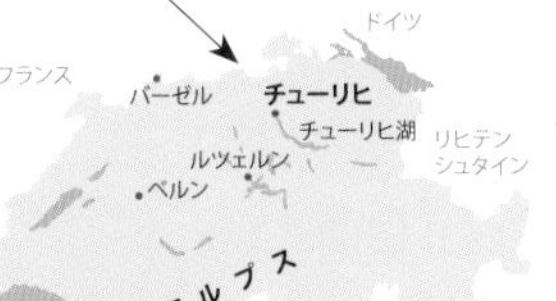

改革派教会 N-37

カルヴァンの教義の一つ。 **予定説** N-38

キリスト教綱要 N-39

スイス西部のレマン湖の南西岸にある。カルヴァン派の中心都市。 **ジュネーヴ** N-40

N Reformation

バニフェイス ズィ エイツ [bánəfeis ði eitθ]
N-1 **Boniface VIII**

フィリップ ザ フォース、ザ フェア [fílip ～ ðə fɛə]
N-2 **Philip IV, the Fair**

アウトレイジ オヴ アーナーニ [áutreidʒ əv ɑːnáːni]
N-3 **Outrage of Anagni**

Anagni incident アーナーニ インスィデントともいう。

バビロウニアン キャプティヴィティ オヴ ザ ペイパスィ [bæbəlóuniən kæptíviti əv ðə péipəsi]
N-4 **Babylonian Captivity of the Papacy**

Babylonian Captivity of the Church や、Babylonian Captivity of the Avignon Pope ともいう。

アヴィニョン [ǽvinjɔn]
N-5 **Avignon**

教皇庁は英語で Palace of the Popes もしくは Papal Palace という。

クレメンズ [kléménz] ザ フィフス
N-6 **Clemens V**

グレイト スィズム [greit sízm]
N-7 **Great Schism**

ハス [hus]
N-8 **Hus / Huss**

カウンシル オヴ カンスタンス [káunsəl əv kánstəns]
N-9 **Council of Constance**

ハサイト ウォーズ [hásait wɔəz]
N-10 **Hussite Wars**

ジャン ジシュカ [dʒæn ʒíʃka]
N-11 **Jan Žižka**

マーティン ルーサ [máətn lúːθə]
N-12 **Martin Luther**

ウィテンバーグ [wítənbəːg]
N-13 **Wittenberg**

リーオウ [líːou] ザ テンス
N-14 **Leo X**

インダルジェンス [indʌ́ldʒəns]
N-15 **indulgence**

ナインティ ファイヴ スィースィズ [θíːsiːz]
N-16 **Ninety-Five Theses**

信仰義認は英語で Justification by Faith という。

サルフィディアニズム [sɑləfídiənizm]
N-17 **solifidianism**

オン ザ フリーダム オヴ ア クリスチャン [ɑn ðə fríːdəm əv a krístʃən]
N-18 **On the Freedom of a Christian**

イーヴァンジェリカリズム [iːvændʒélikəlizm]
N-19 **Evangelicalism**

ユニヴァーサル プリーストフッド [junəvə́ːrsəl príːsthud]
N-20 **universal priesthood**

◆**Boniface VIII ボニファティウス8世** スペルに face があるので「顔」という意味が含まれていいように見えるが、ラテン語 bonus **ボ**ヌス「良い」+ fatum **ファー**トゥム「運命」= Bonifatius ボニ**ファー**ティウス「良い運命の人」という意味。しかし、中世には Bonifacius というスペルに変化し、意味までも bonus + facio **ファ**キオー「行う」=「良い行いをする者、善行者」とみなされるようになった。そのため英語は Boniface のように語尾が -ce で終わっている。ボニファティウス 8 世は、ローマ大学を創設し、ジョットら芸術家を支援するという善行をしているが、一方、賭博好きで美食家、宝石で身を飾ることを好み、不品行でも知られていたため、「善行者」とはほど遠い人物であり、政敵であったダンテは『神曲』の中で、ボニファティウス 8 世を地獄に堕とされる教皇として描いている（ルネサンス期の放縦な教皇

道楽・耽溺（たんでき）・免罪符

indulgence「インダルジェンス」

英語の indulgence は、以前は日本ではもっぱら「免罪符」と訳されてきたが、最近では「贖宥状」と訳されている。「ゆるしの秘跡」（告解）によって罪は既にゆるされても、それに対して与えられる「罰」は別であり、indulgence はその**罰を軽減・免除**すること を指している（indulgence は罪そのものをゆるすものではない）。さらに、英語の indulgence の「ゆるし」「寛容」という意味から、イギリスのチャールズ 2 世が発布した the Declaration of Indulgence「信仰自由宣言」の Indulgence「寛容」という用法も生じた（S-24 参照）。やがて、自分の欲望に対しても寛容という意味に発展し、「耽溺、道楽、欲望の満足、気まま、放縦」という意味が派生している。

カール5世はフランス王フランソワ1世とイタリア戦争で戦い、オスマン帝国のスレイマン1世がウィーンに迫ってきたことで、ドイツ諸侯の援助が必要となった。そのため、第1回シュパイエル帝国議会でルター派を容認する決定を下したが、危機が去ると第2回シュパイエル帝国議会でルター派容認を撤回。新教側がそれに抗議したのが「プロテスタント（抗議者）」の由来となった。

達の先駆けといわれている)。またその晩年、対立していたフランス王フィリップ4世は、軍を遣わしてローマ郊外のアナーニにいたボニファティウス8世を捕らえて退位を迫り、法衣を奪い、平手打ちをして辱(はずかし)め、3日間監禁した。救援が来て脱出するも、1ヶ月後に病死したので、「良い運命」というより「不運」な教皇だった。

ボニファティウス8世の像

◆ **Great Schism 教会大分裂** Schismは、ギリシャ語の σχίσμα スキズマ「裂け目、分離」に由来。古フランス語 cisme（または scisme）を経由して英語に入ったため、hの字は古い英語にはなかったが、16世紀頃に、この語は元々ギリシャ語に由来し、ギリシャ文字のχキー（もしくはカイ。英語に翻字されるとch）がつづりにあったと認識されて、schismのスペルに復元された。

◆ **Jan Žižka ヤン・ジシュカ** ドイツ語ではZiskaツィスカと発音する。この天才的な軍人の指導により、戦争経験のない農民や市民を訓練し、何倍もの兵力を備えた神聖ローマ皇帝ジギスムント率いる十字軍に対して、奇跡的に幾度も勝利を収めた。ちなみに、ジシュカがフス戦争で使用をはじめたマスケット銃は、チェコ語では「笛」を意味するpíšťalaピシュチャラといい（笛のような筒状の形だった）、後に英語のpistol「ピストル」の語源となった。ちなみに、ŽižkaのŽの上に付いている ˇ の記号は「ハーチェク」といい、チェコ語ではžはジュ[ʒ]、čはチュ[tʃ]、šはシュ[ʃ]の音になる。実はこの記号の使用をチェコ語で広めたのもフスである。

ルーサラン [lú:θ(ə)rən]
Lutheran N-21

フレデリック ザ サード、イレクタ オヴ サクソニ [frédrik iléktə əv sæksəni]
Frederick III, Elector of Saxony N-22

ダイエット オヴ ウォームス（ヴォ）[dáiət əv wə́ərms]（v）
Diet of Worms N-23

ワートバーグ（ヴォート）[wə́ətbə:g]（vɔ́ət-）
Wartburg N-24

ドイツ語でwの文字は[v]の発音なので、ドイツ語に準じて[v]とする場合と、英語化して[w]と発音する場合でゆれ動いている。

ルーサ バイブル [lú:θə báibl]
Luther Bible N-25

Luther-bibleともつづる。

ダイエット オヴ シュパイア [dáiət əv ʃpáiə]
Diet of Speyer / Spires N-26

プラテスタント [prátəstənt]
Protestant N-27

ジャーマン ペザンツ ウォー [dʒə́:mən pézənts wɔə]
German Peasants' War N-28

ムンツァ [múntzə]
Müntzer N-29

アナバプティスト [ænəbæ̀ptist]
Anabaptist N-30

シュマルカルディック リーグ [ʃmɑlkáldik lí:g]
Schmalkaldic League N-31

ピース オヴ オーグズバーグ [pi:s əv ɔ́:gzbə:g]
Peace of Augsburg N-32

メランクサン [məlǽŋkθən]
Melanchthon N-33

スウィングリ（ズヴィ）[swíŋgli]（zv）
Zwingli N-34

ズアリック [zúərik]
Zurich / Zürich N-35

キャルヴィン [kǽlvin]
Calvin N-36

リフォームド チャーチズ [rifɔ́:rmd 〜]
Reformed Churches N-37

プリデスティネイション [pridɛstənéiʃən]
predestination N-38

インスティテューツ オヴ ザ クリスチャン リリジョン [ínstətju:ts əv ðə krístʃən rilídʒən]
Institutes of the Christian Religion N-39

ジェニーヴァ [dʒəní:və]
Geneva N-40

N イギリスの絶対王政・カトリック改革

N-41 **ウィクリフ** オックスフォード大学の神学教授。はじめてラテン語の聖書を英語に翻訳。死後、コンスタンツ公会議で異端とされ、遺体が火刑にされた。

N-42 **ロラード派** ウィクリフの信奉者。ロラードとは「おしゃべり」の意。農村で熱心に説教を行った。

N-43 **ジョン・オブ・ゴーント** ランカスター家の先祖。ロラード派を支援した。

N-44 **ティンダル** 聖書をギリシャ語・ヘブライ語原典からはじめて英語に翻訳した。ベルギーで火刑に処された。

N-45 **ヘンリ8世** 絶対王政を強化した。英国国教会を作り、イギリスの宗教改革を断行した。

N-46 **キャサリン・オブ・アラゴン** ヘンリ8世の最初の王妃。カトリック信者で、後のメアリ1世の生母。

N-47 **アン・ブーリン** ヘンリ8世の2番目の王妃、エリザベス1世の生母。

N-48 **ジェーン・シーモア** ヘンリ8世の3番目の王妃。

N-49 **アン・オブ・クレーヴズ** ヘンリ8世の4番目の王妃。ドイツ出身。

N-50 **キャサリン・ハワード** ヘンリ8世の5番目の王妃。アン・ブーリンの従妹。

N-51 **キャサリン・パー** ヘンリ8世の6番目かつ最後の王妃。

N-52 **首長法（国王至上法）** 国王をイギリス国教会の「唯一最高の首長」とする法律。

N-53 **聖公会** イギリス国教会（イングランド教会、また英国聖公会ともいう）を母教会とする、世界各地にある教会。

N-54 **エドワード6世** 病弱であったため、15歳の若さで亡くなる。

N-55 **メアリ1世** もしくはメアリー1世。イギリス史上最初の女王。英国を再びカトリックへ戻すことを図り、イギリス国教会を弾圧した。

N-56 **エリザベス1世** 「処女王」と呼ばれた。絶対王政を確立。

N-57 **囲い込み** 地主による牧場化のため、解放耕地や共有地を統合し、農地を囲い込んだ。

N-58 **救貧法** エリザベス1世が、囲い込みで土地を奪われた貧しい農民を救済するため制定。世界初の公的扶助、また社会保障制度のはじまりとされる。

N-59 **統一法** エリザベス1世による、イギリス国教会の礼拝・祈祷の統一基準を定めた法律。

N-60 **メアリ・ステュアート** もしくはメアリー・スチュアート。フランスの王フランソワ2世の王妃だったが、後にスコットランド女王となる。

対抗改革(もしくは対抗宗教改革)は、「プロテスタントの宗教改革に対する反動として生じたカトリック内の改革」を示す表現としてよく見られるが、それ以前からのカトリック内部の刷新運動の流れを汲む改革として見る場合、「カトリック改革」と表現されている。

国王から特許を得て敵国の商船を攻撃し、海賊行為を行う船を「私掠船」という。ドレークは私掠船の船長。

フランシス・ドレーク N-61

私掠船(私拿捕船) N-62

スペイン全盛期の強力な艦隊。約130隻の大艦隊に約3万の兵を乗船させ、イギリス上陸を計画した。

無敵艦隊 N-63

ドレークらの率いるイギリス海軍がスペインの無敵艦隊を破った一連の海戦。

アルマダ海戦 N-64

ステュアート朝初代国王。スコットランド王としてはジェームズ6世。

ジェームズ1世 N-65

1611年に発行された英訳聖書。

ジェームズ王欽定訳聖書 N-66

ザビエルはバスク人の宣教師。イエズス会の創設者の一人。日本にはじめてキリスト教を伝えた。

イグナティウス・デ・ロヨラは、イグナチオ・デ・ロヨラとも書かれる。イエズス会の創設者の一人。

トレント公会議ともいう。

トリエント公会議 N-67

カトリック改革/対抗改革 N-68

または対抗宗教改革

イグナティウス・デ・ロヨラ N-69

カトリックの世界布教を目指す修道会。

イエズス会 N-70

フランシスコ・ザビエル N-71

ゴイセン/ヘーゼン N-72

ヘーゼンはカルヴァン派に対するオランダ語の呼び方。ユグノーはフランス語の呼び方。長老派は英語での呼び方。

ユグノー N-73

ユグノー戦争 N-74

サン・ジェルマン寛容令 N-75

または一月勅令。

ヴァシーの虐殺 N-76

聖バルテルミの虐殺、セントバーソロミューの虐殺ともいう。

サン・バルテルミの虐殺 N-77

アンリ2世の王妃。王の死後は摂政としてフランスの実権を握った。

カトリーヌ・ド・メディシス N-78

「アンリ大王」「良王」ともいう。ブルボン朝の創始者。ユグノー戦争を終結させ、絶対王政化を進めた。

アンリ4世 N-79

アンリ4世が、プロテスタント信徒に対して、条件付きではあるがカトリック信徒と同じ信仰と礼拝の自由を認めた法令。後にルイ14世によって廃止される。

ナントの王令 N-80

N Absolute Monarchy of England, Catholic Reformation

ウィクリフ [wíklif]
N-41 **Wycliffe / Wyclif**

ララド [lálәd]　ララディ [lálәdi]
N-42 **Lollard / Lollardy**

ジャン オヴ ゴーント [dʒan әv gɔ́:nt]
N-43 **John of Gaunt**

ティンドル [tíndl]
N-44 **Tyndale**

ヘンリ ズィ エイツ [hénri ði eitθ]
N-45 **Henry VIII**

キャサリン オヴ アラガン [kǽθәrin әv ǽrәgan]
N-46 **Catherine of Aragon**

アン ブリーン [æn blí:n]
N-47 **Anne Boleyn**

ジェイン スィーモー [dʒein sí:mɔɚ]
N-48 **Jane Seymour**

アン オヴ クリーヴズ [æn әv klí:vz]
N-49 **Anne of Cleves**

キャサリン ハウアド [kǽθәrin háuɚd]
N-50 **Catherine Howard**

キャサリン パー [kǽθәrin paɚ]
N-51 **Catharine Parr**

アクト オヴ スプレマスィ [ækt әv sәprémәsi]
N-52 **Act of Supremacy**

アングリカン チャーチ [ǽŋglikәn tʃɚ́:tʃ]
N-53 **Anglican Church**

エドワード [édwɚd] ザ スィックス [siksθ]
N-54 **Edward VI**

メアリ [méәri] ザ ファースト
N-55 **Mary I**

イリザバス [ilízәbәθ] ザ ファースト
N-56 **Elizabeth I**

エンクロウジャ [enklóuʒɚ]
N-57 **enclosure**

プア ローズ [puɚ lɔ:z]
N-58 **Poor Laws**

アクト オヴ ユーニフォーミティ [ǽkt әv ju:nәfɔ́ɚmiti]
N-59 **Act of Uniformity**

メアリ ステュ(チュ)ーアト [méәri stjú:ɚt]
N-60 **Mary Stuart**

◆**Anne Boleyn アン・ブーリン**　フランス大使だったトマス・ブーリンの次女アンは、王妃のキャサリン・オブ・アラゴンに侍女として仕えていたが、ヘンリ8世がアンを見初(みそ)め、アンを王妃にするためキャサリン王妃との離婚をローマ教皇クレメンス7世に求めた（正確には、兄嫁だったキャサリンとの結婚は無効だったと申し出た）。しかし、神聖ローマ皇帝カール5世は、叔母であるキャサリンの離婚に同意せず、教皇に圧力を掛け、離婚を阻止した。ついにヘンリ8世は離婚を合法化するため、ローマ・カトリックから離脱し、アンを王妃に迎えた。これはヘンリ8世が単に好色だったからというだけでなく、妃から生まれる嫡出子の跡継ぎを望んでいたためである（跡継ぎを気にしないのであれば、単に愛人を増やすだけで済んだ）。しかし、アン・ブーリンの生んだ子がヘンリの期待はずれの女の子（後のエリザベス1世）だったため寵愛(ちょうあい)を失い、新たな愛人ジェーン・シーモアと結婚するために、アンはでっち上げの姦通罪で斬首された。Boleyn は、Bullen ブリンとも綴られる。そのためアン・ブリンとも書かれる。

◆**Anne of Cleves アン・オブ・クレーヴズ**　ジェーン・シーモアは期待の男子を生んだが（後のエドワード6世）、出産後間もなく病死した。次の再婚相手はドイツのラーフェンスベルク伯領の領主の娘アン・オブ・クレーヴズ。ヘンリ8世は、ドイツから招かれて宮廷画家となっていたハンス・ホルバインが描いた見合い用のアンの肖像画を大変気に入り、結婚を決めたが、結婚前に本人を見て「絵の女と違う」と怒り、半年で離婚した。ホルバインもこの責任を取らされたためか、宮廷画家の身分を失い、宮廷から追放された。

ホルバインの描いたアン・オブ・グレーヴズ

「クイーン・オブ・スコッツ」の名で親しまれているメアリ・ステュアートは、波乱万丈の人生を歩んだ恋多き女性。フランスの王フランソワ２世の王妃となるも、フランソワ２世が早死にしたため、帰国してスコットランド女王となる。しかし反乱により地位を追われてエリザベス女王の元に逃れた。ところがイングランドの王位継承権を主張し、陰謀に加担して処刑された。

◆**King James Version ジェームズ王欽定訳聖書** イングランド国教会の典礼で用いるための聖書の標準訳として、1611 年に発行された英訳聖書。日本語の「欽定」という言葉は、「君主によって定められた」という意味。この翻訳がジェームズ１世の命でなされたことを示している。ティンダルは、聖書を原語から英語にはじめて翻訳したため、1536 年に死刑に処せられたが、そのとき「主よ、イングランド王の目を開きたまえ」と叫んだといわれている。ティンダル訳の聖書は時を経て、欽定訳のかなりの部分でそのまま使用された。

欽定訳聖書の初版本。

女王？ それともカクテル？

Bloody Mary

ヘンリ８世とキャサリン・オヴ・アラゴンの娘メアリ１世は、父の宗教改革を覆してカトリックへの回帰を図り、即位後にカンタベリー大司教のトマス・クランマーや女子供を含む約 300 人ものプロテスタントを火刑に処したことから、Bloody Mary「血まみれのメアリ」という異名が与えられた。ちなみに、ウォッカベースでトマト・ジュースを用いたカクテルである**「ブラッディ・マリー」**は、メアリ１世をイメージしたカクテルで、トマトの赤い色が血に見立てられている。

フランスィス ドレイク [frǽnsis dréik]
Francis Drake N-61

プライヴァティア [praivətíə˞]
privateer N-62

アーマーダ [ɑ:rmá:də]
Armada N-63

アーマーダ ウォーズ [ɑ:rmá:də wɔə˞z]
Armada Wars N-64

ジェイムズ [dʒéimz] ザ ファースト
James I N-65

キング ジェイムズ ヴァージョン [kíŋ dʒéimz və́:rʒən]
King James Version N-66

カウンシル オヴ トレント [káunsəl əv trent]
Council of Trent N-67

カウンタ レフォメイション [káuntə˞ refə˞méiʃən]
Counter Reformation N-68

イグネイシャス オヴ ロイオウラ [ignéiʃəs əv lɔióulə]
Ignatius of Loyola N-69

ソサイエティ オヴ ジーザス [səsáiəti əv dʒí:zəs]
Society of Jesus N-70

フランスィス ゼイヴィア [frǽnsis zéiviə˞]
Francis Xavier N-71

オランダ語 フーゼン [ɣə́:zə(n)] / ドイツ語 ゴイゼン [goizən]
Geuzen / Geusen N-72

ヒューガナット [hjú:gənɑt]
Huguenot N-73

フレンチ ウォーズ オヴ リリジョン [frentʃ wɔə˞z əv rilídʒən]
French Wars of Religion N-74

イーディクト オヴ セイント ジャーメイン [í:dikt əv séint dʒə˞méin]
Edict of Saint Germain N-75

マサカ オヴ ワ(ヴァ)スィ [mǽsəkə˞ əv wǽ(vá)si]
Massacre of Wassy N-76

セイント バーサラミューズ デイ マサカ [seint bɑə˞θáləmju:z dei mǽsəkə˞]
St. Bartholomew's Day Massacre N-77

キャサリン ディー メディチ [kǽθərin di: médətʃi]
Catherine de' Medici N-78

ヘンリ [hénri] ザ フォース [fɔ́ə˞θ]
Henry IV N-79

イーディクト オヴ ナンツ [í:dikt əv nǽnts]
Edict of Nantes N-80

O 神聖ローマ帝国・ハプスブルク

O-1 **シュタウフェン朝** ホーエンシュタウフェン朝ともいう。12 ～ 13 世紀の神聖ローマ帝国の王朝。

O-2 **フリードリヒ1世 赤髭王** 歴代の神聖ローマ皇帝の中では、外交的にも軍事的にも高く評価されている人物。

O-3 **フリードリヒ2世** イタリア語ではフェデリーコ。ローマ皇帝となったが、ほとんどをシチリアの王宮パレルモで過ごす。

O-4 **イタリア政策** 神聖ローマ帝国とは名ばかりでローマを支配しておらず、長年ドイツの神聖ローマ皇帝はイタリアの征服・支配を目指した。

O-5 **大空位時代** 皇帝がいなかったわけではないが、弱小諸侯や帝国外の王が皇帝になったため、実質的に空位となっていた時代のこと。

O-6 **領邦** 神聖ローマ帝国領内の独立的な有力諸侯の領地。ドイツ語でラントという。

O-7 **カール4世** ルクセンブルク朝のベーメン（ボヘミア）王。神聖ローマ皇帝。仏伊独・チェコ・ラテン語を操り、最初の「近代的」君主と呼ばれる。プラハ大学を創設した。

O-8 **金印勅書** 黄金文書ともいう。皇帝の命令が書かれ、黄金の印章が付けられた公文書。1356 年の神聖ローマ皇帝位の選出に関するカール 4 世の金印勅書が最も有名。

O-9 **選帝侯** もしくは「七選帝侯」。神聖ローマ帝国皇帝の選挙権をもつ有力な 7 つの諸侯。マインツ・トリール・ケルン大司教の三聖職諸侯と、プファルツ・ザクセン・ブランデンブルク・ベーメンの 4 世俗諸侯。

O-10 **ブランデンブルク辺境伯** ドイツ人の植民活動の結果、エルベ以東、オーデル川までの地域を支配。

O-11 **ザクセン** クーアザクセンともいう。州都ドレスデンはドイツにおけるバロック文化の中心地。

O-12 **ボヘミヤ** ベーメンともいう。神聖ローマ皇帝に対する新教徒のボヘミヤの反乱が三十年戦争の発端となる。

O-13 **マインツ** ドイツの都市で内陸交通路の要地。七選帝侯の一つ、マインツ大司教座が置かれた。

O-14 **東方植民** ヨーロッパの北東部でのドイツ人の植民活動。ドイツ騎士団による軍事的な植民活動もあった。

O-15 **プロイセン** プロイセン公国とブランデンブルク辺境伯を起源とし、ドイツ統一の中核となった国。

O-16 **ホーエンツォレルン家** フリードリヒ 1 世 (Q-19) 等のプロイセン王国の歴代の王を輩出した。

O-17 **教皇党** 中世のイタリアでローマ教皇を支持した勢力。ゲルフ（グェルフ）と呼ばれ、皇帝党（ギベリン）と対立した。

O-18 **皇帝党** 中世のイタリアで神聖ローマ帝国皇帝を支持した勢力。ギベリンともいわれ、教皇党（ゲルフ）と対立した。

O-19 **カルマル同盟** デンマーク・ノルウェー・スウェーデンの北欧三国が結成した同盟で、デンマークのマルグレーテを実質的女王とする同君連合。

O-20 **マルグレーテ** デンマーク王女。実質的に国王として支配したので「マルグレーテ女王」と呼ばれる。カルマル同盟を結成し、北欧三国を支配。

ハプスブルク家のカール５世は晩年、統治に疲れユステ修道院に隠棲した。退位の際、ネーデルラントやスペインを息子のフェリペ２世に与え、弟のフェルディナントに神聖ローマ帝国を譲った。こうして兄のスペイン・ハプスブルク家と弟のオーストリア・ハプスブルク家の２つの家系に分かれることとなった。

神聖ローマ皇帝位を継承した有力な家系で、中部ヨーロッパで強大な勢力を誇った。	**ハプスブルク家（け）**	o-21
ハプスブルク家の下で帝都ウィーンでは華やかな貴族文化が栄えた。	**ウィーン**	o-22
カール５世の後、スペイン王として分かれた家系。	**スペイン・ハプスブルク家（け）**	o-23
婚姻政策でハプスブルク家の領土を拡張し、帝国繁栄の基礎を築いた。中世最後の騎士と呼ばれた。	**マクシミリアン1世（せい）**	o-24
ドイツ王、スペイン王（カルロス１世）などを兼ね、ヨーロッパ最大の勢力を有した。	**カール5世（せい）**	o-25
スペイン、ローマ教皇、ヴェネツィアの連合艦隊がオスマン帝国艦隊を破った海戦。	**レパントの海戦（かいせん）**	o-26
スペイン・ハプスブルク家の全盛期の国王。アメリカ新大陸からアジアにかけて、「太陽の沈まぬ国」といわれた、広大なスペインを統治した。	**フェリペ2世（せい）**	o-27
スペインの首都。フェリペ２世の時に建設された。	**マドリード**	o-28
フェリペ２世は、まさに地球の裏側まで領土を持っていた。	**太陽の沈まぬ国（たいよう しず くに）**	o-29
フェリペ２世はポルトガル王位を継承し、実質的には併合した。	**ポルトガル併合（へいごう）**	o-30
ドイツが主戦場となった最大かつ最後の宗教戦争。	**三十年戦争（さんじゅうねんせんそう）**	o-31
三十年戦争では両陣営とも、金で雇われた傭兵からなり、略奪行為が横行したために、主戦場となったドイツは荒廃した。	**傭兵（ようへい）**	o-32
元ボヘミアの小貴族。神聖ローマ皇帝側（旧教徒側）の総司令官。免奪権という軍税を考案し数万の傭兵部隊を編成。華々しい軍功を挙げたが皇帝に暗殺された。	**ヴァレンシュタイン**	o-33
ウェストファリア条約でバルト海全域を支配する大国の地位を得るが、後にロシアとの北方戦争に敗れて領土を失う。	**スウェーデン**	o-34
「獅子王」「北方の獅子」の異名をもつ。	**グスタフ・アドルフ**	o-35
またはヴェストファーレン条約。	**ウェストファリア条約（じょうやく）**	o-36
グスタフ・アドルフの時代に全盛期となって、バルト帝国といわれた。	**バルト帝国（ていこく）**	o-37
ドイツ語ではエルザス。現フランス領のライン川中流の西岸。仏独間で長く領有権を争った。	**アルザス**	o-38
ドイツ語ではロートリンゲン。三十年戦争でフランスがアルザスとロレーヌの一部を占領。	**ロレーヌ**	o-39
または「カタロニアの反乱」「収穫人戦争」。三十年戦争の戦費のための課税に反発した農民反乱。	**カタルーニャの反乱（はんらん）**	o-40

グスタフ・アドルフはスウェーデン国王。三十年戦争で新教側の中心的な存在としてドイツに侵攻した。

三十年戦争の終結時に開かれた講和会議では、「ウェストファリア条約」が締結。新教徒の信仰が認められて宗教戦争は終結し、ドイツの約 300 の諸侯が各々独立した主権国家の「領邦」と決められ、神聖ローマ帝国は事実上解体した。

O Holy Roman Empire, Habsburg

o-1 シュタウフェン ダイナスティ [ʃtáufən 〜]
Staufen Dynasty
Hohenstaufen Dynasty ともいう。

o-2 フレドリック ザ ファースト、バーバロサ [frédrik baə·bərɔ́sə]
Frederick I, Barbarossa

o-3 フレドリック [frédrik] ザ セカンド
Frederick II
Italian campaigns イタリアン キャンペインズともいう(V-5 参照)。

o-4 イタリアン パリスィ [itæljən páləsi]
Italian policy

o-5 グレイト インタレグナム [greit intə·régnəm]
Great Interregnum

o-6 テリトーリアル ステイト [terətɔ́:riəl steit]
territorial state

o-7 チャールズ [tʃɑ́ə·lz] ザ フォース
Charles IV

o-8 ゴウルデン ブル [góuldən búl]
Golden Bull

o-9 イレクタズ [iléktə·z]
electors
margraviate のように i が一つ多いスペルもある。マーグラヴィエイト / マーグラヴィイット / マーグレイヴィエイトとも発音する。

o-10 マーグラヴェイト / 〜ヴィット オヴ ブランデンバーグ [mɑ́ə·grəveit/-vit əv brǽndənbə·:g]
margravate of Brandenburg

o-11 サクソニ [sǽksəni] / ザクセン [zɑ́ksən]
Saxony / Sachsen(ドイツ語式のスペル)

o-12 ボウヒーミア [bouhí:miə]
Bohemia

o-13 メインズ [meinz] / マインス [mɑins]
Mainz

o-14 ジャーマン イーストワド イクスパンション [dʒə́:mən í:stwə·d ikspǽnʃən]
German eastward expansion

o-15 プラシャ [prʌ́ʃə]
Prussia

o-16 ハウス オヴ ホウエンザラン [〜 hóuənzɑlə·n]
House of Hohenzollern

o-17 グウェルフ [gwɛlf]
Guelf

o-18 ギベリン [gíbəlin]
Ghibelline

o-19 ユーニャン オヴ カルマ [jú:njən əv kǽlmə·]
Union of Kalmar

o-20 マーガレット [mɑ́ə·gərət]
Margaret
Margaret the Great ともいう。

◆**Great Interregnum 大空位時代** ラテン語の接頭辞 inter-「間に」+ regnum **レ**グヌム「統治」で**「統治の合間」**を意味する。英語 reign **レ**イン「統治」のスペルには読まない g があるが、元になったラテン語の時には g を発音していた。

赤髭王とバルバロッサ作戦

Barbarossa

フリードリヒ1世赤髭王を指す Barbarossa「バルバロッサ」は、ラテン語の barba **バ**ルバ「髭」+ rossa **ロ**ッサ「赤い」に由来。赤髭王は第3回十字軍を率いイスラム軍に勝利した後に、腰までの深さしかない小アジアのサレフ河を渡河中に溺死した(沐浴中に死んだという説もある)。突然の変死を民は信じられず、様々な伝説が生まれた。その一つは、バルバロッサ(赤髭王)は、実はチューリンゲンの山奥の洞窟で数百年間眠っていて、ドイツに危機が訪れると目覚めてドイツを救ってくれるという。ちなみに、第2次世界大戦においてナチスは旧ソ連への奇襲作戦のコードネームを「**バルバロッサ作戦**(Operation Barbarossa)」と呼んだが、結局バルバロッサは目覚めず、モスクワ攻略は失敗に終わった。ところで、ドイツのボードゲームデザイナーのクラウス・トイバー(代表作は『カタンの開拓者達』)の作品の一つに**『バルバロッサ』**というタイトルのゲームがある。各自が決めた「お題」を粘土で「下手過ぎず、かつ上手過ぎず」に作り、対戦相手の粘土の正体を当てて得点を稼ぐゲーム。このゲームは、洞窟で退屈しているフリードリヒ赤髭王の元に集められた数々の芸術作品を対象に、鑑定家達が鑑別の腕を競うという設定になっている。

撮影協力：ニューゲームズオーダー

三十年戦争は、神聖ローマ帝国内の旧教対新教の対立からはじまったが、やがて周辺諸国から次々と横やりが入っていった。後半には、ハプスブルク家の宿敵であるフランスが、旧教であるにもかかわらず新教側と共にハプスブルク家と戦い、三十年戦争は単なる宗教戦争の枠組みを超えたものとなった。フランスは結局この戦いでアルザス・ロレーヌ地方を獲得した。

◆**Golden Bull 金印勅書**　「勅書」と約されている英語の Bull は、ラテン語 bulla **ブッ**ラ「封印された文書」から来ている。bulla は元は封印そのものを指す語だった。「請求書、勘定書き、ビラ」を意味する英語の bill **ビ**ルも同じラテン語に由来している。

◆**Sachsen ザクセン**　現在ではザクセンというとドイツの東端の州を指すが、古代のザクセン人は、それよりも北のユトランド半島南部に住んでいた。5世紀、このザクセン人の一部が、ジュート人やアングル人と共にブリテン島に上陸し、Saxons「サクソン人」と呼ばれるようになった。

赤い部分が現在のザクセン州。

◆**House of Habsburg ハプスブルク家**　ハプスブルクの最後の文字は g だが、ドイツ語では子音で終わる場合の g は無声音の [k] の発音になる。一方、英語ではハプスバーグのように、語尾の音が [g] のままである。同様の例として、ドイツの北部の都市 Hamburg はドイツ語ではハンブルクと発音するが、英語では同じスペルで「ハンバーグ」[hǽmbɚːg] と発音している。

◆**Peace of Westphalia ウェストファリア条約**　英語の Peace of Westphalia は、ウェストファリアで開かれた講和会議で締結された**オスナブリュック講和条約**（神聖ローマ皇帝と、プロテスタントの主力だったスウェーデン女王との講和）や**ミュンスター講和条約**（神聖ローマ皇帝とフランス国王との講和）などの総称。ウェストファリア条約によって、神聖ローマ帝国はたったドイツ一国でさえ支配できず、帝国とは名ばかりの存在となったことが確定した。そのためウェストファリア条約のことを「帝国の死亡証明書」と呼ぶこともある。

ハウス オヴ ハプスバーグ [～ hǽpsbɚːg]
House of Habsburg　o-21

ヴィエナ [viénə]
Vienna　o-22

スパニッシュ ハプスバーグ [spǽniʃ hǽpsbɚːg]
Spanish Habsburg　o-23

マクスィミリアン [mæksəmíliən] ザ ファースト
Maximilian I　o-24

チャールズ [tʃɑ́ɚlz] ザ フィフス
Charles V　o-25

バトル オヴ リパントウ [bǽtl əv lipǽntou]
Battle of Lepanto　o-26

フィリップ [fílip] ザ セカンド
Philip II　o-27

マドリッド [mədríd]
Madrid　o-28

ズィ エンパイア オン フィッチ ザ サン ネヴァ セッツ
[ði ɛ́mpaiɚ ɑn (h)witʃ ðə sʌn névɚ sɛts]
The empire on which the sun never sets　o-29

アネクセイション オヴ ポーチュガル
[ænekséiʃən əv pɔ́ɚtʃugəl]
annexation of Portugal　o-30

サーティ イヤズ ウォー [θɚ́ːti jɚ́z wɔɚ]
Thirty Years' War　o-31

メセナリ [mɚ́ːsənəri]
mercenary　o-32

ウァレンスタイン [wɑ́lənstain]
Wallenstein　o-33

スウィードン [swíːdn]
Sweden　o-34

ガステイヴァス アダルファス [gʌstéivəs ədɑ́lfəs]
Gustavus Adolphus　o-35

ピース オヴ ウェストフェイリア [piːs əv wɛstféiliə]
Peace of Westphalia　o-36

ドイツ語では Westfalen ヴェストファーレン。

スウィーディシュ エンパイア [swíːdiʃ ɛ́mpaiɚ]
Swedish Empire　o-37

アルサス [ælsǽs]
Alsace　o-38

ラレイン [ləréin]
Lorraine　o-39

キャテラン リヴォウルト [kǽtələn rivóult]
Catalan Revolt　o-40

P 商業の発展・オランダ独立

P-1	**ギルド**	商人、手工業者達が結成した相互扶助のための団体。
P-2	**商人ギルド**	商人が結成したギルド(同業組合)で11世紀頃に登場。やや遅れて12世紀頃に同職ギルドが現れた。
P-3	**同職ギルド**	手工業者が職種ごとに団体を結成。同職ギルドと商人ギルドとの間で「ツンフト闘争」が生じた。
P-4	**親方**	親方株をもち、職人や徒弟を働かせつつ指導・訓練した。親方のみがギルドに加入することができた。
P-5	**職人**	ギルドでは厳しい徒弟制度が守られたが、親方になる条件が厳しかったため、後に職人が組合を作る「職人ギルド」も発生した。
P-6	**徒弟**	日本の年季奉公のように、商工業者の家で労働に従事させつつ、職業を教育した。10代の若者が2～8年程度勤めた。
P-7	**自治都市**	もしくは自由都市。自治権を得た都市。領主への貢納を免除され、領主の裁判権は及ばなかった。
P-8	**ブルジョワジー**	中産階級、または有産階級。私有財産を多く所有する豊かな都市住民層。
P-9	**ロンバルディア同盟**	北イタリアの都市が皇帝に対抗するため結成した同盟。
P-10	**ハンザ同盟**	北欧の商業圏を支配した北ドイツの都市同盟。
P-11	**リューベック**	ハンザ同盟の盟主として繁栄した都市。
P-12	**フッガー家**	銀鉱山を開発し、銀行業も営み巨万の富を蓄えた商家。ハプスブルク家の金庫番と呼ばれた。
P-13	**価格革命**	新大陸からの銀の大量流入によって貨幣価値が下落し、物価の高騰(こうとう)が起こった。
P-14	**商業革命**	大航海にともなうヨーロッパ経済の構造の大変革のこと。新大陸・東インド交易へ移行した。
P-15	**フランドル**	またはフランダース。現ベルギー・フランス北部にまたがる地方。羊毛・毛織物の産地。英仏の抗争の原因。
P-16	**毛織物工業**	ヨーロッパの主要産業として栄えた。
P-17	**ギュイエンヌ**	もしくはアキテーヌ。ボルドーを中心とした葡萄酒の産地。
P-18	**ポトシ銀山**	スペインが経営した南米の銀山。価格革命をもたらす。
P-19	**メキシコ銀**	主にメキシコで鋳造された8レアル銀貨。日本にも「洋銀」「墨銀」として出回った。
P-20	**ロンドン**	商業革命の後、世界経済の中心はやがて、アムステルダムやロンドンに移った。

アムステルダムのDe Waag デ・ワーグ。当初は「計量所」だったが、後に「ギルド」の各種組合が使用した。この中には解剖を行う手術室が作られ、外科組合の解剖学の講義が年に1度開かれた。その様子をレンブラントが描いている(『テュルプ博士の解剖学講義』)。

ヤーコプ・フッガーはフッガー家繁栄の第一の功労者。同家をヨーロッパ一の大財閥へと発展させた。

ネーデルラントとは、広義には現在のベルギー、オランダ、ルクセンブルクのベネルクス３国に北フランスを加えた広い範囲を指す地名。カトリックのスペインは、ネーデルラントの新教徒を弾圧し、それに対抗する形で80年も独立戦争が続いた結果、北部のユトレヒト同盟の７州がネーデルラント連邦共和国として独立した。

オランダ独立戦争（八十年戦争） P-21

オランダ独立戦争を指揮した初代総督ウィレム1世。後に英国王ウィリアム3世になるウィレム3世は、ひ孫。 **オラニエ公ウィレム（オレンジ公ウィリアム）** P-22

オランダ独立戦争で、独立を目指した北部７州の同盟。 **ユトレヒト同盟** P-23

ネーデルラントのワロン諸州住民の間に結成された同盟。 **アラス同盟** P-24

スペインから独立した７州の連合国家。 **ネーデルラント連邦共和国** P-25

ルイ 14 世がオランダに侵入した戦争。ウィレム3世が退ける。 **オランダ侵略戦争** P-26

日本ではネーデルラント全体を指しているが、本来はオランダ西部の北ホラント州と南ホラント州の2つの州のみを意味する。 **オランダ** P-27

オランダ語で「低地の国々」を意味する。 **ネーデルラント** P-28

ネーデルラントの独立後、ベルギーのアントウェルペンに代わって国際商業の地として栄えた。 **アムステルダム** P-29

またはアントワープ。ベルギー・フランドル地方の商業都市。毛織物業の積出港。 **アントウェルペン** P-30

バングラデシュにあった東インド会社の工場の様子。

ジャワ島のバタヴィアに総督を置き、オランダのアジア貿易を独占した。 **オランダ東インド会社** P-31

オランダ東インド会社の拠点。後にジャカルタに改称。 **バタヴィア** P-32

アンボン事件ともいう。香辛料貿易を巡る、オランダとイギリスの対立の端緒となる。イギリス勢力が排除される。 **アンボイナ事件** P-33

オランダ東インド会社がアフリカ大陸最南端に作った植民地。アジアへの中継地として重視された。 **ケープ植民地** P-34

奴隷貿易が行われたケープ植民地の砦。

現在の南アフリカ共和国南西端、喜望峰に近い大西洋岸の港湾都市。 **ケープタウン** P-35

チューリップ取引ブームで投機が過熱し、オランダで生じた最古の金融バブル。 **チューリップ・バブル** P-36

南海会社の株価の急上昇・大暴落を契機として発生したイギリスの金融バブル。 **南海泡沫事件** P-37

自国の輸出産業を保護育成し、貿易の差額によって資本を蓄積して国富を増大させようとする考え方。 **重商主義** P-38

入植者が現地人・奴隷を労働力として、単一の作物を栽培する大農園。 **プランテーション** P-39

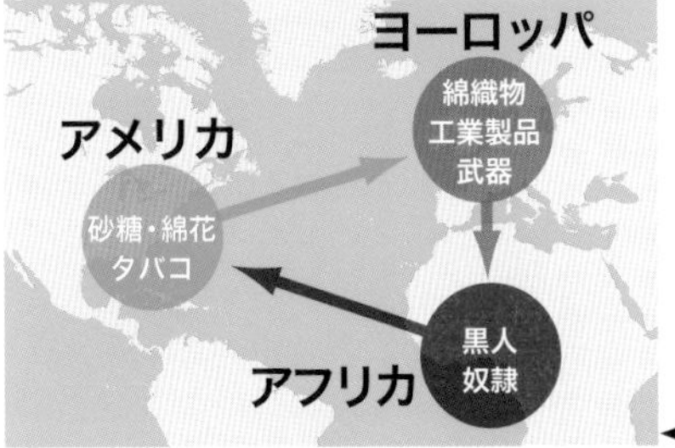

イギリスから出た船が工業製品をアフリカに、黒人奴隷を西インド諸島や北米大陸に運び、タバコや綿花などをイギリスに持ち帰った。 **三角貿易** P-40

P Development of commerce, Independence of the Netherlands

P-1 ギルド [gild] ツンフト [tsúnft]
guild / ドイツ語 **Zunft**

P-2 マーチャント ギルド [mə́ːtʃənt gild]
merchant guild

P-3 クラフト ギルド [krǽft gild]
craft guild

P-4 マスタ [mǽstɚ]
master

P-5 クラフツマン [krǽftmən]
craftsman

P-6 アプレンティス [əpréntis]
apprentice

P-7 オータノマス スィティ [ɔːtánəməs síti]
autonomous city

P-8 ブアジュワーズィー [buɚʒwɑːzíː] / ミドル クラス
bourgeoisie / middle class

P-9 ランバード リーグ [lámbɑɚd ～]
Lombard League

P-10 ハンスィアティク リーグ [hænsiǽtik ～]
Hanseatic League

P-11 ルーベック [lúːbɛ́k]
Lübeck

Fugger Family ともいう。

P-12 ハウス オヴ フガ [haus əv fúgɚ]
House of Fugger

P-13 プライス レヴォリューション [práis revəljúːʃən]
price revolution

P-14 コマーシャル レヴォリューション [kəmə́ːrʃəl ～]
commercial revolution

P-15 フラ(ー)ンダーズ [flǽndərz / fláːn-]
Flanders

英語の Flanders は単数形。

P-16 ウル インダストリ [wúl índəstri]
wool industry

woolen manufacturing industry ウルン マニュファクチャリング インダストリともいう。

P-17 グウィーイエン [gwiːjén]
Guyenne

P-18 ポートースィー / ポウタスィー スィルヴァ マイン [pɔːtɔːsíː / poutəsíː ～]
Potosí silver mine

P-19 スパニッシュ ダラ [spǽniʃ dálɚ]
Spanish dollar

P-20 ランダン [lʌ́ndən]
London

◆**guild ギルド**　古ノルド語の gildi **「支払い、貢ぎ」**に由来する。また、飲み代を支払う「飲み会、酒宴」を指す。さらに「支払い」によって加入する「組合」を意味するようになる。支払いという意味から、ドイツ語やオランダ語でお金を意味する語も派生した。英語の yield **イー**ルドも同じ語源に由来するが、「支払う」という意味は今はなく(昔はあった)、現在では「利益を産む、譲渡する、譲る、屈服する」という多彩な意味をもつ単語である。

◆**apprentice 徒弟**　ラテン語の apprehendo アプレ**ヘ**ンドー「つかむ、捕まえる、獲得する」から「心でつかむ」、つまり「理解する、把握する」、そして中世ラテン語では「学ぶ」を意味するようになる。英語 apprehend アプリ**ヘ**ンド「逮捕する、把握する」もこのラテン語に由来している。

◆**Amboyna massacre アンボイナ事件**　英語の massacre **マ**サカとは「殺害、虐殺」の意。アンボイナとは、東南アジアのモルッカ諸島 (M-20) とバンダ諸島の間にある小島のことで香辛料の**クローブ** (丁字(ちょうじ)) の産地。オランダ東インド会社はバタヴィアに商館を造る前は、東南アジア貿易の拠点をこの島に置いていたが、イギリス東インド会社もこの島に商館を置き、対立していた。そんな状況下、イギリス商館の日本人傭兵であった**七蔵**が、オランダ要塞の衛兵と話しているところをオランダ側が発見。日本人がイギリス人と共謀して要塞奪取を企てていると疑い、イギリス商館員全員と日本人傭兵を捕縛し、拷問にかけて自白を引き出した。そして、イギリス人 10 名、日本人 9 名、ポルトガル人 1 名が処刑されたのが事件の概要。以後、イギリス側は東南アジアから撤退し、取引先をインドに転換した。余談だが、強力な毒をもつイモガイ科のアンボイナガイ (単にアンボイナともいう) は、アンボイナ島付近に多く生息することから命名されている (日本にも棲息しているので要注意)。

イギリスで起こった南海泡沫事件は、南海会社の株価の急上昇と下落によって生じた経済的混乱。1719 年に約100 ポンドで取引された南海会社の株式が、翌年半ばには約1,000ポンドまで高騰。1721 年には約100 ポンドまで暴落した。南海会社以外にも実体のない株式会社が乱立し、「泡沫会社」と呼ばれたことから、後の経済用語「バブル」の語源となった。

悪徳弁護士と最古の社会福祉施設

House of Fugger「フッガー家」

フッガー家は、ドイツの都市アウクスブルクを拠点として、ルネサンス期・宗教改革期に巨万の富を得た一族。当時、世界の富の十分の一を所有していたとさえいわれている。ヨーロッパの王室にも巨額の貸し付けをしてカトリックの体制を経済的に支え、贖宥状の販売にも関与していた。その繁栄ぶりがやっかまれたためか、ドイツのライバルのイギリスでは petty ペティ「小さい、ささいな、けちな」にフッガー家を足した **pettifogger ペティフォッガ「悪徳弁護士、いかさま弁護士」**という言葉まで生まれた。さて、アウクスブルクには **Fuggerei フッゲライ(フッガーライ)** と呼ばれる約 500年前に建てられた集合住宅がある。フッガー家の最盛期の当主**ヤーコプ・フッガー**（「富豪」の異名を持つ）が、貧者のための住居として建設。**「世界最古の社会福祉施設」**と呼ばれている(右写真)。家賃はたったの 1 ライングルデン。現在も施設は現役で使用されていて 500 年間値上げしていない。当時も今も破格の安さだ。入居条件はアウクスブルク出身者で、前科がなく敬虔(けん)なカトリック教徒で、フッガー家の繁栄を祈ることが求められた。敷地内の博物館では今も当時の暮らしぶりを見学できる。

Q 絶対王政（仏・独・墺・露）

※墺…オーストリア、露…ロシア。

Q-1 **ブルボン朝**（ちょう） フランスのヴァロア朝に次ぐ王朝。ナヴァール王アンリ４世が始祖。

Q-2 **ルイ13世**（せい） 別名「正義王」。フランス最初の絶対君主。宰相としてリシュリューを重用。三十年戦争に介入した。

Q-3 **ピレネー条約**（じょうやく） 西仏戦争の終戦条約。ピレネー山脈の北にある「すべての村」はフランスの一部となる。

Q-4 **リシュリュー** ルイ 13 世の宰相。王権の拡大を図り、重商主義政策を推進。アカデミー・フランセーズを創設。

Q-5 **マザラン** ルイ 14 世に仕えたイタリア人宰相。リシュリューの政策を引き継ぎ、中央集権化に努めた。

Q-6 **宰相**（さいしょう） フランスの首席国務卿（首席大臣）に対する日本での通称。

Q-7 **高等法院**（こうとうほういん） フランス絶対王制下の最高司法機関で、貴族の拠点だった。

Q-8 **フロンドの乱**（らん） ルイ 14 世による中央集権化に反発した貴族の反乱。

Q-9 **ルイ14世 太陽王**（せい たいようおう） フランス絶対王政の全盛期の国王。

Q-10 **ヴェルサイユ** パリの南西約 20km に位置し、ヴェルサイユ宮殿で知られる。

Q-11 **ファルツ戦争**（せんそう） プファルツ戦争、ファルツ継承戦争、大同盟戦争他、呼び方が多数ある。

Q-12 **スペイン継承戦争**（けいしょう） スペイン王位の継承者を巡って行われた戦争。

Q-13 **ユトレヒト条約**（じょうやく） スペイン継承戦争とアン女王戦争に関する一連の講和条約。

Q-14 **ナントの王令の廃止**（おうれい はいし） フォンテーヌブロー王令、フォンテンブロー王令ともいう。

Q-15 **コルベール** ルイ 14 世時代の財務長官。重商主義政策（コルベール主義）を推し進め、フランスに繁栄をもたらした。

Q-16 **ラシュタット条約**（じょうやく） スペイン継承戦争の講和条約。

Q-17 **ルイ15世**（せい） 愛人の多さから「最愛王」と呼ばれた。

Q-18 **プロイセン王国**（おうこく）

Q-19 **フリードリヒ・ヴィルヘルム１世**（せい）

Q-20 **フリードリヒ2世 大王**（せい だいおう）

画中で宰相リシュリュー（上）、マザラン（下）は緋色（カーディナルレッド）の職服を身にまとっているが、2人ともカトリック教会の枢機卿（カーディナル）でもあったため。

コルベール主義によってもたらされた富は、ベルサイユ宮殿の造営や、外国との戦争で費やされた。

海外への輸出を増やし、国立工場を設立し、造船、海運も押し進めた。

哲学や音楽に通じ、「哲人王」と呼ばれ、宮廷にはフランスの哲学者ヴォルテールを招いた。「君主は人民の第一の下僕」と述べた。

開明的な啓蒙専制君主。重商主義政策を推進し、軍事面で天才的だった。

絶対王政（絶対君主政）とは、国王や君主が絶対的権力をもって支配する政治形態。「王権神授説」により支えられた。やがて、国王に対する議会とその法が優位になり、近代の立憲君主制が生まれた。また啓蒙思想の影響を受け、国家主導で近代化を図った君主のことを「啓蒙専制君主」という（フリードリヒ２世やマリア・テレジア、ヨーゼフ２世、エカチェリーナ２世が代表例）。

ハプスブルク家の神聖ローマ皇帝。同家の男系が断絶したため、娘のマリア・テレジアのために家督相続法を定めた。 **カール6世** Q-21

カール６世の娘。「女帝」と呼ばれていた。 **マリア・テレジア** Q-22

オーストリア継承戦争 Q-23

継承戦争に敗れたオーストリアは、シュレジエンの領土を奪われた。 **シュレジエン** Q-24

シュレジエン奪回のためオーストリアがプロイセンと交戦。全欧州列強が参戦し戦場が世界に広がる。 **七年戦争** Q-25

フランスのヴォルテールらの啓蒙思想に基づいた政治思想。 **啓蒙専制主義** Q-26

もしくは啓蒙絶対君主。啓蒙思想を奉ずる君主のこと。 **啓蒙専制君主** Q-27

ドイツ、東エルベ地方の地主貴族。大農場を経営し、高級官僚・上級軍人を輩出した。 **ユンカー** Q-28

宗教寛容令・農奴解放令など近代化政策を行った。 **ヨーゼフ2世** Q-29

ロシアにおけるリューリク朝の次の王朝。初代はミハイル・ロマノフ。 **ロマノフ朝** Q-30

ピョートル大帝とも。近代化政策と大国化を推進。 **ピョートル1世** Q-31

ロシアが清と結んだ国境条約。 **ネルチンスク条約** Q-32

ロシアはスウェーデンと戦って勝利し、バルト海の制海権を得て強国の地位を得た。 **北方戦争** Q-33

エカテリーナとも書く。 **エカチェリーナ2世** Q-34

ポーランドというケーキを列強が切り分けている当時の風刺画。

ロシアの軍人で、最初の遣日使節。エカチェリーナ２世の命令で、日本に開国を迫る。 **ラックスマン** Q-35

プガチョフの乱ともいう。 **プガチョフの農民反乱** Q-36

ドン川流域を中心とするコサック軍の一つ。プガチョフもドン・コサック出身。 **ドン・コサック** Q-37

ヤギェウォ朝断絶後のポーランド王国で採用された、国王を選挙で選出する制度。 **選挙王制** Q-38

ロシア、プロイセン、オーストリアに分割されて国家が消滅。 **ポーランド分割** Q-39

アメリカ独立戦争に参加した後、祖国ポーランドの分割に対して抵抗した。 **コシューシコ** Q-40

Q Absolute monarchy

ハウス オヴ バーボン [haus əv bə́ːbən / búərbən]
Q-1 **House of Bourbon**

ルーイ [lúːi] / ルイス [lúis] ザ サーティーンス
Q-2 **Louis XIII**

トリーティ オヴ ピラニーズ [tríːti əv pírəniːz]
Q-3 **Treaty of the Pyrenees**

リシュルー [ríʃəluː]
Q-4 **Richelieu**

マザリン [mǽzərin]
Q-5 **Mazarin**

Louisは、ドイツ語のLudwig ルートヴィッヒに相当。フランス語で Louis はルイ。イギリス英語ではルーイ。アメリカ英語ではルーイとルイスの両方が使われる。

チーフ ミニスタ [tʃíːf mínistə]
Q-6 **chief minister**

パーラメント [pɑ́ələmənt]
Q-7 **Parlement**

ザ フランド [frɑnd]
Q-8 **the Fronde**

Fronde Rebellion、Fronde Revolt ともいう。

ルーイ / ルイス フォーティーンス、サン キング
[luːi] / [luis] [sʌn kiŋ]
Q-9 **Louis XIV, Sun King**

ヴェアサイ [vɛəsái]
Q-10 **Versailles**

ナイン イヤズ ウォー [nɑin jiəz wɔə]
Q-11 **Nine Years' War**

ウォー オヴ ザ スパニッシュ サクセション
[wɔə əv ðə spǽniʃ səkséʃən]
Q-12 **War of the Spanish Succession**

ピース オヴ ユートレクト [piːs əv júːtrɛkt]
Q-13 **Peace of Utrecht**

レヴォケイション オヴ ザ イーディクト オヴ ナンツ
[revəkéiʃən əv ðə íːdikt əv nænts]
Q-14 **Revocation of the Edict of Nantes**

コウルバト / コウルベア
[kóulbət / kóulbeə]
Q-15 **Colbert**

トリーティ オヴ ラシュタット [tríːti əv rǽʃtæt]
Q-16 **Treaty of Rastatt**

ルーイ [luːi] / ルイス [luis] ザ フィフティーンス
Q-17 **Louis XV**

キングダム オヴ プラシャ [kíŋdəm əv prʌ́ʃə]
Q-18 **Kingdom of Prussia**

フレドリック ウィリャム ザ ファースト
[frédrik wíljəm]
Q-19 **Frederick William I**

フレドリック [frédrik] ザ セカンド、ザ グレイト
Q-20 **Frederick II, the Great**

◆**chief minister 宰相** フランスの絶対王政の頃の「宰相」は、chief minister や first minister、つまり「首席大臣」「首席国務卿」を指している。リシュリューやマザランは、日本では「宰相リシュリュー」のように書かれることが多いが、英語では chief minister Richelieu よりは、cardinal Richelieu「リシュリュー枢機卿」の方が多い。他に、ドイツの鉄血宰相ビスマルクは、Iron Chancellor Bismarck というように Chancellor チャンセラ「宰相、首相」が使われる。日本では、官職が「参議」の大名を「越前宰相 徳川綱重」のように呼び、また内閣総理大臣の通称としても、「平民宰相 原敬」「ビリケン宰相 寺内正毅」のように宰相を用いている。

◆**the Fronde フロンドの乱** 普通、〜の乱という時は、反乱の場所や首謀者の名前で呼ばれるが、フロンドの乱の「フロンド」は、「投石機」という意味（ラテン語の funda「投石機、投網」が語源）。反乱する貴族に同調したパリの民衆がマザランの屋敷を取り囲み、ストリートチルドレンが投石器（いわゆるパチンコのようなもの）で屋敷の窓を破壊したのが命名の由来である。

◆**Nine Years' War ファルツ戦争** アルザス北部の**ファルツ伯家**のカール２世が跡継ぎなしに死んだ時、ルイ 14 世の弟オルレアン公は、妃のエリザベート・シャルロットがカール２世の妹であることを理由に王位**継承**権を主張した。これに対抗して神聖ローマ皇帝やドイツ諸侯、スペイン、オランダ他が**「アウクスブルク同盟」**と呼ばれる**大同盟**を結び、戦いは **9 年間**に及んだ。日本では「ファルツ戦争」と呼んでいるが、他に Nine Years' War「**九年**戦争」、War of the Grand Alliance「**大同盟**戦争」、War of League of Augsburg「**アウクスブルク同盟**戦争」、「プファルツ**継承**戦争」などとも呼ばれている。ちなみに、地名の Pfalz「ファルツ」の Pf は「プ」でも「フ」でも「プフ」でもなく、息を勢いよく「プッ」と吐き出す音で、日本語のカタカナでは正確に表現することができない。

◆ **parliament 高等法院**　フランスの高等法院は裁判所であって、parliament というスペルであっても立法機関（議会）ではない。parliament は、古フランス語の **parler「話す」**に由来（さらにさかのぼった語源については p.124 参照）。parliament（古フランス語では parlement）は、元々は「話し合いの場」を意味するもので、「議会」に限ったわけではない。

ブルボン家とバーボン
Bourbon

ブルボン家の名は、フランス中部オーヴェルニュ地方の温泉が湧く村 Bourbon l'Archambault ブルボン・ラルシャンボーに由来。ブルボンの地名は **Borvo ボル**ヴォというケルトの**温泉**の神からとられている（ケルト語で borvo は「泡」を意味し、英語の bubble **バ**ブルも同じ根語である）。英語でブルボンは「バーボン」とも発音。**ウイスキーのバーボン**は、ケンタッキー州の**バーボン郡**が発祥地。アメリカ独立戦争の際、フランス、特に**ルイ16 世**が独立派に援軍を出したことから、それに感謝して名が付けられた。ところで、ブルボン王朝はルイ 13 世、ルイ 14 世、……ルイ 18 世と続いたため、「ルイ王朝」とも呼ばれることがある。合衆国の**ルイジアナ**州は、ここがルイ 14 世時代にフランスの植民地だったことに基づいている。

チャールズ [tʃɑ́ɚlz] ザ スィックス [siksθ]
Charles VI　Q-21

マリーア テリーサ [mərí:ə tərí:sə]
Maria Theresa　Q-22

ウォー オヴ ズィ オーストリアン サクセション [wɔɚ əv ði ɔ́:striən səkséʃən]
War of the Austrian Succession　Q-23

サイリーシャ [sailí:ʃə]
Silesia　Q-24

セヴン イヤズ ウォー [sévən jiɚz wɔɚ]
Seven Year's War　Q-25

エンライトゥンド デスパティズム [ɛnláitənd déspətizm]
enlightened despotism　Q-26

エンライトゥンド マナク [ɛnláitənd mánɚk]
enlightened monarch　Q-27

ユンカ [júŋkɚ]
Junker　Q-28

ジョウズィフ [dʒóuzif] ザ セカンド
Joseph II　Q-29

ロウマノーフ ダイナスティ [róumənɔ:f dáinəsti]
Romanov Dynasty　Q-30

ピータ [pí:tɚ] ザ ファースト
Peter I　Q-31

トリーティ オヴ ニ(ネ)ェアチンスク [trí:ti əv ní(é)ɚtʃinsk]
Treaty of Nerchinsk　Q-32

ノーザン ウォー [nɔ́ɚðɚn 〜]
Northern War　Q-33

キャサリン [kǽθərin] ザ セカンド
Catherine II　Q-34

ラクスマン [lǽksmən]
Laksman / Laxman　Q-35

プガチャフス リベリオン [púgətʃɑfs ribéljən]
Pugachov's Rebellion　Q-36

ダン キャサック [dɑn kásæk]
Don Cossack　Q-37

イレクティヴ　マナキ [iléktiv mánɚki]
elective monarchy　Q-38

パーティション オヴ ポウランド [pɑɚtíʃən əv póulənd]
partition of Poland　Q-39

カスィアスコウ [kɑsiʌ́skou]
Kosciuszko　Q-40

R 近世の文化

ここでは、近世の代表的な思想家、科学者、音楽家、画家、文学者を取り上げる（一部、近代も含まれる）。

R-1 **デカルト** フランスの哲学者・数学者。近世哲学の父。「我思う、故に我あり」の言葉が有名。著作に『方法序説』がある。

R-2 **ラプラス** フランスの数学者・物理学者・天文学者。

R-3 **カント** プロイセン王国（ドイツ）の哲学者。ドイツ古典主義哲学（ドイツ観念論哲学）の祖。

R-4 **ロック** イギリスの哲学者。「イギリス経験論の父」と呼ばれる。

R-5 **パスカル** フランスの数学者・物理学者・哲学者。

R-6 **ライプニッツ** ドイツの哲学者・数学者・神学者。

R-7 **アダム・スミス** イギリスの経済学者。『国富論』。

R-8 **モンテスキュー** フランスの哲学者。

R-9 **ヴォルテール** ボルテールとも書く。フランスの哲学者・思想家。

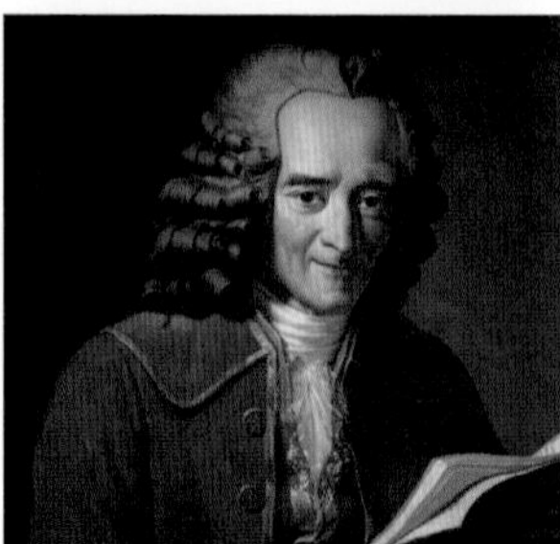

R-10 **ジャン=ジャック・ルソー**

R-11 **ヘーゲル** ドイツの哲学者。ドイツ観念論の代表者。

R-12 **ジェンナー** イギリスの医師。牛痘接種法を開発。「近代免疫学の父」。

R-13 **リンネ** スウェーデンの博物学者、植物学者。学名の体系化。「分類学の父」と呼ばれる。

R-14 **ガリレオ** イタリアの科学者。「近代科学の父」。

R-15 **ニュートン** イギリスの数学者・物理学者・天文学者。

R-16 **バッハ** ドイツの作曲家。「音楽の父」。

R-17 **ヘンデル** ドイツ出身で、イギリスで活躍した作曲家。「音楽の母」。

R-18 **ハイドン** 古典派を代表するオーストリアの作曲家。「交響曲の父」。

R-19 **モーツァルト** オーストリアの作曲家。ウィーン古典派。

R-20 **ベートーヴェン** ドイツの作曲家。「楽聖」。

ヴォルテールやジャン=ジャック・ルソーなど、18世紀中頃の啓蒙思想家のことを「百科全書派（アンシクロペディスト）」と呼ぶが、これは当時の最先端の技術や科学の情報を掲載した、全28巻に及ぶL'Encyclopédie『百科全書』（アンシクロペディー）の執筆に参加したことにちなむ。ちなみに、ユーモアで書かれたUncyclopediaアンサイクロペディアとは異なる。

ポーランドのロマン派の作曲家・ピアニスト。「ピアノの詩人」。 **ショパン** R-21

オーストリアの作曲家。「歌曲の王」。 **シューベルト** R-22

ハンガリーの作曲家・ピアニスト。「ピアノの魔術師」。 **リスト** R-23

イタリアの作曲家。美男子で、あだ名は「ペーザロの白鳥」。 **ロッシーニ** R-24

ドイツの作曲家。「楽劇王」。 **ワーグナー** R-25

フランスの作曲家。 **ドビュッシー** R-26

マネの代表作には『草上の昼食』、『オランピア』、『笛を吹く少年』がある。

フランドルの画家・外交官・人文主義者。 **ルーベンス** R-27

ネーデルラント（オランダ）の画家。「光と影の魔術師」。 **レンブラント** R-28

フランスの画家。印象派の先駆者。代表作『草上の昼食』、『オランピア』。 **マネ** R-29

印象派を代表するフランスの画家。『印象・日の出』、『睡蓮』など。 **モネ** R-30

印象派のフランスの画家。「色の魔術師」。 **ルノワール** R-31

ロダンの代表作には『青銅時代』『地獄門』『考える人』がある。

フランスの画家。ポスト印象派。「近代絵画の父」。 **セザンヌ** R-32

オランダのポスト印象派の画家。 **ゴッホ** R-33

フランスの彫刻家。「近代彫刻の父」。 **ロダン** R-34

イギリスの詩人。代表作は『失楽園』。 **ミルトン** R-35

イギリスの小説家。『二都物語』など。 **ディケンズ** R-36

ロンドンのマダムタッソー蝋（ろう）人形館のディケンズ。

ドイツの詩人・小説家・自然科学者。『若きウェルテルの悩み』、『ファウスト』他。 **ゲーテ** R-37

ロシアの小説家。トゥルゲーネフともいう。 **ツルゲーネフ** R-38

ロシアの小説家。 **ドストエフスキー** R-39

ロシアの小説家。『戦争と平和』が代表作。 **トルストイ** R-40

※このページの本人の写真はWikimedia Commonsによる。

R Cultures of the Early Modern Times

デイカート [deiká:rt]
R-1 **Descartes**

ラプラス [laplás]
R-2 **Laplace**

キャント [kǽnt]
R-3 **Kant**

ラック [lɑk]
R-4 **Locke**

パスカル / パスカル [pǽskəl / pæskǽl]
R-5 **Pascal**

ライブニッツ [láibnits]
R-6 **Leibniz**

アダム スミス [ǽdəm smíθ]
R-7 **Adam Smith**

マンテスキュー [mɑntəskjú:]
R-8 **Montesquieu**

ヴォウルテア / ヴァルテア [voultéɚ / váltɛɚ]
R-9 **Voltaire**

ジャーン ジャック ルーソウ [ʒɑ:n ʒæk ru:sóu]
R-10 **Jean-Jacques Rousseau**

ヘイゲル [héigəl]
R-11 **Hegel**

ジェナ [dʒénɚ]
R-12 **Jenner**

リン / リネ / リネイ / リネー
[lín / línə / linéi / liné:]
R-13 **Linne**

ギャラレイオウ / 〜リーオウ [gæləléiou / -lí:ou]
R-14 **Galileo**

ニュートン [njú:tən]
R-15 **Newton**

バーク [bá:k] ドイツ語ではバーハ [bɑ:x]
R-16 **Bach**

ハンデル [hǽndəl]
R-17 **Handel**

ハイドン [háidn]
R-18 **Haydn**

モウツァート [móutsɑɚt]
R-19 **Mozart**

ベイトウヴェン [béitouvən]
R-20 **Beethoven**

◆**Pascal パスカル**　パスカルはラテン語の pascha パスカ「ユダヤ教の過越（キリスト教であればイースターに相当）」に由来する（C-20 参照）。フランスではイースター生まれの子供の名前に付けられることがある。ただ、パスカルの場合は姓なのでイースター生まれというわけではなく、パスカル家の始祖となった人物の誰かがイースター生まれだったか、もしくは、11 世紀のローマ教皇 Paschalis「パスカリス」にちなんだ名前だった可能性もある。

◆**Rousseau ルソー**　Rousseau は、フランス語で roux **ルー**「赤毛の」という形容詞の女性形 rousse **ル**スに由来する。姓なので、先祖のあだ名が「赤毛」だったのかもしれない。赤毛といえば、イタリアの作曲家ロッシーニの姓もイタリア語の rosso **ロ**ッソ「赤い」に由来する。

◆**Galileo ガリレオ**　ガリレオはピサ生まれで、出自はフィレンツェの名門貴族。彼の家は元々は Bonajuti ボナイユーチという姓だったが、彼の先祖で著名な医師、また都市の指導者でもあった Galileo de'Bonajuti の名前を取ってガリレイ家という名前になった。ガリレオ・ガリレイは姓を個人名に用いて繰り返したもので、イタリア人の長男に時として見られる。ガリレオ（名）・ガリレイ（姓）。ちなみに、ガリレイという名は、ユダヤの北部の「ガリラヤ」（p.66 参照）に由来。エルサレムの住民からは、ガリラヤ人は田舎者扱いされていたが、イエス・キリストはガリラヤで成長し、また十二使徒になった者もガリラヤ人が多かった。

◆**Manet マネ**　フランス語では語尾に来る子音は発音されないため「マネット」ではなく「マ**ネ**」となる。同様に Monet も「モネット」ではなく、「モ**ネ**」である。マネとモネはとても紛らわしい名前だが、この2人はフランスで同じ時代に画家として活躍していたため、当時の人からも間違われた。1866 年のサロンに、モネは『緑衣の女』という絵を出品し入選したが、会場側が間違ってその作品を

イギリス人やフランス人、ドイツ人はジョン（名）・**ミルトン（姓）**、ブレーズ（名）・**パスカル（姓）**のように姓、つまりファミリーネームで一般に知られているが、イタリア人の場合、**ガリレオ（名）**・ガリレイ（姓）、**ミケランジェロ（名）**・ブオナローティ（姓）、**ラファエロ（名）**・サンティ（姓）のように名、つまりファーストネームで知られることが多い（例外もある）。

「マネ」の作品として掲示してしまった。マネが会場に来てみると自分のものではない作品が、自分の名前を騙（かた）って入選していると勘違いをして怒った（マネの出品した『笛を吹く少年』は落選していた）。後に誤解は解け、マネは8歳年下のモネと親しい仲となり、モネを経済的にも支援した。マネの死後、彼の代表作『オランピア』が海外に売却されそうになった時、モネは募金運動をして絵を買い取り、フランスに寄贈。マネの絵はルーブル博物館に展示された（現在はオルセー美術館で展示）。

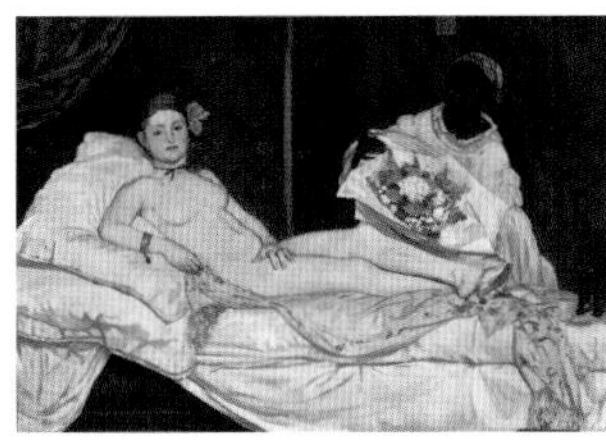
モネ画『オランピア』

バッハ、ゴッホ、ゴホゴホ
うがいの喉の形

ドイツ語の ch の音は、a や u、o の後では「無声軟口蓋摩擦音」になる。日本語にない発音だが、「ハ」か、もしくは強く発音すれば「カ」に似ていなくもない。「寒い時に手を口に当ててハー」と言う時のハの音に近いといわれる。もしくは、ゴホゴホと咳をする時の音やうがいをする時の喉の形に近いかもしれない。発音記号では [x] と書かれるが、くれぐれもこれを「クス」と読まないように。この音は英語にもないため、英語ではバッハのことを「バーク」と呼んでいる。「無声軟口蓋摩擦音」といえば、オランダ人の Gogh「ゴッホ」もそうである。オランダ語では [xɔx]、つまり最初も最後も「無声軟口蓋摩擦音」なので「ホッホ」が近い。英語ではゴウ [gou] とか、ガフ [gɑf] と発音している。時にはガハ [gɑx] のように中途半端に最後の子音だけ「無声軟口蓋摩擦音」で発音されることもある。

ショウパン / **ショ**パン [ʃóupæn / ʃɔ́pæŋ]
Chopin R-21

シュー**バ**ート [ʃú:bɚ:t]
Schubert R-22

リスト [list]
Liszt R-23

ロー**スィ**ーニ [rɔ:sí:ni]
Rossini R-24

ヴァーグナ [vά:gnɚ]
Wagner R-25

デビュ**スィー** / デ**ビュー**スィ [debjusí: / dəbú:si]
Debussy R-26

ルービンズ [rú:bənz]
Rubens R-27

レンブラント [rémbrænt]
Rembrandt R-28

マ**ネイ** [mænéi]
Manet R-29

モウ**ネイ** [mounéi]
Monet R-30

レノワー / レノ**ワー** [rénwɑɚ / rənwά:ɚ]
Renoir R-31

セイ**ザ**ン [seizǽn]
Cézanne R-32

ゴウ [góu]
Gogh R-33

ロウ**ダ**ン / **ロウ**ダン [roudǽn / róudæn]
Rodin R-34

ミルトン [míltən]
Milton R-35

ディキンズ [díkinz]
Dickens R-36

ゲイタ / **ガー**タ [géitə / gə́:tə]
Goethe R-37

ター**ゲイ**ニェヴ / ター**ゲイ**ニェフ / ター**ゲイ**ナフ [tə:rgéinjev / -njef / -nəf]
Turgenev R-38

ダスタ**イェ**フスキ [dɑstəjéfski]
Dostoevsky R-39

トウルストイ / **ト**ルストイ [tóulstɔi / tɔ́l-]
Tolstoy R-40

イギリスの産業革命

近代のはじまりを特徴付けるものには、清教徒革命や名誉革命、フランス革命といった「市民革命」に加え、18世紀後半のイギリスではじまった「産業革命」がある。「革命」という語は、英語の **revolution** レヴォリューション（レヴォルーション）の訳。ラテン語で「再び、さらに」を意味する接頭辞 re- ＋ volvo ヴォルヴォー「回転する」に由来。英語では revolution は、最初に天文用語の「公転」という意味で用いられた（それに対して「自転」は **rotation**）。やがて、社会の大きな転換である「革命」という意味でも使われるようになった。こうした用法のはじまりはイギリスの「名誉革命」の時だと考えられている。産業革命はまず、イギリスの綿工業分野における発明からスタートした。ハーグリーヴズが**ジェニー紡績機**を発明し、次いでジョン・ケイが**飛び杼**(とびひ)を発明した。飛び杼とは、綿織機(めんしょくき)の縦糸に横糸を通すための両端が尖った道具。飛び杼は杼の内部に巻き付けた糸が収納されていて、布を織る速度が倍以上になった。さらに蒸気機関の発明により、工業化はさらに進んだ。産業革命が大英帝国の繁栄を導き、世界を制することを可能にした。日本人が今英語を学んでいるのも、イギリスの繁栄の影響が回り回ってきたものといえる。

拳銃の revolver リヴォルヴァーも、軸を中心に回転している。

関連英語

産業革命	インダストリアル レヴォリ(ル)ューション [indʌ́striəl revəl(j)ú:ʃən] **industrial revolution**
ハーグリーヴズ	ハーグリーヴズ [hɑ́ɚgri:vz] **Hargreaves**
ジェニー紡績機	スピニング ジェニ [spíniŋ dʒéni] **spinning jenny**
ジョン・ケイ	ジャン ケイ [dʒɑn kei] **John Kay**
飛び杼	フライイング シャトル [flɑ́iiŋ ʃʌtl] **flying shuttle**
スティヴンソン	スティーヴンスン [stí:v(ə)nsn] **Stephenson**
蒸気機関車	スティーム ロウコモウティヴ [sti:m loukəmóutiv] **steam locomotive**
蒸気船	スティームシップ [stí:mʃip] **steamship**

飛び杼は、英語で flying shuttle という。杼は織機の右から左、左から右へと素早く往復する。再使用可能な有人宇宙船 space shuttle スペースシャトルも地球と宇宙の間を高速で往復していた。

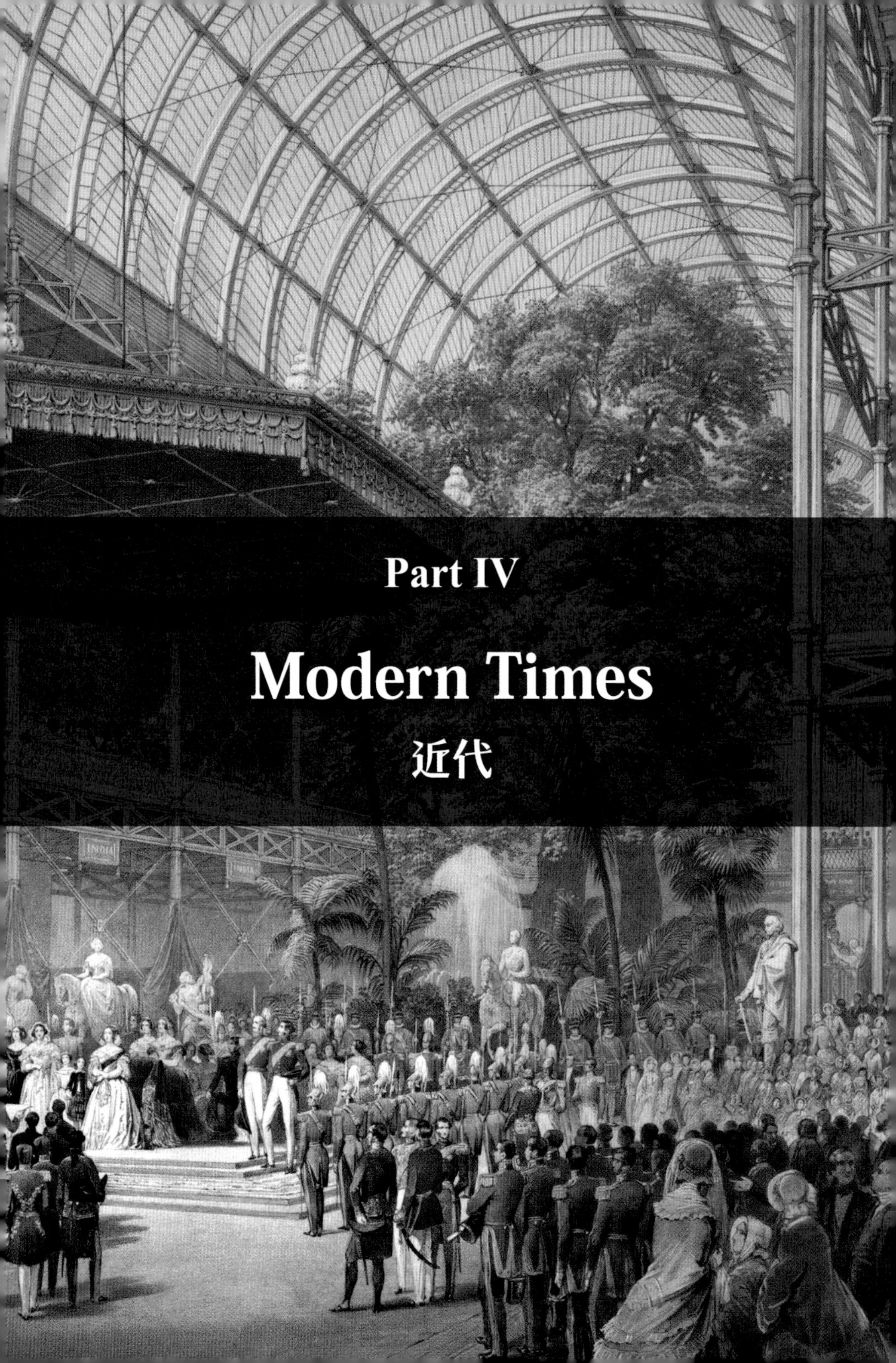

Part IV

Modern Times

近代

S 清教徒革命 / 名誉革命

s-1 **ステュアート家** スコットランドの王朝だったが、ジェームズ１世以降イングランドの王朝ともなる。

s-2 **ジェームズ6世** スコットランド王としてはジェームズ6世。後に、イングランドのステュアート朝初代国王ジェームズ１世(N-65と同一人物)。

s-3 **王権神授説** 国王の権力は神から与えられた神聖不可侵なものであり、王は神に対してのみ責任を負うとする。

s-4 **権利の請願** イギリス議会が国王チャールズ１世に対して出した請願。英国憲政上の三大法典の一つ。

s-5 **チャールズ1世** 王権神授説に基づく専制政治を行う。ピューリタン革命で、公開処刑された。

s-6 **イギリス革命** ピューリタン革命と名誉革命をまとめてイギリス革命という。

s-7 **ピューリタン革命** 清教徒革命ともいう。

s-8 **王党派** 国王を支持した党派。特権的大商人や貴族、大地主層からなった。

s-9 **議会派(円頂党)** 国王の専制政治に反対した勢力。

s-10 **独立派** 議会派の中でクロムウェルに率いられたピューリタンやジェントリ層の勢力。

s-11 **オリヴァー・クロムウェル**

s-12 **共和制** または共和政。君主をもたない政体。イギリスではピューリタン革命によって王が倒された約10年間だけ共和制が成立し、他は王政である。

s-13 **護国卿** イギリスの共和制における最高職。他の時代にも、王が幼年の時の後見人の称号として用いられた。

s-14 **鉄騎隊** アイアンサイドともいう。クロムウェルが組織した騎兵部隊に付けられた。

s-15 **ネイズビーの戦い** ネーイズビーの戦いとも書く。王党派と議会派の戦闘で、議会派が勝利。

s-16 **長老派** プレスビテリアンともいう。「長老制」を支持したカルヴァン派の教派。スコットランドで勢力が強かった。共和制では、穏健な立憲王政を主張し、多数派だった。

s-17 **水平派** 平等派、レベラーズともいう。基本的人権の擁護、普通選挙による議会、独占の廃止を求めた。革命初期はクロムウェルを支持したが、国王処刑後クロムウェルに弾圧された。

s-18 **アイルランド征服** クロムウェルが王党派の拠点になっているとの口実で植民地とした。

s-19 **スコットランド征服** スコットランドに侵攻したクロムウェルはダンバーの戦いでスコットランドを破り、その地を征服した。

s-20 **航海条例** 航海法ともいう。イギリスの利益を保護し、オランダに打撃を与えるための貿易統制法。

権利の請願では、議会が国王に対して、議会の承認なしに課税することや、国民の不当な拘束をやめることを要求した。チャールズ１世は、財政悪化の中でこれ以上の議会との対立を避けるため一度はこれを承認したが、結局廃止し、それに対して抗議した議会を解散。以後、約11年にわたって議会を開かず、それに対する不満からピューリタン革命が起きた。

チャールズ１世処刑の後、スコットランドがチャールズ１世の子のチャールズ皇太子(後のチャールズ２世)を迎え入れ、スコットランド王とした。クロムウェルはスコットランドを侵略し第3次イングランド内戦が勃発。クロムウェル軍がスコットランドに北上している虚を突いて、チャールズはイングランドに南下しロンドンを目指す。しかしウスターの戦い(上の画像)で負けたチャールズは、フランスへと逃げ延びた。

信仰自由宣言は、純粋に信仰の自由を目指したものではなく、英国王チャールズ２世がカトリックの勢力復活の意図をもって発した布告。議会主導を承諾して即位したにもかかわらず、カトリックを支持したチャールズ２世は、カトリック教徒を用いて専制政治復活をもくろみ、信仰自由宣言を発布。議会は対抗して、国教徒以外は官職に就けないという審査法を定めた。

イギリス・オランダ戦争ともいう。海上貿易の覇権を巡るイギリスとオランダの戦争。	英蘭戦争	s-21
チャールズ１世の子。「陽気な王」「怠惰王」と呼ばれた。	チャールズ2世	s-22
共和制の後、議会では長老派と王党派の妥協が成立した結果、亡命先のフランスから戻ったチャールズ２世が王位に就き、ステュアート朝が復活した。	王政復古	s-23
カトリック教徒・プロテスタントを問わず非国教徒に対し公然の礼拝を許可し、彼らを迫害する法律を無効とする宣言。	信仰自由宣言	s-24
非国教徒の公職就任を禁止した法律。公職に就く者すべてに、国王への忠誠誓約とイギリス国教会の礼式による聖餐を義務付けた。	審査法	s-25
国王が反対派を弾圧できないように、逮捕状なしの拘束・投獄の禁止を定めたもの。	人身保護法	s-26
王政の存続を認める保守派。後に保守党につながる。	トーリー党	s-27
王権の制限、人権の保護を重視する革新派で、後の自由党の前身。	ホイッグ党	s-28
兄チャールズ２世の死後、チャールズ２世に嫡出子がおらず、兄の跡を継いで即位した。	ジェームズ２世	s-29
ジェームズ２世を追放し、オランダからオランダ総督だったオラニエ公ウィレム３世を迎えて王とした。	名誉革命	s-30
または権利の宣言。議会が、王権の制限や国民の生命・財産の保護について決議した宣言。名誉革命における重要文書。	権利宣言	s-31
オランダではオラニエ公ウィレム３世。オランダ総督ウィレム２世と英国王チャールズ１世の娘メアリの子。	ウィリアム3世	s-32
ジェームズ２世の長女。オレンジ公ウィリアム３世と結婚。ウィリアム３世と共同の統治者となり、イギリス女王となる。	メアリ２世	s-33
ウィリアムは即位の条件として権利宣言を受諾し王となったが、この権利宣言を法律として制定したものが権利章典。イギリスの基本法典の一つ。	権利章典	s-34
ウィリアム３世に世継ぎがなかったため王位を継承。ステュアート朝最後の君主。ブランデー好きで知られ、ブランデー・ナン（Brandy Nan）の異名を持つ。	アン女王	s-35
グレートブリテン王国ともいう。連合王国とはいえ、実質的にはイングランドによるスコットランドなどの併合だった。	大ブリテン王国	s-36
アン女王に子がおらず、ドイツのハノーヴァー選帝侯が王となる。英語がうまく話せず政務をほとんど顧みず、責任内閣制が確立した。	ジョージ1世	s-37
ジェームズ１世の孫娘ゾフィー（ソフィア）とハノーヴァー選帝侯の間の子ゲオルク・ルートヴィヒ（ジョージ１世）が初代。	ハノーヴァー朝	s-38
第１次世界大戦時に敵国のドイツ風の王朝名が改められ、王宮の所在地にちなんだウィンザー朝と呼ばれるようになり、現在に至る。	ウィンザー朝	s-39
ホイッグ党の指導者。イギリスの責任内閣制最初の首相。プライム・ミニスターと呼ばれ、内閣総理大臣（首相）を意味するようになった。	ウォルポール	s-40

ハウス オヴ ステュアト [～ stjúəːt]
s-1 **House of Stuart**

ジェイムズ ザ スィックス [dʒéimz ðə siksθ]
s-2 **James VI**

ディヴァイン ライツ オヴ キングズ [diváin ～]
s-3 **divine right of kings**

ピティション オヴ ライト [pətíʃən ～]
s-4 **Petition of Right**

チャールズ [tʃáəlz] ザ ファースト
s-5 **Charles I**

字義通りには「イギリス内乱」。English Revolution ともいう。

イングリッシュ スィヴィル ウォー [～ sív(ə)l wɔ́ə]
s-6 **English Civil War**

ピュアリタン レヴォリューション [pjú(ə)rətən revəl(j)úːʃən]
s-7 **Puritan Revolution**

ロイヤリスト [rɔ́iəlist]
s-8 **Royalist**

単数形なので「王党派の一人」の意。王党派全体なら複数形の Royalists。「議会派」等も同様。

パーラメンテアリアン [pɑələmenté(ə)riən]
s-9 **Parliamentarian / Roundhead**

インディペンダント [indipéndənt]
s-10 **Independent**

アリヴァ クラムウェル [áləvə krámwel]
s-11 **Oliver Cromwell**

カマンウェルス [kámənwelθ]
s-12 **Commonwealth**

ロード プロテクタ [lɔ́əd prətéktə]
s-13 **Lord Protector**

アイアンサイド [áiənsaid]
s-14 **Ironside**

バトル オヴ ネイズビ [néizbi]
s-15 **Battle of Naseby**

プレズビティアリアン [prèzbəti(ə)riən]
s-16 **Presbyterian**

レヴェラ [lévələ]
s-17 **Leveller**

カンクェスト オヴ アイアランド [kánkwest əv áiələnd]
s-18 **conquest of Ireland**

カンクェスト オヴ スカットランド [skátlənd]
s-19 **conquest of Scotland**

ナヴィゲイション アクツ [nævigéiʃən ækts]
s-20 **Navigation Acts**

◆**Parliamentarian 議会派**　英語で「議会」を意味する parliament の形容詞形。parliament は、古フランス語の **parler「話す」**に由来（現代フランス語も「話す」は parler パルレ）。この語をさらにさかのぼると、ギリシャ語の παραβολή パラボレーにたどり着く。このギリシャ語は παρα- パラ「かたわらに、そばに、並んで」＋ βολή ボレー「投げる」の合成語。「並んで投げる」から「並列、併置、比較」、さらには「たとえ話、対話、談話」といった意味が生じた。また英語の parable パラブル「たとえ話、比喩」や parley パーレイ「敵との談判」、「投げたものの軌跡」という意味から、parabola パラバラ「放物線、パラボラ」という語も派生している。パラボラアンテナの曲面は放物線の形をしているためだ。議会派に属する清教派の一部は頭を短く刈り上げていたため、Roundhead「丸刈り頭」→「円頭派」「円頂党」と侮蔑的なあだ名を与えられた。後に議会派は新たに登場した侮蔑語の Whig ホイッグ（「馬泥棒」、「謀反人」）と呼ばれるようになる。

◆**Presbyterian 長老派**　ギリシャ語の πρεσβύτερος プレスビュテロス「老人、長老」に由来。長老派は、教会は一人の司祭によって治められるのではなく、一般信者の中から経験のある者を複数選んで elder エルダ「長老」とし、牧師を補佐して、長老会が教会を運営する長老制を取り入れていた。議会の中では立憲王政を支持した穏健派を構成した。ちなみに、priest プリースト「司祭」も、ギリシャ語のプレスビュテロスがラテン語を経由してスペルが変化したもので、元を正せば同じ起源の言葉である。

◆**Tory トーリー党**　対立するホイッグ党から、アイルランド語で「無法者、ならず者、山賊」という意味の蔑称 Tory と言われたのが由来。蔑称が広まると、次第に侮蔑的な意味合いが薄れて一般的な呼称となることがよくある（ホイッグ、クエーカー等）。

名誉革命では、国王ジェームズ２世が追放され、オラニエ公ウィレム（後のウィリアム３世）と妃メアリ（メアリ２世）が王位に就いたが、流血を見ずに革命が成し遂げられたため別名「無血革命」ともいう。

家畜小屋の番人？ ステュアート家とスチュワーデス

Stuart ステュアートという名前は、ブルターニュの一貴族だったその先祖が、12 世紀にスコットランドに移住して、スコットランド王家の **steward スチュワード「宮宰、王室執事長」**を世襲したことに由来。第 6 代執事長ウォルター・ステュアートはスコットランド王ロバート 1 世の娘と結婚し、その子の**ロバート２世**がステュアート朝を開いた。ステュアート朝のスペルは、メアリ女王以前は Stewart だったので、steward とは 1 文字違いである。ちなみに、steward スチュワードの女性形は stewardess スチュワーデス。以前は旅客機の女性客室乗務員のことを「スチュワーデス」と呼んでいたが、日本では「キャビンアテンダント (cabin attendant)」、略して「CA (シーエー)」、「客室乗務員」と呼んでいる。もっとも、海外では主に、flight attendant フライトアテンダントや cabin crew キャビンクルーが使われている。スチュワード・スチュワーデスを使わなくなった理由の一つに、steward の語源が「豚などの家畜の小屋の番人」なので、そんな言葉を使うのは差別的だとする見解がある。とはいえ、古代には家畜は重要な財産だったので家畜小屋の番は重要な仕事であり、しかも後代には steward は宮廷における高い役職を指すようになり、王家の名前の語源にもなっていることを考えると、steward が語源的に差別的用語だとする主張はやや極端に思える。

アングロウ ダッチ ウォーズ [ǽŋglou dʌ́tʃ 〜]
Anglo-Dutch Wars s-21

チャールズ [tʃɑ́ɚlz] ザ セカンド
Charles II s-22

レストレイション [restəréiʃən]
Restoration s-23

デクラレイション オヴ インダルジェンス [dekləréiʃən əv indʌ́ldʒəns]
Declaration of Indulgence s-24

テスト アクト [tést ǽkt]
Test Act s-25

ヘイビアス コーパス アクト [héibiəs kɔ́ɚpəs 〜]
Habeas Corpus Act s-26

トーリ パーティ [tɔ́:ri pɑ́ɚti]
Tory party s-27

(ホ)ウィッグ パーティ [(h)wíg pɑ́ɚti]
Whig party s-28

ジェイムズ [dʒéimz] ザ セカンド
James II s-29

グローリアス レヴォリ(ル)ューション [glɔ́:riəs revəl(j)ú:ʃən]
Glorious Revolution s-30

デクラレイション オヴ ライツ [dekləréiʃən 〜]
Declaration of Rights s-31

ウィリャム ザ サード [wíljəm]
William III s-32

オラニエ公(オレンジ公)はフランスの都市オランジュ Orange に由来。といっても実際にオランジュを支配していたのではなく、ネーデルラントの皇太子の称号として用いられていた。果物のオレンジとは語源的には関係がない。

メアリ / メリ ザ セカンド [mé(ə)ri]
Mary II s-33

ビル オヴ ライツ [bíl 〜]
Bill of Rights s-34

クウィーン アン [kwí:n ǽn]
Queen Anne s-35

キングダム オヴ グレイト ブリテン [〜 brítn]
Kingdom of Great Britain s-36

ジョージ [dʒɔ́ɚdʒ] ザ ファースト
George I s-37

ハウス オヴ ハノウヴァ [〜 hǽnouvɚ]
House of Hanover s-38

ハウス オヴ ウィンザ [〜 wínzɚ]
House of Windsor s-39

ウォールポウル [wɔ́:lpoul]
Walpole s-40

T アメリカ大陸の植民地

近年、「インディアン」という語を差別用語とする論調もあるが、歴史用語としては英語・日本語において定着しているものが多いため、本書ではそのまま使用している。

T-1 **コンキスタドール** スペインから新大陸に派遣され、現地の国家を倒した「征服者」。

T-2 **アステカ王国** メキシコのアステカ族（またはメシカ人）の王国。

T-3 **コルテス** 首都テノチティトランを征服、アステカ王国を滅ぼす。ヌエバ・エスパーニャ（現メキシコ）の総督になり、後にカリフォルニアも発見した。

アステカ王国のモンテスマ王はコルテスを平和に迎えたが、コルテスは王を欺いて監禁し、莫大な量の金銀の細工品を集めて奪い、多数のインディオを虐殺した。

T-4 **インカ帝国** 高度な農耕、金属器文化を有したアンデス山脈中に栄えた帝国。

T-5 **クスコ** インカ帝国の首都として繁栄した都市。都市の中心には太陽神殿（コリカンチャ）があった。

T-6 **ピサロ** スペインの軍人・探検家。インカ帝国を征服し、海岸部に新都リマを建設した。

ピサロの騎馬像は、当初リマ市の大聖堂の前に高い台座付きで置かれていたが、インカ帝国の子孫というアイデンティティーを持つ市民から反対運動が生じたために置き場が転々と移り、今は高い台座なしで城塞広場に置かれている。

T-7 **エスパニョーラ島** イスパニョーラ島とも書く。スペイン人がはじめて入植したカリブ海の島。現在のハイチ、ドミニカ。

T-8 **エンコミエンダ（制）** キリスト教化を条件に現地人労働力を奴隷として使役する、悪名高い農園経営形態。

T-9 **ラス・カサス** コルテスの従軍司祭として同行したカトリック司祭。コンキスタドール達の残虐な行為や不正行為を目撃し、後に告発した。

ラス・カサスは「インディオ達の保護者」とされる一方、祖国への裏切り者呼ばわりされることもあった。

T-10 **オランダ西インド会社** アメリカ新大陸との貿易を行うオランダの株式会社。

T-11 **ニューネーデルラント** オランダが北米大陸に設けた植民地。

T-12 **ニューアムステルダム** ニューヨークの古名。

T-13 **ニューヨーク** ニューアムステルダムがイギリスに奪取され、ニューヨークとなる。

T-14 **フランス西インド会社** コルベールの下で設立。カナダやルイジアナへの進出を図る。

T-15 **ルイジアナ** フランス人の探検家、ラ・サールがルイ14世に献上。ルイ14世にちなんでルイジアナと名付けた。

T-16 **カルティエ** フランス人探検家・航海者。アメリカ大陸北部に植民地を獲得するためフランソワ1世によって派遣された。「カナダ」や「セントローレンス川」「モントリオール」等の地名の命名者。

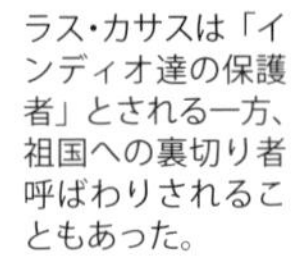

T-17 **ヌーベルフランス** フランスが北アメリカにもっていた植民地。

T-18 **シャンプラン** フランスの地理学者・探検家。ケベックにフランス植民地を建設した。

T-19 **ケベック** フレンチ・インディアン戦争の時にイギリス軍が占領し、パリ条約で一時期イギリス領となる。

T-20 **アカディア** もしくはアーカディア、アカディ。現、合衆国メイン州東部とカナダのノバスコシア州に相当する地域の古名。

コロンブスによって新大陸が「発見」されたといわれているが、それよりはるか以前の 11 世紀頃に、北欧のヴァイキングが北アメリカ大陸に到達し、現ニューファンドランド島付近に入植もしていた。ヴァイキングのレイフ・エリクソンがこの地を「ヴィンランド」と命名した（「葡萄の地」、ないしは「草原の地」の意）。しかし、短期間で入植地は放棄された。

メイフラワー 2 世号。実寸でオリジナルを忠実に再現した復元船。181t、全長約 33 m、幅約 8 m。1956年に進水式が行われ、プリマスの港で一般公開されている。

1773 年のボストン茶会事件を描いた、1973 年にアメリカ合衆国郵便公社が発行した記念切手。

ピルグリム・ファーザーズ T-21

ピルグリム・ファーザーズがアメリカへ渡る時に乗った船。 **メイフラワー号** T-22

ピルグリム・ファーザーズが最初に上陸した新大陸の土地。 **プリマス** T-23

イギリスによる 13 の植民地。 **ニューイングランド植民地** T-24

13 植民地の中で最も古い植民地として成立した。一説には「バージン・クイーン」（エリザベス 1 世）に由来。 **ヴァージニア** T-25

13 植民地中、最後に建設されたイギリスの植民地。国王ジョージ 2 世に由来。 **ジョージア** T-26

イギリス貴族でクウェーカー教徒のウィリアム・ペンがひらいた。 **ペンシルヴェニア** T-27

プロテスタントの一派。今日、正式には「キリスト友会」。 **クウェーカー** T-28

13 植民地の最も北に位置し、ボストンを中心に漁業と造船が発達した。 **マサチューセッツ** T-29

北アメリカ大陸の大西洋沿岸地帯にイギリス人等が入植して成立した植民地。王領植民地、領主植民地、自治植民地の 3 種類があった。 **13植民地** T-30

イギリスの 13 植民地それぞれで開催されていた議会。 **植民地議会** T-31

第 2 次百年戦争ともいう。ウィリアム戦争からはじまった英仏植民地における勢力争いの一連の戦争。 **英仏植民地戦争** T-32

イギリスが勝利し、ユトレヒト条約によりイギリスはハドソン湾沿岸地方、アカディア等を仏から獲得した。 **アン女王戦争** T-33

英仏で引き分けに終わり、アーヘンの和約で互いの占領地を交換した。 **ジョージ王戦争** T-34

フレンチ・インディアン戦争 T-35

イギリス東インド会社軍が、フランス・ベンガル連合軍を破る。 **プラッシーの戦い** T-36

アメリカ独立戦争で敗れたイギリスが、アメリカの独立を承認した条約。 **パリ条約** T-37

新聞・パンフレットや証書、許可証、トランプのカードなどに印紙を貼ることを義務付けた法律。 **印紙法** T-38

東インド会社を救済するため、植民地に対して出された課税法。 **茶法** T-39

茶法に反発して東インド会社の茶を棄てたことから起こった。 **ボストン茶会事件** T-40

T Colonies of the Americas

T-1 カンクウィスタドー [kɑnkwístədɔɚ]
conquistador

T-2 アズテック（キングダム）[ǽztek ～]
Aztec (kingdom)

T-3 コーテズ [kɔ́ɚtéz] / コーテズ [kɔɚtéz]
Cortes

T-4 インカ エンパイア [íŋkə émpaiɚ]
Inca Empire

T-5 クースコウ [kú:skou]
Cusco / Cuzco

T-6 ピザーロウ [pizɑ́:rou]
Pizarro

T-7 ヒスパニョウラ（アイランズ）[hispənjóulə ～]
Hispaniola (Islands)

T-8 エンコウミエンダ（スィステム）[ɛnkoumiéndə ～]
Encomienda (System)

T-9 ラース カーサズ [lɑ:s kɑ́:səz]
Las Casas

T-10 ダッチ ウェスト インディア カンパニ [dʌtʃ ～]
Dutch West India Company

T-11 ニュー ネザランド [n(j)ú: nɛ́ðɚlənd]
New Netherland

T-12 ニュー アムスタダム [n(j)ú: ǽmstɚdæm]
New Amsterdam

T-13 ニュー ヨーク [n(j)ú: jɔ́ɚk]
New York

T-14 フレンチ ウェスト インディア カンパニ [fréntʃ ～]
French West India Company

T-15 ルーイーズィアナ [lu:i:ziǽnə]
Louisiana

T-16 カーティエイ [kɑ́ɚrtiei]
Cartier

T-17 ニュー フランス [n(j)ú: frǽns]
New France

T-18 シャンプレイン [ʃæmpléin]
Champlain

T-19 クウィベック [kwibék]
Quebec

T-20 アケイディア [əkéidiə]
Acadia

◆**Pilgrim Fathers ピルグリム・ファーザーズ**
「巡礼始祖（巡礼父祖）」とも訳される。厳密には、メイフラワー号に乗ってプリマスに上陸したピューリタンを指す。ジェームズ1世による迫害を逃れるため、最初はオランダのライデンに移住し、そこでも圧迫を受けたためヴァージニア植民地を目指したが、それより北方のプリマスにたどり着いた。そのため、「巡礼」を意味するピルグリムと呼ばれるようになる。到着した際、あまりの寒さと飢えのために3か月間で102人中52人が命を落とした。

ボストンにある「プリマスプランテーション」と呼ばれる野外博物館。当時の村や集落の様子をリアルに再現している。

◆**Quaker クウェーカー**　既存の制度や儀式化に対して異を唱えたために、イギリス本国で厳しく弾圧されていた。quaker クウェーカーとは「震える人」という意味だが、霊的体験によって身を「震わせる」ということから名付けられた蔑称がやがて広まった。

◆**French and Indian Wars 英仏植民地戦争、French and Indian War フレンチ・インディアン戦争**　フレンチ・インディアン戦争とは、フランスとインディアンが戦った戦争ではなく、フランスとインディアンが手を組んでイギリスと戦った戦争という意味であり、イギリス側の呼び方である。英仏植民地戦争 French and Indian Wars（Wars が複数形）という場合、1689年のウィリアム王戦争に始まって、1763年のパリ条約でフランスがミシシッピ川の東側とカナダ全域をイギリスに割譲してフランスが完全に敗北するまでの一連の戦争を指すが、フレンチ・インディアン戦争 French and Indian War（War が単数形）という場合、英仏植民地戦争の最後を締めくくる1754年から1763年までの戦闘の部分のみを指す。ただし、日本語で「英仏植民地戦争」という場合、主戦場のアメリ

ペンシルヴェニア州の元となったペンシルヴェニア植民地は、英国王チャールズ２世が、クウェーカー教徒だった貴族のウィリアム・ペンに土地の勅許を与えて誕生した植民地。ペンの名に、ラテン語で「森」を意味する silva スィルウァを足した植民地名は、この地がかつては森林に覆われていたことを示している。

カ大陸での戦いに加えて、インドの植民地で英仏が戦ったプラッシーの戦いやカーナティック戦争も含む。厳密には日本語の「英仏植民地戦争」の方が範囲が広い用語で、英語の“French and Indian Wars”は範囲が狭い用語である。“Second Hundred Years' War”（第２次百年戦争）は英仏植民地戦争と同じく範囲の広い用語である。

◆**Tea Act 茶法**　Actとは基本的には「行動、行為」を指す。やがてそれが、役者が演じる「演劇の幕」や、議会の行為としての「決議」や「法律」をも指すようになった。

アカディア、アルカディア、理想郷

Acadia

フランス人は北アメリカの植民地のことを Acadia アカディアと名付けた。これはインディアンのミクマク族の言葉で「場所」を意味する akatie アカティに由来するといわれるが、別説では、ギリシャの古代の地域名アルカディアに由来するという。アルカディアはペロポネソス半島中央部に位置し、高い山々に囲まれた高原地帯。平和で牧歌的な楽園として中世ヨーロッパでは「理想郷」の代名詞とされてきた。ニコラ・プッサン他、多数の画家達はこの理想郷を描いた。現在、メイン州には「アーカディア国立公園」（かつては、ラファイエット国立公園と呼ばれていた）があり、山あり、森林あり、美しい海岸線あり、湖ありとあらゆる自然の景観が楽しめる。

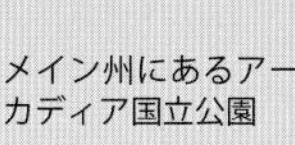

メイン州にあるアーカディア国立公園

ピルグリム ファーザズ [pílgrim fɑ́ðɚz]
Pilgrim Fathers T-21

メイフラウア [méiflauɚ]
Mayflower T-22

プリマス [plíməθ]
Plymouth T-23

ニュー イングランド カラニズ [kɑ́ləniz]
New England Colonies T-24

ヴァージニャ [vɚːdʒínjə]
Virginia T-25

ジョージャ [dʒɔ́ɚdʒə]
Georgia T-26

ペンスィルヴェイニャ [pensəlvéinjə]
Pennsylvania T-27

クウェイカ [kwéikɚ]
Quaker T-28

マサチュース（ズ）ィッツ [mæsətʃúːsits / -zits]
Massachusetts T-29

サーティーン カラニズ [～ kɑ́ləniz]
Thirteen Colonies T-30

プロヴィンシャル カングリス [prəvínʃəl kɑ́ŋgris]
Provincial Congress T-31

フレンチ アンド インディアン ウォーズ [fréntʃ ～]
French and Indian Wars T-32

クウィーン アンズ ウォー [kwiːn ǽnz ～]
Queen Anne's War T-33

キング ジョージズ ウォー [kiŋ dʒɔ́ɚdʒz ～]
King George's War T-34

フレンチ アンド インディアン ウォー [fréntʃ ～]
French and Indian War T-35

バトル オヴ プラスィ [～ plɑ́si / plǽsi]
Battle of Plassey T-36

トリーティ オヴ パリス [tríːti əv pǽris]
Treaty of Paris T-37

スタンプ アクト [stæmp ækt]
Stamp Act T-38

ティー アクト [tiː ækt]
Tea Act T-39

ボーストン ティー パーティ [bɔ́ːstən ～]
Boston Tea Party T-40

T アメリカ独立革命

イギリス植民地で起きた独立戦争は、民主主義国家を誕生させる「独立革命」でもあった。

T-41 大陸会議 各植民地代表の会議。愛国派（パトリオット）、王党派（ロイヤリスト）、中立派に分かれた。

T-42 フィラデルフィア ペンシルヴェニア州南東部の都市。大陸会議の開催地。

T-43 アメリカ独立戦争 イギリス本国に対して、北米のイギリス領だった13植民地が独立をかけて戦った戦争。

T-44 レキシントンの戦い アメリカ独立戦争のきっかけとなったイギリス軍と植民地民兵隊との武力衝突。

フィラデルフィアのカーペンターズ・ホール。第1回大陸会議が開かれた場所で、現在もその時の室内が再現されている。

T-45 独立宣言 アメリカ合衆国の独立と、自由・平等などの基本的人権を掲げた宣言。

T-46 トマス・ジェファソン 合衆国建国の父の一人。初代の国務大臣・第3代大統領。バージニア大学の創設者。

T-47 フランクリン 合衆国建国の父の一人であり、政治家・外交官・文筆家・科学者。ペンシルヴェニア大学の創設者。

T-48 トマス・ペイン 『コモン・センス』の著者。独立革命後、フランスに渡りフランス革命に関与し、イギリスでも革命を起こそうとしたため「祖国なき革命家」と呼ばれた。

独立宣言を起草・補筆中のフランクリン、ジョン・アダムズ、ジェファソン。

T-49 コモン・センス

T-50 サラトガの戦い

T-51 ヨークタウンの戦い

アメリカの勝利を決定付けた「ヨークタウンの戦い」の古戦場。

T-52 武装中立同盟

T-53 アメリカ合衆国

T-54 独立記念日 1776年7月4日、アメリカ独立宣言が公布された日が「独立記念日」とされ、7月4日は合衆国の祝日となっている。

T-55 合衆国憲法 世界で最初の成文憲法。明確な三権分立、連邦制、大統領制を特色とする。

T-56 連邦政府 高い自治権をもった「州」が内政を担当し、外交や軍事、州間の商取引や対外貿易の規制は「連邦政府」に委ねている。

T-57 大統領 大統領選挙により選出される行政府の長。合衆国軍の最高司令官。

T-58 ワシントン アメリカ正規軍総司令官。初代大統領。

ワシントンは、大陸会議によって正規軍総司令官に任命され、大陸各地を転戦。独立運動において指導的な役割を果たし、後に初代大統領となった。

T-59 三権分立 立法権・司法権・行政権の三権に分け、互いに監視しあうシステム。

T-60 モンロー ジェファソン大統領時は駐仏特命全権公使としてルイジアナを購入。後の第5代大統領。

モンロー大統領は「モンロー教書」を発表。南北アメリカ大陸とヨーロッパ大陸間の相互不干渉を提唱した孤立主義は、「モンロー主義」とも呼ばれ、アメリカ外交政策の原則となる。

ボストン茶会事件への報復として、イギリスは幾つもの条令を定めて植民地に圧力を加えた。反発した植民地代表は大陸会議を開き、本国との通商断絶・不当課税の拒否を決議。ついに独立戦争がはじまった。フランスやスペイン、オランダはイギリスに対して宣戦布告し、イギリスは孤立。ロシアや北欧諸国も武装中立同盟を組むことにより、アメリカを間接的に支援した。

アメリカ・イギリス戦争の「ニューオーリンズの戦い」。馬上で指揮するのはジャクソン将軍（後の大統領）。

アメリカ・イギリス（米英）戦争 T-61

第 7 代大統領。貴族出身ではない初の大統領。民主主義が進展しジャクソニアン・デモクラシーといわれる。 **ジャクソン** T-62

西南部の農民層を基盤とした、ジャクソン支持者によって結成された政党。 **民主党** T-63

奴隷制反対論者が結成した北部を基盤とする政党。現在の共和党は保守色の強い政党だが、当時の共和党はむしろ革新政党。 **共和党** T-64

アメリカ・メキシコ（米墨）戦争 T-65

未開拓だった大陸西部への進出運動のこと。ゴールドラッシュ以降急進する。 **西漸運動** T-66

1848 年、現カリフォルニア州のアメリカ川沿いで砂金が発見され国内外から大勢が採掘に集まった。 **ゴールドラッシュ** T-67

1818年イギリスに譲渡
1818年 イギリスから割譲
カナダ
オレゴン 1846年 イギリスから併合
1819年 スペインから割譲
ルイジアナ 1803年 フランスから購入
カルフォルニア 1848年 メキシコから割譲
1783年 建国時にイギリスから購入
1783年 建国時の13植民地
1853年 メキシコから購入
テキサス 1845年 メキシコ共和国を併合
フロリダ 1819年 スペインから割譲
1819年 スペインから割譲
メキシコ

合衆国は次第に領土を増やし、西へ西へと開拓を進めた。

単にインディアン移住法ともいう。 **西部開拓時代** T-68

インディアン強制移住法 T-69

アメリカ・インディアンが強制的に移住させられた居留地。 **保留地** T-70

ミズーリ妥協ともいう。奴隷制擁護派と反奴隷制派との間で成立した協定。 **ミズーリ協定** T-71

リンカンとも書く。第 16 代大統領。 **リンカーン** T-72

アメリカ連合国 T-73

独立後のアメリカで起こった内戦。 **南北戦争** T-74

連邦主義 T-75

州権主義 T-76

快進撃を続けていた南軍のリー将軍に対して北軍が勝利を収め、戦いの転換点となった。

南北戦争は奴隷解放戦であるとしたリンカーンによる演説での宣言。 **奴隷解放宣言** T-77

ペンシルヴェニア州ゲティスバーグで起こった南北戦争最大の戦い。 **ゲティスバーグの戦い** T-78

南北戦争で解放された黒人の多くが経済的に自立できず、土地や農具を借りる「小作人」となった。 **シェア・クロッパー** T-79

アメリカ大陸の東部と西部を結ぶ鉄道。 **大陸横断鉄道** T-80

T American Revolution

T-41 カンティネンタル カングリス [kɑntinéntəl káŋgris] **Continental Congress**

T-42 フィラデルフィア [filədélfiə / filədélfjə] **Philadelphia**

T-43 アメリカン レヴォリュショネリ ウォー [～ rɛvəlúʃənɛri～] **American Revolutionary War**

T-44 レクスィントン [léksiŋtən] **Battles of Lexington**

T-45 デクラレイション オヴ インディペンデンス [dɛkləréiʃən əv indipéndəns] **Declaration of Independence**

T-46 タマス ジェファソン [táməs dʒéfərsən] **Thomas Jefferson**

T-47 フランクリン [fréŋklin] **Franklin**

T-48 タマス ペイン [táməs pein] **Thomas Paine**

T-49 カマン センス [kámən sens] **Common Sense**

T-50 バトルズ オヴ サラトウガ [～ særətóugə] **Battles of Saratoga**

T-51 シージ オヴ ヨークタウン [sí:dʒ əv jórktaun] **Siege of Yorktown**

T-52 リーグ オヴ アルムド ニュトラリティ [li:g əv ɑrmd n(j)utrǽləti] **League of Armed Neutrality**

T-53 ザ ユーナイテッド ステイツ オヴ アメリカ **the United States of America**

T-54 インディペンデンス デイ [indipéndəns dei] **Independence Day**

T-55 カンスティテューション オヴ ザ ユーナイテッド ステイツ [kɑnstətú:ʃən ～] **Constitution of the United States**

T-56 フェデラル ガヴァメント [fédərəl gʌ́vər(n)mənt] **Federal Government**

T-57 プレズィデント [prézidənt] **president**

T-58 ウァシントン [wɔ́ʃiŋtən / wɑ́ʃiŋtən] **Washington**

T-59 セパレイション オヴ スリー パウアズ [sepəréiʃən əv θrí: páuə-z] **separation of three powers**

T-60 モンロウ [mənróu] **Monroe**

◆**Philadelphia フィラデルフィア** 草創期における合衆国の政治的中心であった都市フィラデルフィアの語源は、ギリシャ語で φιλέω フィレオー「愛する」+ ἀδελφός アデルフォス「兄弟」=「兄弟愛」に由来する。古代ギリシャにはフィラデルフィアという名の都市が幾つもあり、ヨルダンの首都アンマンもかつてはフィラデルフィアと呼ばれた。アデルフォスは連結接頭辞 ἁ- ハ + δελφύς デルフュス「胎、子宮」=「同じ胎から生まれた者」から「兄弟」という意味になった。ちなみに、英語の dolphin ドルフィン「イルカ」も、ギリシャ語デルフュスに由来。理由としては子宮を持つ魚説、子宮の形に似た魚説、イルカが人間にとって海の兄弟だとする説など諸説ある。

◆**Emancipation Proclamation 奴隷解放宣言** emancipation は英語で「解放、離脱」の意。free フリー、liberation リバレイションよりも emancipation はやや形式張った表現。

◆**Common Sense コモン・センス** 一般的に「常識」を意味する英語。アメリカの独立は人権上の当然の権利であり、いわば「常識」であることを分かりやすく訴えたペインの著作はベストセラーとなり、独立戦争に大きな影響を及ぼした。

◆**War of 1812 アメリカ・イギリス戦争（米英戦争）** アメリカではもっぱら「1812 年戦争」と呼ばれている。戦争期間中イギリスからの輸入が途絶え、アメリカの経済的な自立が進んだため、「第 2 次独立戦争」ともいわれる。米英ともインディアンの領地でインディアンに代理戦争をさせたため、インディアンの衰退が加速化した。

南北戦争は American Civil War というが、civil とは「市民の、国内の」という意味で、civil war は一般に「内戦」「内乱」と訳されている。English civil war は「イングランド内戦」、Spanish Civil War は「スペイン内戦」と訳されており、カール・マルクスが書いた “The Civil War in France” は、日本では『フランスの内乱』という題名で知られている。

発明家フランクリン
Franklin the Inventor

独立宣言の起草者の一人であり、ペンシルヴェニア州知事にもなったベンジャミン・フランクリンは、政治家兼科学者で、アメリカ初の公共図書館を開設し、また数々の発明を手がけた。フランクリンは、凧を用いた有名な実験で雷が電気であることを発見したが、それを踏まえて「**避雷針**」を発明。さらに、近視と老眼に悩まされていたため、レンズの上と下で焦点の異なる**遠近両用メガネ**を発明している。また、暖炉よりも効率的な鉄製の箱型をした**薪ストーブ**を発明し、「フランクリンストーブ」と呼ばれた。他にも、グラス・ハープを改良した楽器を 1761 年に発明し、「共鳴」を意味するイタリア語から **armonica「アルモニカ」** と命名した（やがて harmonica という名で広まった）。中心軸でつなげられた 37 個のグラスを足のペダルで回転させ、指でこすって音を出すというもの。その後の 1821 年に今でいうハーモニカが発明され広く普及したため、区別するため **glass harmonica グラス・ハーモニカ** とも呼ばれている。「天使の声」とも評されるほど美しい音色で、フランクリンがアルモニカを演奏中、昼寝から目を覚ました妻のデボラが「自分は死んで天国に来た」と勘違いしたという逸話もある。モーツァルトを含む多くの作曲家がこの楽器のための曲を作っている。

現在普及している遠近両用メガネの累進レンズとは異なり、上下のレンズの境目がはっきり見える。

ウォー オヴ エイティーン トゥウェルヴ
War of 1812 T-61

ジャクソン [dʒǽksən]
Jackson T-62

デモクラティック パーティ [dɛməkrǽtik pάːrti]
Democratic Party T-63

リパブリカン パーティ [ripʌ́blikən pάːrti]
Republican Party T-64

メクシカン（アメリカン）ウォー [méksikən (əmérikən) ～]
Mexican (American) War T-65

ウェストワード ムーヴメント [wéstwərd múːvmənt]
Westward Movement T-66

ゴウルド ラッシュ [gould rʌʃ]
Gold rush T-67

アメリカン フランティア [～ frʌntíər]
American frontier T-68

インディアン リムーヴァル アクト [índiən rimúːvəl ækt]
Indian Removal Act T-69

レザヴェイション [rɛzərvéiʃən]
reservation T-70

ミズーリ カンプロマイズ [mizúri kάmprəmaiz]
Missouri Compromise T-71

リンカン [líŋkən]
Lincoln T-72

コンフェデレット ステイツ オヴ アメリカ [kənfɛ́dərət ～]
Confederate States of America T-73

アメリカン スィヴィル ウォー [əmérikən sívəl ～]
American Civil War T-74

フェデラリザム [fɛ́dərəlizəm]
Federalism T-75

ステイツ ライツ スィオリ [～ θíəri]
states' rights theory T-76

イマンスィペイション プラクラメイション [imænsipéiʃən prαkləméiʃən]
Emancipation Proclamation T-77

バトル オヴ ゲティズバーグ [～ gɛ́tizbəːrg]
Battle of Gettysburg T-78

シェア クラッパ [ʃɛ́ər krάpər]
share cropper T-79

トランス(ズ)カンティネンタル レイルロウド [trænskαntənéntəl / trænzkαntənéntəl réilroud]
Transcontinental railroad T-80

U フランス革命

U-1 **フランス革命** フランス革命により、政体は絶対王政から立憲君主制、そして共和制へと目まぐるしく移り変わった。

U-2 **ルイ16世** フランス革命時のフランス王。ブルボン朝の国王。財政再建のためネッケルを登用するも改革に失敗した。革命のさなかにギロチンで処刑された。

U-3 **旧体制** フランス語でアンシャン・レジームとは「古い体制」の意。

U-4 **第一身分** 司教、司祭等のカトリック聖職者からなる。

U-5 **第二身分** 宮廷貴族、地方貴族、法服貴族からなる。

U-6 **第三身分** 商工業者、都市民衆、農民からなる。

U-7 **ネッケル** スイス人の銀行家。ルイ16世の財務長官。

U-8 **シエイエス** またはシェイエス。著書『第三身分とは何か』。

U-9 **三部会** 1789年に召集された三部会は紛糾。国王は会議場を閉鎖した。

U-10 **国民議会** 第三身分議員が組織した革命議会。

U-11 **球戯場の誓い** テニスコートの誓いともいう。

ヴェルサイユにある球戯場の誓いの部屋。

ラファイエットは、アメリカ独立戦争にも加勢し両大陸の英雄と呼ばれた。

U-12 **バスティーユ襲撃**

U-13 **人権宣言** 1789年の「人間と市民の権利」の宣言。

U-14 **ヴェルサイユ行進**

U-15 **ラ・ファイエット** フランス革命の指導者。

U-16 **三色旗** トリコロールともいう。当初は赤と青はパリ市の色、白はブルボン朝を表す色という意味だった。ラ・ファイエットによる発案とされる。

U-17 **ミラボー** ジャコバン・クラブを設立。天然痘の跡のあるあばた顔で、異名は「革命のライオン」や「政略のミラボー」だった。

U-18 **ヴァレンヌ逃亡事件** ルイ16世一家の国外逃亡未遂事件。

U-19 **マリ・アントワネット** ルイ16世の妃。

U-20 **テュイルリー宮** ルーヴル宮殿の西側に隣接する宮殿。

マリ・アントワネットは神聖ローマ皇帝フランツ１世とマリア・テレジアの娘。

立法議会の中で、幅広い主張のメンバーが集まった「ジャコバン・クラブ」は、立憲君主制を主張するフイヤン派、急進的な共和制を主張する山岳派、そして中間派として共和制を主張する穏健なジロンド派に分かれた。立憲君主派が「フイヤン派」と呼ばれるようになったのはジャコバン・クラブから脱退した後、パリのフイヤン修道院の中にクラブを作ったことに由来する。

立法議会 U-21

フイヤン派 U-22

ジロンド派 U-23

義勇兵 U-24

オーストリアとプロイセンがフランス革命への干渉を宣言。 **ピルニッツ宣言** U-25

テュイルリー宮殿襲撃ともいう。 **八月十日事件** U-26

サン・キュロットとはフランス語で「キュロットをはいていない人」という意味。職人や小店主、賃金労働者などの無産市民を指す。キュロットは貴族・ブルジョアがはいた膝までのズボンのこと。 **サン・キュロット** U-27

八月十日事件で王政が打倒され、新議会は「国民公会」と名付けられた。 **国民公会** U-28

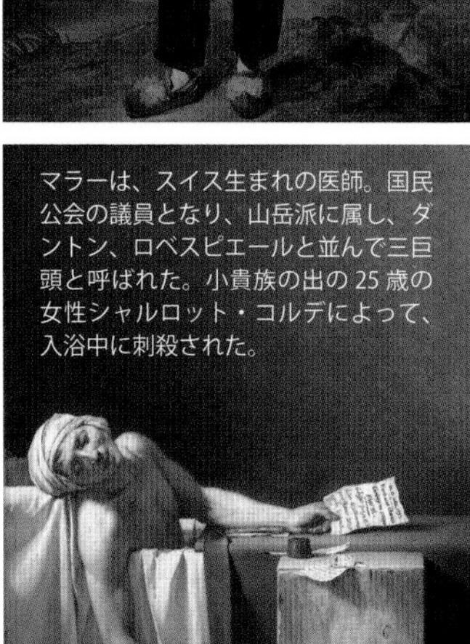

マラーは、スイス生まれの医師。国民公会の議員となり、山岳派に属し、ダントン、ロベスピエールと並んで三巨頭と呼ばれた。小貴族の出の25歳の女性シャルロット・コルデによって、入浴中に刺殺された。

または第1共和政。フランス史上初の共和政体。 **第1共和制** U-29

ジャコバン修道院が本部。 **ジャコバン派** U-30

モンターニュ派ともいう。議会では議場の最も高い場所の席を占めた。 **山岳派** U-31

第1回対仏大同盟 U-32

山岳派の一人。臨時政府では司法大臣となる。 **ダントン** U-33

新聞『人民の友』を発行した。 **マラー** U-34

ロベスピエール U-35

公安委員会 U-36

恐怖政治 U-37

ヴァンデーの反乱 U-38

革命暦の月名（熱月・7～8月頃） **テルミドールのクーデタ** U-39

フランスの医師ジョゼフ・ギヨタンが、苦しませずに処刑できる断頭台を開発。恐怖政治の象徴とみなされた。 **ギロチン** U-40

U French Revolution

フレンチ レヴォリ(ル)ューション [～ revəl(j)ú:ʃən]
U-1 **French Revolution**

ルーイ [lú:i] / ルイス [lúis] ザ スィクスティーンス
U-2 **Louis XVI**

エインシェント レジーム / レイジーム
[éinʃənt / éintʃənt rəʒí:m / reiʒí:m]
U-3 **Ancient Regime**

ファースト エステイト [fə́:st əstéit / istéit]
U-4 **First Estate**

セカンド エステイト [sékənd əstéit / istéit]
U-5 **Second Estate**

サード エステイト [θə́:dəstéit / istéit]
U-6 **Third Estate**

ネイカ / ネッカ [neikə́ / nɛ́kə]
U-7 **Necker**

スィエイェス [sjejés]
U-8 **Sieyès**

イステイツ ジェネラル [istéits ～]
U-9 **Estates General**

ナショナル アセンブリ [nǽʃənəl əsɛ́mbli]
U-10 **National Assembly**

テニス コート オウス [ténis kɔət óuθ]
U-11 **Tennis Court Oath**

ストーミン オヴ ザ バスティール [stɔ́:miŋ əv ðə bæstí:l]
U-12 **Storming of the Bastille**

デクラレイション オヴ ヒューマン ライツ [dɛkləréiʃən ～]
U-13 **Declaration of Human Rights**

ウィミンズ マーチ アン ヴァーサイ / ヴェアサイ
[wíminz mάətʃ ɑn və:sái / vɛəsái]
U-14 **Women's March on Versailles**

ラフィエット [lɑfiét / lɑfeiét / læfiét]
U-15 **La Fayette**

トリカラ / トライカラ [tríkələ / tráikʌlə]
U-16 **tricolor**

tricolor はアメリカ英語。
イギリス英語では tricolour。

ミラボウ [mírəbou]
U-17 **Mirabeau**

フライト トゥ ヴァレン [fláit tə vərén]
U-18 **Flight to Varennes**

マリー アントワネット / アンタネット
[mərí: æntwənɛ́t / æntənɛ́t]
U-19 **Marie Antoinette**

トウィーレリズ パレス [twí:ləriz pǽləs]
U-20 **Tuileries Palace**

◆ **Ancient Regime 旧体制** 「旧体制」はフランス語風の Ancien Régime「アンシャン・レジーム」という呼び方もされている。Ancien「アンシャン」は、英語の Ancient エインシェント「古い、古代の、旧来の」に相当し、英語の anterior アンティリア「前方の」や ancestor アンセスタ「先祖」とも語源的に関係がある。

◆ **Women's March on Versailles ヴェルサイユ行進** October March「十月行進」とも呼ばれている。英語の呼び名に Women's「婦人の」という言葉が入っているように、パリの広場に集まった七千人余りの「婦人」達が武器を手に、国王に窮乏を訴えるためヴェルサイユに向かって約 20km の道のりを行進。市民の一部が宮殿に乱入し、国王ルイ 16 世を捕らえてパリに連行した。国王一家は、ヴェルサイユ宮殿ができてから使われていなかったテュイルリー宮殿に監視されつつ住んだ。それに堪え兼ねて国外逃亡を図るも失敗し(**ヴァレンヌ逃亡事件**)、テュイルリー宮殿に幽閉され、八月十日事件で宮殿は陥落してルイ 16 世は退位。タンプル塔に監禁され、翌年ギロチンで処刑された。

◆ **First Estate 第一身分** estate は、ラテン語の status スタトゥス「場所、状態、位置、身分」に由来。やがて、「邸宅のある広大な地所」、「財産」という意味も生じた。ちなみに、ラテン語の単語の頭に st- や sc-、sp- があると発音がしづらいために、余分な i- や、e- が語頭に付いた。古フランス語の estat から s が抜けて、現代フランス語では身分は état エタになっている。

義勇兵やサン・キュロットが王宮を襲撃した「八月十日事件」により王政が倒れると、立憲君主制を主張していたフイヤン派は急速に勢力が衰えた。穏健なジロンド派は急進的な山岳派と対立し、「ジャコバン・クラブ」から追放されたため、ジャコバン・クラブには山岳派のみが残った。そのため、狭義の「ジャコバン派」とは山岳派のみを指す。

◆ **War of the First Coalition 第1回対仏大同盟**

イギリスは当初、フランス革命に関しては傍観者だったが、ルイ16世処刑の報を聞くと、イギリスの首相ピットがフランス周辺のオーストリア、プロイセン、スペイン等の国に呼びかけて、これ以上の革命の拡散を防ぐため「第1回対仏大同盟」を結んだ。対仏大同盟は解消と再結成を繰り返して、合計7回結ばれた。「大同盟」と訳されている英語 coalition コウアリションは、政治的な「合同、連立、提携」といった意味をもち、coalition cabinet は「連立内閣」を意味する。

恐怖政治とテロ

Reign of Terror

貧しい貴族の生まれであるロベスピエールは、苦学の末に弁護士となり、三部会では第三身分(平民)の代表議員の一人となった。やがて、急進的な山岳派の指導者となり、動乱の中で一時、権力の頂点に立つ。山岳派は反革命運動を取り締まる「公安委員会」や「革命裁判所」を設けた。革命裁判所では予審、弁護人、証人なしでの裁判によって反対する勢力の粛正(しゅくせい)が行われた。ロベスピエールが権力の座にいた短期間のうちに、パリでは千人が処刑され、地方でも数万人にも及ぶ人々が、革命広場(現コンコルド広場)に置かれた断頭台のギロチンで処刑された。それへの反発から「テルミドールのクーデタ」が勃発し、ロベスピエールは捕縛されて翌日にギロチンで処刑された。民衆を恐怖で従わせる政治手段は、フランス語で terreur テルール「恐怖」といい、日本語では**「恐怖政治」**と訳している。この語は英語の terror テラ「恐怖、テロ」や terrorism テラリズム「テロ、テロリズム」の語源ともなっている。

ナショナル レジスレイティヴ アセンブリ [～ lédʒisleitiv]
National Legislative Assembly U-21

フェーヤーン / フェーイヤー / フェーヤー [fəːjáːŋ / fəːijáː] / フランス語の発音 [fœjã]
Feuillant U-22

フランス語の発音 ジロデ [ʒirɔ̃dɛ̃]
Girondins U-23

ミリタリ ヴァランティア [míləteri vɑləntíə]
military volunteer U-24

デクラレイション オヴ ピルニッツ [～ pílnits]
Declaration of Pillnitz U-25

インサレクション オヴ テンス オーガスト セヴンティーン ナインティ トゥー [insərékʃən əv tenθ ɔ́ːgəst ～]
Insurrection of 10 August 1792 U-26

サンズキュラット [sænzk(j)ulát]
Sans-Culottes U-27

ナショナル コンヴェンション [～ kənvénʃən]
National Convention U-28

ファースト リパブリク [～ ripʌ́blik]
First Republic U-29

ジャコビン [dʒǽkəbin]
Jacobin U-30

ザ マウンテン [ðə máuntən]
The Mountain U-31

ウォー オヴ ザ ファースト コウアリション [～ kəuəlíʃən]
War of the First Coalition U-32

ダントン [dǽntən]
Danton U-33

マラー [maráː]
Marat U-34

ロウブズピェア [róubzpjɛə]
Robespierre U-35

コミティ オヴ パブリク セイフティ [kəmíti ～]
Committee of Public Safety U-36

レイン オヴ テラ [rein əv térə]
Reign of Terror U-37

ウォー イン ザ ヴェンディー [～ vɛndíː]
War in the Vendée U-38

フォール オヴ (マクシミリアン) ロウブズピェア
Fall of (Maximilien) Robespierre U-39

ギロティーン / ギアティーン [gíləti:n / gíəti:n]
guillotine U-40

V ナポレオン時代

※露…ロシア、墺…オーストリア。

v-1 **ナポレオン・ボナパルト**

v-2 **コルシカ島**（とう） ナポレオンが生まれた島。サルデーニャ島の北にあり、現在はフランス領。

v-3 **総裁政府**（そうさいせいふ） 5人の総裁によって構成される。総裁には悪名高いバラスや末期にはシエイエスが入った。

革命暦の月名（葡萄月・9～10月頃）

v-4 **ヴァンデミエールの反乱**（はんらん） 王党派がパリで武装蜂起したが鎮圧された。

v-5 **イタリア遠征**（えんせい） フランス軍を率いてアルプスを越え、多勢のオーストリア・サルデーニャ王国連合軍に勝つ。北イタリア平定。

v-6 **アブキール湾の海戦**（わん、かいせん） ナイルの海戦、またはアブキール海戦ともいう。英艦隊の勝利。

v-7 **第2回対仏大同盟**（だい、かいたいふつだいどうめい） 英・墺・露・オスマン帝国・両シチリア王国が結んだ軍事同盟。

v-8 **エジプト遠征**（えんせい） 「諸君、四千年の歴史が君達を見下ろしている」の言葉が有名。遠征中ロゼッタ・ストーンが発見される。

v-9 **ピラミッドの戦い**（たたか） ナポレオンはエジプトでオスマン帝国軍を破り、カイロ入城を果たした。

革命暦の月名（霧月・10～11月頃）

v-10 **ブリュメール18日のクーデタ**（にち）

v-11 **統領政府**（とうりょうせいふ） もしくは執政政府。ナポレオンはブリュメール18日のクーデタで総裁政府を倒し、3人の統領からなる統領政府を樹立。

v-12 **マレンゴの戦い**（たたか） 第2次イタリア遠征において、フランスがオーストリア軍を破る。

v-13 **ナポレオン法典**（ほうてん） フランス民法典。その理念は各国に広まった。

v-14 **レジオン・ドヌール勲章**（くんしょう）

v-15 **第1帝政**（だいいちていせい） 大陸軍（グランダルメ）を後ろ盾とした軍事独裁政権。

v-1の別称

v-16 **ナポレオン1世**（せい） 終身統領だったナポレオンが、国民投票により皇帝となった。

v-17 **ナポレオン戦争**（せんそう） ナポレオンによる一連の征服戦争の総称。

v-18 **ジョセフィーヌ** ナポレオンの妻。フランス皇后。マリー・ルイーズと結婚するため離婚された。

v-19 **マリー・ルイーズ** 神聖ローマ皇帝フランツ2世の娘。

ドイツ語ではマリー・ルイーゼ。ナポレオンの2番目の皇后。ジョセフィーヌとの間に子がなく、世継ぎを得るため、またハプスブルク家との政略結婚のため妻に迎えた。

v-20 **アミアンの和約**（わやく） 英仏が結んだ講和条約。第2回対仏大同盟は解消した。

ナポレオンが皇帝になり、イギリスで再びピットが首相になると戦いが再燃。アウステルリッツの戦い（三帝会戦）で、ナポレオンは多勢のロシア・オーストリア連合軍に対し見事に勝利した。その後のライプチヒの戦い（諸国民の戦い）は、ナポレオン戦争最大の戦いで、圧倒的に多勢の連合軍の前にフランス軍が敗北した。

カトリック復活を認め、教皇と和解。 **コンコルダート** v-21

第3回対仏大同盟 v-22

トラファルガーの海戦 v-23

幾多の戦いで勝利を得て、国民的英雄となる。 **ネルソン提督** v-24

アウステルリッツの戦い v-25

ナポレオンを盟主とするドイツの16の領邦による同盟。 **ライン同盟** v-26

またはベルリン勅令。イギリスの孤立化と弱体化を狙ったもの。 **大陸封鎖令** v-27

ナポレオンはイギリス侵攻計画を立てるが、トラファルガーの海戦（トラファルガー沖の海戦）でネルソン提督（写真上）率いるイギリス海軍が、フランス・スペイン海軍に対して大勝したため、イギリス侵攻計画は挫折した。

ティルジット条約 v-28

もしくはスペイン反乱、スペイン独立戦争。 **半島戦争** v-29

ナポレオンの兄。スペイン国王。 **ジョゼフ・ボナパルト** v-30

仏軍は「冬将軍」に悩まされた。 **ロシア遠征** v-31

ナポレオンの支配に抵抗した一連の戦争。 **解放戦争** v-32

ライプチヒの戦い v-33

退位に追い込まれたナポレオンが流された島。 **エルバ島** v-34

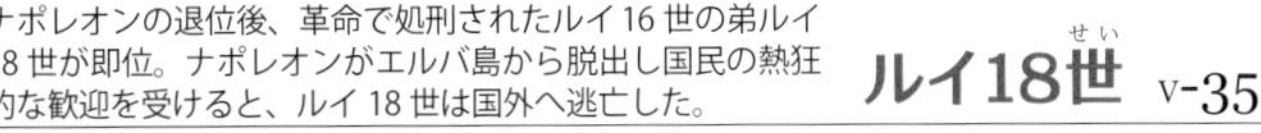

ナポレオンの退位後、革命で処刑されたルイ16世の弟ルイ18世が即位。ナポレオンがエルバ島から脱出し国民の熱狂的な歓迎を受けると、ルイ18世は国外へ逃亡した。 **ルイ18世** v-35

エルバ島から帰還後、約100日でワーテルローの戦いに敗れた。 **百日天下** v-36

ワーテルローの戦い v-37

半島戦争やワーテルローで活躍。 **ウェリントン** v-38

ナポレオンが流された南大西洋の孤島。 **セントヘレナ島** v-39

長崎港に侵入し、フェートン号事件を起こした英軍艦。 **フェートン号** v-40

ウェリントン公爵はイギリスの軍人・政治家。本名はアーサー・ウェルズリー。ワーテルローの戦いでナポレオンを倒し英雄となった。

V Age of Napoleon

ナポウリオン ボウナパート [nəpóuliən bóunəpaə:t]
v-1 **Napoleon Bonaparte**

コースィカ [kɔ́ə·sikə]（アイランド）
v-2 **Corsica (Island)**

ディレクトリ / ダイレクトリ ディレクトワー
[diréktəri / dairéktəri] [dirɛktwá:r]
v-3 **Directory / Directoire**

サーティーン ヴァーンデイミエア
[～ va:ndeimiéə]
v-4 **13 Vendémiaire**

イタリアン キャンペインズ [itæljən kæmpéinz]
v-5 **Italian Campaigns**

バトル オヴ アブキーア ベイ [abukí:ə bei]
v-6 **Battle of Abukir Bay**

セカンド コウアリション アゲンスト フランス [～ kouəlíʃən ～]
v-7 **Second Coalition against France**

イジプシャン キャンペイン [idʒípʃən kæmpéin]
v-8 **Egyptian Campaign**

バトル オヴ ザ ピラミッズ [～ pírəmidz]
v-9 **Battle of the Pyramids**

クー オヴ エイティーンス ブルーメア
[ku: əv eití:nθ bru:méə]
v-10 **Coup of 18 Brumaire**

カンスュリット [kánsjulit]
v-11 **Consulate**

Coup of 18th Brumaire とも書く

バトル オヴ マレンゴウ [～ məréŋgou]
v-12 **Battle of Marengo**

ナポウリアニック コウド [nəpouliánik kóud]
v-13 **Napoleonic Code**

リージョン オヴ アナ [lí:dʒən əv ánə]
v-14 **Legion of Honor / Honour**

ファースト フレンチ エンパイア [fə́:st fréntʃ émpaiə]
v-15 **First (French) Empire**

ナポウリオン [nəpóuliən] ザ ファースト
v-16 **Napoleon I**

ナポウリアニック ウォーズ [nəpouliánik wɔ́ə·z]
v-17 **Napoleonic Wars**

ジョウズィフィーン [dʒóuzifi:n]
v-18 **Josephine**

マリー ルイーズ [mərí: luí:z]
v-19 **Marie Louise**

トリーティ オヴ アミアンズ [trí:ti əv ǽmiənz]
v-20 **Treaty of Amiens**

◆**Directory 総裁政府** 語源となっているラテン語directorium ディレクトーリウムは、キリスト教会の**「礼拝規則書」「礼拝指針」**という意味。関連する英語の動詞 direct ディレクトは「方向付ける、指示する、命じる」

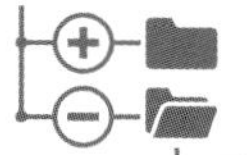

を意味し、名詞の director ディレクタは「指示する人､指導者､理事､重役､指揮者､演出家」を表すようになった。フランス語 Directoire ディレクトワ「総裁政府」もこの意味合いで使われている。やがて英語の directory は「人名録」も意味するようになる (telephone directory「電話帳」)。「ディレクトリ」という言葉は､現代ではハードディスクにファイルを階層構造で管理するための収納場所という意味で使われている。

◆**Italian Campaigns イタリア遠征** キャンペーンというと、日本では主に「宣伝活動」を指しているが、語源となったラテン語 campus カンプスは「野原、平原、平地」を意味し、そこから「戦場での作戦」、すなわち「軍事作戦、遠征、戦役」という意味になった。なお、German Campaign の場合は「解放戦争」と訳されている。やがて Campaign は軍事に限らず、何らかの「作戦、政策」を意味するようになり、military campaign のようにわざわざ限定させた言い方も生まれた。ちなみに、大学の campus「キャンパス」や、camp「キャンプ」、パリの東の Champagne「シャンパーニュ地方」、イタリア南部の Campania「カンパニア州」は、すべて前述のラテン語 campus に由来する。そして、シャンパーニュ地方特産

のスパークリングワインが champagne「シャンパン」である(フランス語の発音は「シャンパーニュ」で、シャンパンとは呼ばない)。英語の発音の方がむしろシャンペイン [ʃæmpéin] なので､「シャンペン」に近い。

ナポレオン戦争でオランダがフランスに占領されると、オランダ総督のウィレム5世はイギリスに亡命。ウィレム5世はイギリス政府に、フランスより先にオランダ植民地に行き、フランスに奪われないよう要請した。イギリスのフリゲート艦フェートン号が長崎で起こした「フェートン号事件」(Nagasaki Harbour Incident)も、ナポレオン戦争の余波といえる。

カンコーダット [kənkɔ́ɚdæt]
concordat V-21

サード コウアリションアゲンスト フランス
Third Coalition against France V-22

バトル オヴ トラファルガ [〜 trəfǽlgɚ]
Battle of Trafalgar V-23

アドミラル ネルサン [ǽdmərəl nɛ́lsən]
Admiral Nelson V-24

バトル オヴ オースタリッツ [〜 ɔ́:stɚlits]
Battle of Austerlitz V-25

カンフェデレイション オヴ ザ ライン [kənfɛdəréiʃən əv ðə rain]
Confederation of the Rhine V-26

ベーリン ディクリー [bɚ:lín dikrí:]
Berlin Decree V-27

トリーティズ オヴ ティルズィット [trí:tiz əv tílzit]
Treaties of Tilsit V-28

ペニンスラ ウォー [pənínsəlɚ 〜]
Peninsular War V-29

ジョウズィフ ボウナパート [dʒóuzif bóunəpɑɚt]
Joseph Bonaparte V-30

フレンチ インヴェイジョン オヴ ラシャ [frénʧ invéiʒən əv rʌ́ʃə]
French invasion of Russia V-31

ジャーマン キャンペイン [dʒɚ́:mən kæmpéin]
German Campaign V-32

バトル オヴ ライプスィッグ(ク) [〜 láipsig / láipsik]
Battle of Leipzig V-33

エルバ [ɛ́lbə] (アイランド)
Elba (Island) V-34

ルーイ [lú:i] / ルイス [lúis] ズィ エイティーンス
Louis XVIII V-35

ハンドレッド デイズ [hʌ́ndrəd deiz]
Hundred Days V-36

バトル オヴ ウォータルー [〜 wɔ́tɚlu: / wɔtɚlú:]
Battle of Waterloo V-37

ウェリントン [wɛ́liŋtən]
Wellington V-38

セイント ヘリナ / ヒリーナ / ヒレイナ [seint hɛ́linə / hilí:nə / hiléinə]
Saint Helena V-39

フェイアトン [féiətən / féitən]
Phaeton V-40

ナポレオンという名の生き物

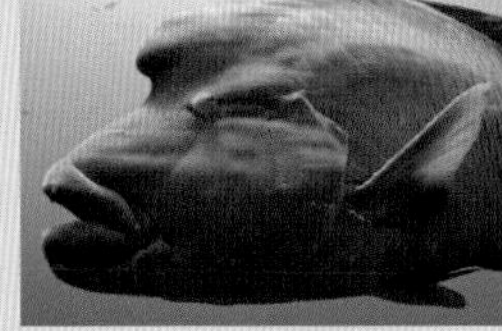

Napoleon fish「ナポレオン・フィッシュ」という通称で知られている**「メガネモチノウオ」**(目の横の線が眼鏡のフレームに見える)は、成長すると頭がコブのように出っ張り、ナポレオンの軍帽のように見える。また、アフリカ中西部の帽子のような花の咲く木 Napoleon's hat **「ナポレオンズハット」**の学名は *Napoleonaea imperialis* で「皇帝ナポレオン」の意。この植物が初めて論文の中で発表されたのが、ナポレオンの戴冠式の年である1804年だったことにちなむ。

W ウィーン体制

※露…ロシア、墺…オーストリア、普…プロイセン。

w-1 **ウィーン会議** ナポレオン戦争後の、秩序回復のための国際会議。ウィーン体制を成立させた。

w-2 **メッテルニヒ** オーストリア帝国の外相。秘密警察を使って反体制分子を厳しく取り締まった。

w-3 **正統主義** フランス革命前の状態に戻す復古主義。タレーランが提唱。

w-4 **アレクサンドル1世**

w-5 **神聖同盟** アレクサンドル1世の提唱で露・墺・普※の間で同盟。

w-6 **タレーラン** ウィーン会議ではブルボン家代表として出席。

w-7 **ウィーン議定書**

w-8 **ウィーン体制**

w-9 **ドイツ連邦** またはドイツ連合。オーストリアが盟主。

w-10 **パックス・ブリタニカ**

w-11 **四国同盟** 英・露・墺・普の4カ国が締結した同盟。

w-12 **自由主義** 経済や政治の自由を求める動きや考え方。

w-13 **ナショナリズム** 国民国家建設を目指す運動。

w-14 **永世中立国** ウィーン議定書でスイスが永世中立国として認められた。

w-15 **学生組合** ブルシェンシャフトともいう。

w-16 **カルボナリ** イタリア南部で結成された秘密結社。

w-17 **トゥサン・ルヴェルチュール**

w-18 **シモン・ボリバル** 「南アメリカ解放の父」。

w-19 **サン・マルティン** アルゼンチン、チリ、ペルーの独立運動を指導した。

w-20 **デカブリストの乱** 自由主義を求める青年将校の反乱。

ロマノフ朝のロシア皇帝。神聖同盟の盟主となり、保守反動のウィーン体制の中心勢力となった。

タレーランは1789年の三部会の聖職者代表の1人。フランス革命から七月王政まで、現れては消えた息の長い政治家。外務大臣ドラクロワの夫人との不倫で生まれた子がドラクロワ(『民衆を導く自由の女神』を描いた画家)といわれている。

黒人奴隷の子でハイチの独立運動指導者。「黒いジャコバン」の異名を持つ。

コロンビア、ベネズエラ、エクアドル、ボリビア、ペルーの独立に貢献。ラテンアメリカではEl Libertador エル・リベルタドール「解放者」と呼ばれている。

ウィーン会議は、オーストリア帝国の首都ウィーンにおいて開催された。オーストリアのメッテルニヒが議長となり、フランスのタレーラン、イギリスのカスルレー、ロシアのアレクサンドル1世、プロイセンのハルデンベルクらが話し合った。それぞれの代表が自国の利益優先に話を進めたため会議は紛糾して長引き、「会議は踊る、されど会議は進まず」と風刺された。

ルイ16世やルイ18世の弟。ルイ18世の跡を継ぐ。絶対王政の復活を目指し、国民の反発を招く。 **シャルル10世** w-21

パリ市民が蜂起し絶対主義体制を倒した。 **七月革命** w-22

↓ルイ・フィリップとも表記される。

ルイ=フィリップ w-23

ソルボンヌ大学の歴史学の教授。7月王政時の首相。 **ギゾー** w-24

ルイ=フィリップが国王の立憲君主制。 **七月王政** w-25

七月王政を終わらせ、第2共和制を樹立。 **二月革命** w-26

諸国民の春 w-27

または第2共和政。 **第2共和制** w-28

ブルジョア共和派と急進共和派が対立。 **臨時政府** w-29

ブルボン家の分家であるオルレアン家のルイ=フィリップがフランス国王となる。選挙法改正運動が強まる中、ルイ=フィリップのギゾー内閣は取り締まりを強め、ついにパリ市民が蜂起した（二月革命）。

フランス初の大統領選挙が実施されると、イギリスから帰国したナポレオンの甥（おい）であるルイ＝ナポレオンが立候補し当選した。

ナポレオン3世 w-30

第1回選挙法改正 w-31

イギリスのチャーティスト運動により議会に提出された請願書。 **人民憲章** w-32

チャーティスト運動 w-33

ロバート・オーウェン w-34

フランスの社会主義者。「空想的社会主義」と評された。 **サン=シモン** w-35

シャルル・フーリエ。フランスの社会思想家・哲学者。 **フーリエ** w-36

プロイセン出身の哲学者・経済学者、そして革命家。 **マルクス** w-37

科学的社会主義とも呼ばれる。 **マルクス主義** w-38

ドイツの経済学者・革命家。 **エンゲルス** w-39

マルクスとエンゲルスによって書かれた。 **共産党宣言** w-40

ドイツの首都ベルリンにあるマルクス（下）とエンゲルス（右）の像。

フーリエはファランジュと呼ばれる「協同体」を作り、一種のユートピアを目指したが失敗に終わる。

w-1 カングリス オヴ ヴィエナ [káŋgris əv viénə]
Congress of Vienna

w-2 メタニック [métənik] / メタニッチ [métənitʃ]
Metternich

w-3 プリンスィプル オヴ リジティマスィ [prínsəpl əv lidʒítəməsi]
principle of legitimacy

w-4 アリグザンダ [æligzǽndə] ザ ファースト
Alexander I

w-5 ホウリ アライアンス [hóuli əláiəns]
Holy Alliance

w-6 タリランド [tǽlirænd]
Talleyrand

w-7 ヴィエナ プロウトコール [viénə próutəkɔ:l]
Vienna Protocol

w-8 ヴィエナ スィステム [viénə sístəm]
Vienna System

w-9 ジャーマン コンフェデレイション [dʒə́:mən kənfedəréiʃən]
German Confederation

w-10 パクス ブリタニカ [pæks britǽnikə]
Pax Britannica

w-11 クワドル(ー)プル / クワドループル アライアンス [kwádru(:)pl / kwadrú:pl əláiəns]
Quadruple Alliance

w-12 リベラリズム [líbərəlizm]
liberalism

w-13 ナショナリズム [nǽʃənəlizm]
nationalism

w-14 パーマネントリ ニュートラル カントリ [pə́:mənəntli n(j)ú:trəl kʌ́ntri]
permanently neutral country

w-15 ブルシェンシャーフト [búəʃənʃa:ft]
Burschenschaft

w-16 カーバナーリ [kaəbəná:ri]
Carbonari

フランス語ではトゥセルヴェルテュル [tusɛ̃ luvɛrtýr]

w-17 トゥーセ(ン) ルーヴェチュア [tusɛ̃ŋ lu:vətúə]
Toussaint Louverture

w-18 サイモン バリヴァ [sáimən báləvər]
Simon Bolivar

w-19 サン マーティーン [sæn mɑətín]
San Martín

w-20 ディセンブリスト リヴォウルト [disémbrist rivóult]
Decembrist revolt

◆**Metternich メテルニヒ**　オランダ語で metter メタ「真ん中、中間」に nacht ナハト [nɑxt]「夜」で、「真夜中」の意。メテルニヒは姓なので、その始祖となった人物が「真夜中」に生まれたという可能性もある(別説もある)。オランダ語 nacht や英語の **night ナイト**「夜」は印欧祖語 *nókʷts ノクツに由来 (* は推定語の印)。真ん中の子音の kʷ の音が破裂音から摩擦音へと弱くなって [h] や [x] の音になり、英語では子音は消滅して gh のスペルだけが残った。しかし関連語の **nocturne** ノクターン「夜想曲」には [k] の音が残っている。ちなみに、英語のメタニッチの「チ」という発音は語源的には間違っている。

◆**Pax Britannica パックス・ブリタニカ**　pax はラテン語で「平和」で、ブリタニカは「イギリスの」という意味。Pax Romana「パックス・ロマーナ(ローマの平和)」(F-85参照)をもじったもの。強大な工業力と海軍力を背景にしたイギリス帝国の全盛期、ヴィクトリア女王の統治時代を指す。ナポレオン戦争期や第 1 次世界大戦の頃と比べると、比較的平和な時代だった。ソビエト連邦崩壊後の、アメリカ一極体制となった現代は、Pax Americana「パックス・アメリカーナ (アメリカの平和)」とも呼ばれている。

◆**Quadruple Alliance 四国同盟**　ウィーン体制の維持のため、イギリス、ロシア、オーストリア、プロイセンの 4 カ国が締結した同盟。後にフランスが加わり「五国同盟」となった。英語の Quadruple「四国」は、「4 重の、4 者の、4 倍の、4 拍子の」という意味。英語で他の数字の「〜国同盟」はどう表現されるだろうか?

◎ Dual Alliance **デュー**アル ア**ライ**アンス「二国同盟」
もしくは Double Alliance **ダ**ブル 〜

◎ Triple Alliance ト**リ**プル 〜「三国同盟」

◎ Quadruple Alliance　ク**ワ**ドル(ー)プル 〜「四国同盟」

◎ Quintuple Alliance　ク**ウィ**ンテュ(ー)プル 〜「五国同盟」

◎ Sextuple Alliance　**セ**クステュ(ー)プル 〜「六国同盟」

と続く。アクセントは一つ後の音節になることもある(例 quadruple クワド**ルー**プル、quintuple クウィン**テュー**プル)。

オーストリアで三月革命が起こると、オーストリア国内に相次いで民族独立運動が生じた。ベーメン民族運動（チェコ）、ハンガリー民族運動、ポーランド、北イタリアのヴェネツィア・ロンバルディア（ミラノ蜂起）などで相次いで独立運動が起きた。これらを総称して**諸国民の春**といっている。

◆**Carbonari カルボナリ**　イタリア語で炭を作る「炭焼き」のこと。日本語で「炭焼党」ともいう。イタリアの自由と統一を目指して結成された秘密結社。党員は自らを、卑しい職業とされていた「炭焼職人」と称した。ちなみに、元素の carbon カーボン「炭素」も同根語。「炭焼職人風パスタ」の carbonara「カルボナーラ」は、黒こしょうを炭に見立てたという説や、炭焼き職人に好まれた説の他に、カルボナリを称（たた）えて命名したという説もある。

陽子とプロトタイプとコラーゲン

Protocol「議定書」

議定書と訳されている英語 protocol は、ギリシャ語で「最初の」を意味する πρῶτος プ**ロ**ートスに「糊（のり）、にかわ」を意味する κόλλα **コ**ッラを足したもの。古代の巻物はシート状のパピルス紙を何枚も糊付けして長い巻物にしたが、プロトコルは「糊で付けられた最初の紙」を指し、その巻物の内容や日付が記された。

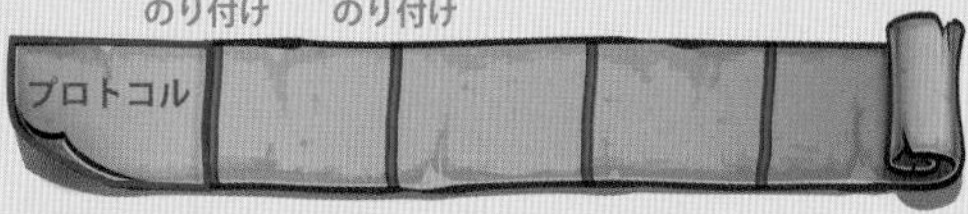

パピルスの茎の長さのため、一枚の紙のサイズには限界があった。

やがて「公式文書、議事録、議定書」という意味に発展し、「国家間の儀礼上のルール」や「実験の手順」、「ネットワーク上の通信手順」も指すようになった。ちなみに、プロートスに由来する言葉には、protein プロテイン「タンパク質」（生物にとって最も重要な物質）や、proton プロトン「陽子」（原子の主要構成要素）、prototype プロトタイプ「原型」がある。またコッラ「にかわ」に由来する語には、collagen「コラーゲン」や colloid「コロイド」がある。

チャールズ ザ テンス [tʃáəlz] ザ テンス
Charles X　w-21

ジュライ レヴォリューション [dʒulái revəl(j)úːʃən]
July Revolution　w-22

ルーイ フィリープ / ルイス フィリペイ [lúːi filíːp/ lúis filípei]
Louis-Philippe　w-23

この名前は複合名だが (p.68参照)、英語ではハイフンを略して Louis Philippe とも書く。

ギゾウ [gizóu]
Guizot　w-24

ジュライ マナキ [dʒulái mánəki]
July Monarchy　w-25

フレンチ レヴォリューションズ オヴ エイティーン フォーティ エイト [revəl(j)úːʃənz 〜]
(French) Revolutions of 1848　w-26

スプリング オヴ ネイションズ [spríŋ əv néiʃənz]
Spring of Nations　w-27

セカンド リパブリック [sékənd ripʌ́blikə-ki]
Second Republic　w-28

プラヴィビジョナル ガヴァンメント [prəvíʒənl gʌ́vənmənt]
provisional government　w-29

ナポウリアン ザ サード [nəpóuliən] ザ サード
Napoleon III　w-30

エイティーン サーティ スリー ファクトリ アクト [〜 fǽktəri ækt]
1833 Factory Act　w-31

ピープルズ チャータ [píːplz tʃə́tə]
People's Charter　w-32

チャーティスト ムーヴメント [tʃártist múːvmənt]
Chartist Movement　w-33

ラバト オウエン [rábət óuən]
Robert Owen　w-34

セイント サイマン [seint sáimən]
Saint-Simon　w-35

フュアリエイ [fúəriei]
Fourier　w-36

マークス [máəks]
Marx　w-37

マークスィズム [máəksizm]
Marxism　w-38

エンゲルズ [éŋgəlz]
Engels　w-39

カミュニスト マニフェストウ [kámjunist mænəféstou]
Communist Manifesto　w-40

X 自由主義・帝国主義

※露…ロシア、墺…オーストリア、普…プロイセン。

x-1 **東方問題** オスマン帝国領のバルカン半島・黒海、中東で生じた民族独立運動に乗じて、ヨーロッパの列強が進出を狙ったために生じた対立。

x-2 **ニコライ1世** ロマノフ朝のロシア皇帝。クリミア戦争を起こした皇帝。プチャーチンを日本へ派遣し、日露和親条約を締結した。

x-3 **クリミア戦争** 露が英仏とオスマン帝国等の連合軍に敗れる。

x-4 **ナイチンゲール** 「クリミアの天使」と呼ばれた。

x-5 **エジプト・トルコ戦争**

x-6 **アレクサンドル2世**

x-7 **農奴解放令** 農奴の身分は解消されたが、土地取得は有償だった。

x-8 **インテリゲンツィア** ロシアの青年知識人層。

x-9 **ナロードニキ** インテリゲンツィアが「ヴ・ナロード（人民の中へ）」を掲げた革命運動。

アレクサンドル２世はクリミア戦争の敗北を受け、農奴解放令など改革を実施し、ロシアの近代化を図った。

x-10 **ヴィクトリア女王** ハノーヴァー朝の第６代女王にして、初代インド皇帝（女帝）。大英帝国最盛期の女王。

x-11 **植民地帝国** 大英帝国はインドをはじめとする広大な海外植民地を支配した。

x-12 **万国博覧会** ロンドンで世界最初の万国博覧会が開催された。

x-13 **クリスタル・パレス** もしくは水晶宮。

x-14 **ディズレーリ** イギリスの保守党の首相。

x-15 **ロスチャイルド** ドイツにはじまったユダヤ系の金融資本家の一族。

x-16 **グラッドストン** イギリスの自由党の首相。

ロンドンの万国博覧会の目玉となった鉄とガラスでできた展示館。設計は庭園技師のパックストンで、ガラス張り温室の構造を応用した。工場で製造された部品を現地で組み立てるプレハブ建築の草分けだった。

グラッドストンは自由貿易政策を進め、帝国の拡張主義には反対した。ディズレーリとはライバル。

x-17 **アイルランド自治法案**

x-18 **ジョセフ・チェンバレン**

x-19 **青年イタリア** オーストリアからのイタリア独立と統一を目指す組織。

x-20 **マッツィーニ** 青年イタリアを組織し、後にローマ共和国を樹立。

後の英首相ネヴィル・チェンバレンの父。自由統一党を結成。バルフォアの内閣で植民地大臣となる。帝国主義政策を推進した。

オーストリアは、統一ドイツにオーストリアを含める大ドイツ主義を掲げ、プロイセンはオーストリアを除外する小ドイツ主義を主張。この２国間で、ドイツの主導権を争ってオーストリア戦争（普墺戦争）が生じ、ビスマルク率いるプロイセンが大勝した。プロイセン・フランス戦争（普仏戦争）では、プロイセンが勝利しドイツ帝国を成立させ、フランス第２帝政は崩壊した。

サルデーニャ王国の国王で、初代イタリア国王。

ヴィットリオ・エマヌエーレ2世 x-21

サルデーニャ王国の首相。通称「カヴール伯爵」。近代化政策を進め、巧みな外交でサルデーニャ主導のイタリア統一を実現した。
カヴール x-22

フランスからサルデーニャ王国に割譲された。
ロンバルディア x-23

赤シャツ隊を率いて両シチリア王国を解放。イタリアの国民的英雄。
ガリバルディ x-24

リソルジメントともいう。
イタリア統一運動 x-25

ガリバルディが南イタリアをヴィットリオ・エマヌエーレ２世に献上し成立。
イタリア王国 x-26

同盟国内の関税を廃止したドイツ諸邦の経済同盟。
ドイツ関税同盟 x-27

大ドイツ主義・小ドイツ主義 x-28

軍国主義化を進めドイツ統一を実現。
ビスマルク x-29

ビスマルクがかぶっている頭頂部に角が付いたヘルメットは「ピッケルハウベ」と呼ばれ、プロイセン軍や後のドイツ軍が採用した。

ビスマルクの推進した軍備拡張政策のこと。
鉄血政策 x-30

ビスマルクが国内のカトリック勢力を抑えようとしたために生じたカトリックとの闘争。
文化闘争 x-31

もしくは普墺戦争、７週間戦争。
プロイセン・オーストリア戦争 x-32

プロイセンを中心に22カ国からなる。ドイツ帝国の母体となる。
北ドイツ連邦 x-33

もしくは普仏戦争。
プロイセン・フランス戦争 x-34

ドイツ帝国の初代皇帝。
ヴィルヘルム1世 x-35

プロイセンを中心に成立したドイツの統一国家。
ドイツ帝国 x-36

もしくは独墺露同盟。ビスマルクが提唱。
三帝同盟 x-37

もしくは露土戦争。
ロシア・トルコ戦争 x-38

サン・ステファノ条約 x-39

露土戦争後の調停のための国際会議。
ベルリン会議 x-40

X Liberalism, Imperialism

イースタン クウェスチョン [～ kwéstʃən]
x-1 **Eastern Question**

ニコラス [níkələs] ザ ファースト
x-2 **Nicholas I**

クライミーアン [kraimí:ən] ウォー
x-3 **Crimean War**

ナイティンゲイル [náitngeil]
x-4 **Nightingale**

イジプシャン アトマン ウォー [idʒípʃən átəmən ～]
x-5 **Egyptian–Ottoman War**

アリグザンダ [æligzændɚ] ザ セカンド
x-6 **Alexander II**

イマンシペイション リフォーム オヴ エイティーン シクスティー ワン [imænsəpéiʃən ～]
x-7 **Emancipation Reform of 1861**

インテリジェンツィア [inteləd͡ʒéntsiə]
x-8 **intelligentsia**

ナーロードニク [nɑ:rɔ́:dnik]
x-9 **Narodnik**

クイーン ヴィクトーリア [～ viktɔ́:riə]
x-10 **Queen Victoria**

コロウニアル エンパイア [kəlóuniəl émpaiɚ]
x-11 **colonial empire**

ワールズ フェア [wɚ:lz feɚ]
x-12 **world's fair**

クリスタル パリス [krístəl pǽlis]
x-13 **Crystal Palace**

ディズレイリ [dizréili]
x-14 **Disraeli**

ロスチャイルド [rɔ́θstʃaild]
x-15 **Rothschild**

グラドストウン [glǽdstoun / glǽdstən]
x-16 **Gladstone**

アイリシュ ホウム ルール ビル [áiəriʃ houm ru:l bil]
x-17 **Irish Home Rule Bill**

ジョウゼフ(セ) チェインバリン [dʒóuzəf /-sef tʃéimbərlin]
x-18 **Joseph Chamberlain**

ヤング イタリ [jʌŋ ítəli]
x-19 **Young Italy**

マツィーニ [mætsíni]
x-20 **Mazzini**

◆**Disraeli ディズレーリ**　姓は「デ・イズラエリ」(イスラエルから来た人)に由来。ユダヤ人であり(イングランド国教会に改宗している)、貴族の出でもないのに保守党の党首、そして2度イギリスの首相となった。小説家としても有名で、奇抜なファッションで注目を集め、ご婦人方の絶大な人気を集めた。ところで、ディズレーリはエジプトの藩主イスマーイール・パシャがスエズ運河株を400万ポンド(当時のイギリスの国家予算の8%強)で売りに出すことを望んでいるという情報を知るが、その時議会が休会中ですぐに認可が得られなかった。ディズレーリは英国ロスチャイルド家の当主ライオネル・ロスチャイルドに「明日までに融資してくれ」と頼んだ。「では、抵当物件は?」と問われ、「大英帝国が担保だ」と答えたという。かくしてスエズ運河は大英帝国のものとなり、史上最大の帝国となる道を開いた。

保守党でイギリスの首相。強硬な外交で知られ帝国主義政策を進めた。多数の改革法案を実現し「トーリ・デモクラシー」と呼ばれた。

◆**Blood and Iron 鉄血政策**　プロイセン王国のビスマルクの推進した軍備拡張政策。首相就任の演説の中でドイツ統一の問題は「言論や多数決によってではなく、鉄と血によってのみ解決される」と述べたため、ビスマルクは「鉄血宰相」、彼の政策は「鉄血政策」とあだ名された。鉄とは「武器・軍備」、血とは「兵士」のこと。ビスマルクは巧みな外交手腕を発揮し、「ビスマルク体制」と呼ばれるつかの間の平和をヨーロッパにもたらした。

◆**Franco-Prussian War プロイセン・フランス戦争**　Franco- は、「フランク族の」から転じて「フランス民族の、フランス語の」を意味する。French フレンチも「フランスの」という意味だが、Franco- は合成語としてよく用いられる。ちなみに、スペインで独裁政権を敷いたFranco フランコはフランス人というわけではない。フランコはスペインではユダヤ人の家系に多い姓である。

イタリア統一運動のことを英語で Italian unification イタリアン・ユニフィケイションもしくは、そのイタリア語をそのまま用いて Risorgimento リソージメントウ「リソルジメント」という。Risorgimento は、英語の Resurgence リサージェンス「再起、復活」に相当する。カヴールが発行した新聞『イル・リソルジメント』に由来する。

統計学者ナイチンゲール

Nightingale the statistician（スタティスティシャン）

ナイチンゲールは「近代看護教育の母」と呼ばれているが、実は**統計学の先駆者**でもあった。富裕なジェントリーの家に生まれたナイチンゲールは、父親から直接、諸言語や歴史、哲学や音楽を教わったが、特に**数学**に興味を示した。やがて看護に関心をもったが、当時、看護婦は病院の召使いのように卑しい職業とされていたため家族から反対された。めげずに看護学を学び、クリミヤ戦争では 38 名の女性を率いて英国陸軍野戦病院に赴（おもむ）いた。献身的に看護に励むかたわら、病院内の劣悪な衛生状況を改善することで傷病兵の死亡率を劇的に引き下げることに成功。帰国後、**統計学**を用いて傷病者に関する膨大なデータを分析し、統計資料を作成して衛生環境の改善の必要を説いた。このため、ナイチンゲールは女性で初めて王立統計協会会員に選ばれている。

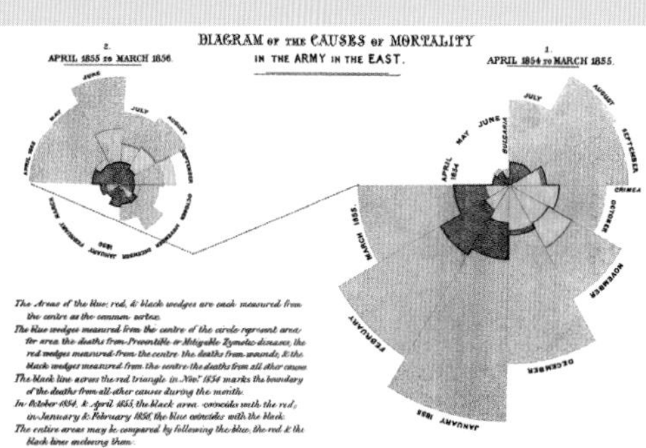

ナイチンゲールが作成したクリミア戦争の死亡原因を分析したグラフ。円グラフも棒グラフも一般化していない時代に、レーダーチャートの一種である「鶏のとさか」(または「こうもりの翼」)という図を考案した。これらのグラフは、負傷兵の主な死亡原因が、負傷後の治療や病院の衛生状態であることを人々に納得させることに貢献した。

ヴィクタ イマニュエル ザ セカンド [víktɚ imǽnjuəl]
Victor Emmanuel II X-21

カヴーア [kavúɚ]
Cavour X-22

ランバルディ [lámbərdi]
Lombardy X-23

ギャリボールディ [gærəbɔ́:ldi]
Garibaldi X-24

リソージメントウ [risɔ:rdʒiméntou]
Risorgimento X-25

キングダム オヴ イタリ [kíŋdəm əv ítəli]
Kingdom of Italy X-26

ジャーマン カスタムズ ユーニョン [dʒɚ́:mən kʌ́stəmz jú:njən]
German Customs Union X-27

グレイタ / レサ ジャーマニ [〜 dʒɚ́:məni]
Greater / Lesser Germany X-28

ビズマーク [bízmɑɚk]
Bismarck X-29

ブラッド アンド アイアン [blʌ́d ænd áiɚn]
Blood and Iron X-30

カルチャ ストラグル [kʌ́ltʃə strʌ́gl]
culture struggle X-31

オストロウ プラシャン ウォー [ɔ́strou prʌ́ʃən 〜]
Austro-Prussian War X-32

ノース ジャーマン コンフェデレイション [nɔ́ɚθ dʒɚ́:mən kənfedəréiʃən]
North German Confederation X-33

フランコウ プラシャン ウォー [frǽŋkou prʌ́ʃən 〜]
Franco-Prussian War X-34

ウィリャム ザ ファースト [wíljəm]
William I X-35

ジャーマン エンパイア [〜 émpaiɚ]
German Empire X-36

リーグ オヴ ザ スリー エンペラズ [〜 émpərɚz]
League of the Three Emperors X-37

ラソウ ターキシュ ウォーズ [rʌ́sou tɚ́:kiʃ 〜]
Russo-Turkish Wars X-38

トリーティ オヴ サン ステイファノウ [〜 stéifənou]
Treaty of San Stefano X-39

カングリス オヴ バーリン [káŋgris əv bɚ:lín]
Congress of Berlin X-40

Y 第1次世界大戦

Y-1 **ヨーロッパの火薬庫**

Y-2 **第１次世界大戦** 人類最初の世界戦争。

Y-3 **サライェヴォ事件** またはサラエボ事件。

Y-4 **フランツ・フェルディナント**

フランツ・フェルディナント大公は、オーストリア帝国の皇位継承者。

Y-5 **同盟国** もしくは中央同盟国。ドイツ、オーストリア、トルコ、ブルガリア。イタリアは連合国に転じた。

Y-6 **連合国 / 協商国** イギリス・フランス・ロシアによる三国協商を核とした諸国。

Y-7 **ロンドン密約** イタリアとイギリス・フランス・ロシアの連合国との間で締結された秘密条約。

Y-8 **マルヌの戦い** 独軍は大戦勃発直後にパリに迫ったが、英仏軍がマルヌ川河畔で撃退した。その後、戦争は長期戦になった。

Y-9 **西部戦線** 攻め手のドイツ軍と、防ぎ手のイギリス・フランス両軍が、ベルギー南部からフランス北東部にかけて長大な塹壕を構え、戦争が長期化した。

Y-10 **塹壕戦** 塹壕とは、大砲や機関銃から身を隠すために掘られた穴。やがて戦車や爆撃機の登場により塹壕は有効ではなくなる。

Y-11 **ヴェルダン会戦** 第１次世界大戦における激戦の１つ。フランス軍が防衛に成功し、司令官ペタンは英雄と呼ばれた。

Y-12 **ソンムの会戦** 第１次世界大戦における最大の戦い。合計 160 万人を超す死者が出た。英軍ははじめて MkⅠ戦車を投入したが、数が少なく形勢を逆転できなかった。

Y-13 **タンネンベルクの戦い** ドイツとロシアの会戦。ロシア軍の惨敗に終わる。

Y-14 **無制限潜水艦戦**

Y-15 **膠州湾占領** 第１次大戦中、日本が中国の膠州湾を占領した。

Y-16 **アラブ反乱** フサインが、アラブ人の統一国家樹立を目指してオスマン帝国に反乱。

フセインともいう。

Y-17 **フサイン・マクマホン協定**

フサインは、後にメッカを首都とするヒジャーズ王国を樹立。

Y-18 **バルフォア宣言** イギリスがユダヤ人にパレスチナでの国家建設を認めた密約。

Y-19 **サイクス・ピコ協定**

サイクス・ピコ協定は、英露仏間で結ばれた、西アジア分割に関する秘密協定。上の地図はその結果。

Y-20 **キール軍港の水兵反乱**

1917 年のロシアの二月革命は、帝政を終わらせ、立憲民主党主導の臨時政府が樹立。革命の第2段階として、「十月革命」で社会主義左派勢力ボリシェヴィキが蜂起し、臨時政府を倒して「ソヴィエト」政権が確立した。ソヴィエトとはロシア語で「会議や評議会」の意。労働者・農民・兵士の代表機関としてはじまり、やがてソビエト連邦の最高議決機関となった。

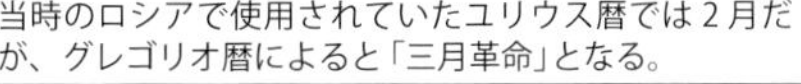

当時のロシアで使用されていたユリウス暦では 2 月だが、グレゴリオ暦によると「三月革命」となる。 **ロシア二月革命** Y-21

レーニンというのはペンネームで、「レナ川の人」の意。本名はウラジミール・ウリヤーノフ。

ロシア革命を指導し、最初の社会主義国家を建設した革命家。 **レーニン** Y-22

またはメンシェヴィキ。ロシア社会民主労働党内の少数派。 **メンシェビキ** Y-23

ボリシェヴィキや、ボルシェビキとも書く。ロシア社会民主労働党の多数派。 **ボリシェビキ** Y-24

ロシア革命、あるいはボリシェビキ革命ともいう。 **十月革命** Y-25

十月革命後はレーニンに次ぐ地位に立ち、外務人民委員となる。後にスターリンと対立し追放される。

トロッキーとも書かれる。二月革命後ボリシェビキに入党し、十月革命を指導した。永久革命論を唱える。 **トロツキー** Y-26

ボリシェビキはロシア革命の主導権を握り、後に共産党と改称した。 **共産党** Y-27

ソヴィエト社会主義共和国連邦 Y-28

またはチェカー、チェーカー。ロシア非常委員会の略称で、ロシア革命で成立した革命政府の警察機構。1922 年に改組されて「国家政治保安部」(GPU ゲーペーウー)」となる。 **チェカ** Y-29

スターリンもペンネームで、「鋼鉄の人」の意。本名はイオセブ・ベサリオニス・ゼ・ジュガシヴィリ。

レーニンの死後に政権を掌握し、一国社会主義論を唱えた。大規模な政治的抑圧(大粛清)により、独裁政治を進めた。 **スターリン** Y-30

キール軍港の水兵反乱を機に兵士・労働者が蜂起。皇帝が退位しドイツ共和国が樹立された。 **ドイツ革命** Y-31

エーベルトを首班とする内閣を組織し、共和国の政権を握る。 **ドイツ社会民主党** Y-32

ローザ・ルクセンブルクはドイツ社会民主党左派の理論家。スパルタクス団を結成。

ローザ・ルクセンブルク Y-33

カール・リープクネヒト Y-34

ワイマール(ヴァイマール)共和国ともいう。ドイツ革命で成立したブルジョワ共和制国家。 **ドイツ共和国** Y-35

ヴァイマール憲法ともいう。国民主権、男女平等の普通選挙など 20 世紀の民主主義憲法の典型とされる。 **ワイマール憲法** Y-36

パリで開催された第1次世界大戦の講和国際会議。実質的には米英仏の三国によって主導された。 **パリ講和会議** Y-37

パリ講和会議の結果、ヴェルサイユ宮殿で調印。ドイツに対して厳しい裁定が下される。 **ヴェルサイユ条約** Y-38

ウッドロー・ウィルソンは第 28 代アメリカ大統領。アメリカの中立を放棄して、第1次世界大戦への参戦を決断した。

第 1 条「秘密外交の廃止」、第 2 条「海洋の自由」、第 3 条「経済障壁の撤廃」、第 4 条「軍備縮小」、第 14 条「国際連盟の設立」など。 **ウィルソンの14カ条** Y-39

ウィルソンが提唱した国際連盟創設はヴェルサイユ条約に盛り込まれて実現。しかし当のアメリカは議会の上院でアメリカの加入が否決されたため、参加できなかった。 **国際連盟** Y-40

Y First World War

Y-1 パウダ ケグ オヴ ユアロップ [páudɚ keg əv júərəp]
powder keg of Europe

Y-2 ファースト ワールド ウォー [fɚ:st wɚ:ld wɔɚ]
First World War (WWI)

Y-3 アサシネイション オヴ サライェイヴォウ [əsæsənéiʃən əv særəjéivou]
Assassination of Sarajevo

Y-4 フランズ／フランスィス ファーディナンド [frænz／frǽnsis fɚ́:dənænd]
Franz/Francis Ferdinand

Y-5 セントラル パウアズ [séntrəl páuɚz]
Central Powers

Y-6 アライズ／アライズ アーンターント パウアズ [ǽlaiz／əláiz] [ɑ:ntɑ́:nt páuɚz]
Allies / Entente Powers

Y-7 トリーティ オヴ ランドン [～ lʌ́ndən]
Treaty of London

Y-8 ファースト バトル オヴ ザ マーン [～ mɑ́ɚn]
First Battle of the Marne

Y-9 ウェスタン フラント [wéstɚn frʌ́nt]
Western Front

Y-10 トレンチ ウォーフェア [tréntʃ wɔ́ɚfeɚ]
Trench warfare

Y-11 バトル オヴ ヴェアダン／ヴァーダン [～ vɛɚdʌ́n／vɚ:dʌ́n]
Battle of Verdun

Y-12 バトル オヴ ザ サム [～ sʌm]
Battle of the Somme

Y-13 バトル オヴ タネンバーグ [～ tǽnənbɚ:g]
Battle of Tannenberg

Y-14 アンリストリクテッド サブマリーン ウォーフェア [ʌnristríkted sʌbmərí:n wɔ́ɚfeɚ]
Unrestricted submarine warfare

Y-15 アキュペイション オヴ ジャウジョウ ベイ [ɑkjupéiʃən əv dʒaudʒóu bei]
Occupation of Jiaozhou Bay

Y-16 アラブ リヴォウルト [ǽrəb rivóult]
Arab Revolt または Husain、Husayn

Y-17 マクメイアン フ(ー)セイン アグリーメント [məkméiən hu(:)séin／huséin ～]
Hussein-McMahon Agreement

Y-18 バルファ デクラレイション [bǽlfɚ dekləréiʃən]
Balfour Declaration

Y-19 サイクス ピーコウ アグリーメント [sáiks pí:kou əgrí:mənt]
Sykes-Picot Agreement

Y-20 キール ミューティニ [kí:l mjú:təni]
Kiel Mutiny

◆ **powder keg of Europe ヨーロッパの火薬庫**
powder は粉、つまり火薬のことで、keg は樽(たる)のこと。バルカン半島は、支配国のオスマン帝国の弱体化や、パン・ゲルマン主義を唱えて介入してくるオーストリア=ハンガリー帝国やパン・スラブ主義を掲げて介入してくるロシアといった大国の思惑と、民族主義に目覚め独立や領土拡大を狙う小国の複雑な民族対立が絡み合い、一触即発の不安定な状態だった。

ハプスブルク帝国皇位継承者フランツ・フェルディナントは、ボヘミアの伯爵令嬢のゾフィーと結婚したが、皇位継承者の妃としては王族以外は身分違いとされ、公の場でも夫との同席は許されなかった。しかしサラエボへは軍事演習の視察だったため、普段は禁じられていた夫婦同席が認められ、しかもゾフィーに皇位継承者夫人の栄誉に浴して欲しいと願い、オープンカーに2人で乗った。これらがすべて裏目に出てしまった。しかもその日は二人の結婚記念日だった。

◆ **Assassination of Sarajevo サライェヴォ事件** 英語では、「サライェヴォの暗殺」を意味する。ハプスブルク帝国皇位継承者夫妻が、ボスニアの州都サライェヴォで、セルビア人のガヴリロ・プリンツィプに拳銃で殺害された事件。これをきっかけに、オーストリア=ハンガリー政府内でセルビアに対する武力行使を望む強硬意見が強くなり、オーストリアはセルビア王国に宣戦布告。第1次世界大戦の勃発につながった。

◆ **Hussein-McMahon Agreement フサイン・マクマホン協定** イギリスの駐エジプト高等弁務官ヘンリー・マクマホンと、マッカ（メッカ）の太守フサイン・

「キール軍港の水兵反乱」と訳されている Kiel Mutiny の mutiny ミューティニとは、軍隊内部で、特に艦船内で生じた反乱を指す言葉。「戦艦ポチョムキンの反乱」も Mutiny on the Battleship Potemkin と呼ばれている。

イブン・アリー(アラブ独立運動の指導者)の間で交わされたアラブ人の独立支持を約束した協定。一方、イギリスの外務大臣バルフォアは、ユダヤ人資本家のライオネル・ロスチャイルドに対して、戦争資金提供の見返りとして、パレスチナにおけるユダヤ人居住地の建設(シオニズム政策)への支援を約束した。互いに矛盾する部分を含む2つの約束は「イギリスの二枚舌外交」と呼ばれる。実はさらに、フランスとも中東の領土を山分けしようというサイクス・ピコ協定を結んでいて、「三枚舌外交」を行っていた。フサイン・イブン・アリーは、オスマン帝国からのアラブ人独立を目指して「アラブ反乱」を指揮した。この時、「アラビアのロレンス」として知られるトーマス・エドワード・ロレンスがアラブの反乱を支援した。

メンシェビキ・ボリシェビキ

ボリシェビキはロシア語で「多数派」、メンシェビキは「少数派」という意味。英語ではボリシェビキは Bolshevik ボルシェヴィックに、つまり語尾が -ki でなく-k になっている。実は、ロシア語の男性・女性名詞では原則的には複数形は -i で終わる(中性名詞複数は -a で終わる)。例えば、(単) メンシェビク→(複) メンシェビキや、(単) ナロードニク→(複)ナロードニキ (p.148) など。とはいえ、英語に取り入れられたロシア語の複数形の場合、ロシア語に準じて Bolsheviki と書かれることもあるが、Bolsheviks の方が「多数派」である。実は名詞の複数形の語尾が -i で終わるというのはインド・ヨーロッパ語族の言語では広く見られ、古代ギリシャ語の (単) バルバロス→ (複) バルバロイ「野蛮人」、(単) ディアドコス→(複)ディアドコイ「後継者」などもその例である。

フェビュアリ レヴォリ(ル)ューション [fébjuəri revəl(j)úːʃən]
February Revolution Y-21

レニン [lénin]
Lenin Y-22

メンシェヴィック [ménʃəvik]
Menshevik Y-23

ボウルシェヴィック [bóulʃəvik]
Bolshevik Y-24

アクトウバ レヴォリューション [ɑktóubə revəljúːʃən]
October Revolution Y-25

トラツキ [trátski]
Trotsky Y-26

カミュニスト パーティ [kámjunist páəti]
Communist Party Y-27

ユーニャン オヴ ソウヴィエト ソウシャリスト リパブリック [júːnjən əv sóuviet sóuʃ(ə)list ripʌ́blik]
Union of Soviet Socialist Republic Y-28

略せば Soviet Union。

チェカ(ー) [tʃékɑ(ː)]
Cheka Y-29

スターリン [stáːlin] / スタリン [stǽlin]
Stalin Y-30

ジャーマン レヴォリューション [dʒə́ːmən revəljúːʃən]
German Revolution Y-31

ソウシャル デモクラティック パーティ オヴ ジャーマニ [sóuʃəl deməkrǽtik páəti əv dʒə́ːməni]
Social Democratic Party of Germany Y-32

ロウザ ラクセムバーグ [róuzə lʌ́ksəmbəːg]
Rosa Luxemburg Y-33

カール リープクネヒト [káəl líːpknεçt]
Karl Liebknecht Y-34

ドイチ(ュ) リパブリク [dɔ́itʃ(ə) ripʌ́blik]
Deutsche republic Y-35

ヴァイマー カンスティテューション [váimaə kanstətjúːʃən]
Weimar Constitution Y-36

パリス ピース カンファレンス [pǽris piːs kánfərəns]
Paris Peace Conference Y-37

トリーティ オヴ ヴェアサイ [～ vεəsái / vəːsái]
Treaty of Versailles Y-38

フォーティーン ポインツ [fɔətíːn pɔ́ints]
Fourteen Points Y-39

リーグ オヴ ネイションズ [líːg əv néiʃənz]
League of Nations Y-40

日本語索引

あ行

か行

さ行

た行

な行

は行

ま行

や行

ら行

わ行

数字

英語索引

A

B

著者紹介 **原島 広至**（はらしま ひろし）

歴史・サイエンスライター、エディトリアル・デザイナー、マルチメディア・クリエイター。3DCG作家。明治・大正時代の絵はがき蒐集家。サイエンス系の著書に『**骨単** – 語源から覚える解剖学英単語集［骨編］』『**肉単**』『**脳単**』『**臓単**』『**生薬単** – 語源から覚える植物学・生薬学名単語集』『**ツボ単**』（以上、丸善雄松堂）。解剖学シリーズは韓国語版及び中国語版（簡体字）が既刊。『**骨単 MAP & 3D**』『**骨肉腱え問**』『**3D 踊る肉単**』『**実験単**』『**元素単** ～13ヵ国語の周期表から解き明かす～』（以上、エヌ・ティー・エス）。『**美術解剖学レッスンⅠ【手・腕編】**（描いて学ぶ美術解剖学シリーズ）』（青幻舎）。『**名画と解剖学『マダムX』にはなぜ鎖骨がないのか？**』（CCCメディアハウス）、『**＋－×÷のはじまり**』（KADOKAWA）がある。歴史・文系の著書に『**東京・横浜今昔散歩**』『**大阪今昔散歩**』『**神戸今昔散歩**』『**東京スカイツリー今昔散歩**』『**百人一首今昔散歩**』『**名古屋今昔散歩**』『**広島今昔散歩**』『**ワイド版 東京今昔散歩**』『**ワイド版 横浜今昔散歩**』『**語源でわかる中学英語 knowの「k」はなぜ発音しないのか？**』（以上、KADOKAWA）。『**携帯 東京古地図散歩 ―丸の内編**』『**携帯 東京古地図散歩 ―浅草編**』（以上、青幻舎）などがある。現在、東京メトロ発行の『MetroWalker』（季刊誌）にて、『**発見メトロ！ メトロ今昔探訪**』を連載中。

歴単（れきたん） 西洋史編

2020年 2月22日 第1刷発行

著　者：原島 広至

発行者：徳留 慶太郎
発行所：株式会社すばる舎
〒170-0013 東京都豊島区東池袋3-9-7 東池袋織本ビル
TEL. 03-3981-8651（代表）／ 03-3981-0767（営業部）
振替 00140-7-116563
http://www.subarusya.jp/

Subarusya

ブックデザイン：原島 広至（スフィーノ）
編集協力：細田 繁
校正：新井 弘子
出版プロデュース：中野 健彦（ブックリンケージ）
制作進行：澤村 桃華（プリ・テック）
編集担当：菅沼 真弘（すばる舎）

地図・図表制作：原島 広至（スフィーノ）
画像：特に表記のあるもの以外は Shutterstock.com
“Images, used under license from Shutterstock.com”

印刷・製本：ベクトル印刷株式会社

ISBN 978-4-7991-0885-7